WORTINDEX ZU GOETHES FAUST

A. R. HOHLFELD

Emeritus Professor of German
University of Wisconsin

MARTIN JOOS

Lecturer in German
University of Toronto

W. F. TWADDELL

Professor of German
University of Wisconsin

DEPARTMENT OF GERMAN
THE UNIVERSITY OF WISCONSIN
MADISON

The Carl Schurz Memorial Foundation in Philadelphia
hat zur Verteilung an deutsche Gelehrte und Bibliotheken 100 Exemplare dieses Buches erworben und dadurch die Drucklegung des Werkes in
dankenswertester Weise gefördert.

INHALTSVERZEICHNIS

VORWORT

Gegen Ende des Jahres 1933 wurden durch die von der Bundesregierung geschaffene Civil Works Administration die höheren Lehranstalten der Vereinigten Staaten in den Stand gesetzt, wissenschaftliche Arbeiten zu unternehmen, die mit Hilfe von Studenten und vorläufig unbeschäftigten jüngeren Gelehrten durchgeführt werden konnten. Diese Gelegenheit brachte die beiden Unterzeichneten auf den Gedanken, ein vollständiges Wörter- und Formenverzeichnis zu Goethes „Faust" herstellen zu lassen. Der ursprüngliche Plan, weiterhin als Gegenstück dazu Schillers „Wallenstein" auf dieselbe Weise zu bearbeiten, mußte leider wieder fallen gelassen werden. Dagegen wurde in diesem Zusammenhang Professor Alfred Senn dazu veranlaßt, ein Wörterverzeichnis zu Wolframs „Parzival" herstellen zu lassen, das zur Zeit in mimeographierter Vervielfältigung vorliegt.

Herr Martin Joos erklärte sich bereit, die eigentliche technische Arbeit zu übernehmen: die Verzettelung der Wörter, die grammatische Analyse der Formen, das Alphabetisieren der mehr als 70 000 Zettel. Die Arbeit fing Februar 1934 an. Nach beendeter Verzettelung unterzog Professor Twaddell das Material einer ersten Kontrolle und trug dabei auf jedem Zettel die betreffende Zeilennummer ein. Für die grammatische Analyse wurde da, wo es sich um zweideutige Formen oder um Interpretationsfragen handelte, Professor Hohlfeld zu Rat gezogen. Beim Alphabetisieren wurde Joos zum Teil von Twaddell und Frl. Lena Schorlemmer unterstützt. Im September 1934 war die Arbeit soweit vorgeschritten, daß Joos bis Juni 1935 und zwar jetzt im Rahmen der Federal Emergency Relief Administration das Manuskript für den Druck fertigstellen konnte.

Die Grundsätze, nach denen hierbei verfahren werden sollte, waren zum Teil im voraus festgelegt worden, zum Teil entwuchsen sie den einzelnen Problemen, wie sie sich im Verlauf der Arbeit einstellten und von den drei Herausgebern in mündlichem, öfters auch schriftlichem Meinungsaustausch erörtert und entschieden wurden. Das fertiggestellte Druckmanuskript wurde zum Schluß einer eingehenden Durchsicht durch Hohlfeld unterzogen, dem so in strittigen und zweifelhaften Fällen die letzte Verantwortung zufallen muß. Dem Stand der Arbeit nach hätte das Werk bereits im Jahre 1936 erscheinen können, wenn die schwierige Frage der Finanzierung den Beginn der Drucklegung nicht immer wieder hinausgeschoben hätte.

Bei der Korrektur sind die Belege für Zeile 1 — 5999 von Twaddell, die für Zeile 6000 — 12111 von Joos kontrolliert worden.

Der auf diese Weise endlich zustande gekommene „Wortindex zu Goethes Faust" verdankt seine Entstehung nicht so sehr ästhetisch-literarischen Erwägungen als vielmehr sprachwissenschaftlichen, vor allem sprachstatistischen Interessen. In der Tat liegt bei einem Werke dieser Art der Gewinn für den Sprachforscher weit mehr auf der Hand als der für den Literaturwissenschaftler. So war es auch nicht verwunderlich, daß bei einer beschränkten Umfrage unter amerikanischen und deutschen Germanisten, die wir in den Anfangsstadien unserer Arbeit anstellten, die rückhaltlosesten Zustimmungen aus dem Lager der Sprachwissenschaftler kamen. Unter den Literarhistorikern wurden, bei aller Anerkennung der Idee, Vorbehalte und Wünsche laut, die bewiesen, daß man sich über das Ziel eines solchen Unternehmens nicht im klaren war.

Zunächst ist im Auge zu behalten, daß ein Wortindex wie der hier geschaffene nicht den Zwecken eines Spezialwörterbuchs dienen soll. Letzteres will der Erklärung und dem Verständnis eines Dichtwerks dienen. Es läßt deshalb vernünftigerweise alles weg, was der Erläuterung nicht bedarf, und stellt sich vor allem auf die Interpretation seltener oder umstrittener Worte und Wendungen ein, wie das z. B. Fr. Strehlke in seinem „Wörterbuch zu Goethes Faust" tut. Ein Wortindex hingegen sieht einerseits von allen Erklärungsversuchen ab, bucht aber andrerseits jedes Vorkommen eines Wortes oder einer Wortform, d. h. sein Ziel ist restlose Vollständigkeit. Gewiß ließen sich beide Verfahren vereint denken, aber kaum zum Vorteil der Benutzung für den einen oder den anderen Zweck.

Da aber unser Wortindex die lückenlos zahlenmäßige Übersicht bieten soll über das gesamte Wortmaterial eines in sich geschlossenen Werkes als eines einheitlichen sprachlichen Ablaufs, so schließt diese Rücksicht wiederum alles aus, was nicht zum eigentlichen Text gehört, also die Namen der jeweils sprechenden Personen, Überschriften, Bühnenanweisungen, Varianten u. s. w. Es fehlt deshalb in unserm Index z. B. das Wort **Zwinger,** sowie die Namen **Valentin** und **Mephistopheles** (**Mephisto** findet sich wegen Z. 4183). Die meisten unserer literarischen Berater wünschten im Gegensatz hierzu die Einbeziehung des Urfaust oder gar der Paralipomena, wofür in einem Faustwörterbuch natürlich Raum wäre, ohne zu bedenken, daß dadurch das erstrebte Ziel eines einheitlichen Gesamtwortbildes — nichts weniger, aber auch nichts mehr — sofort aufgehoben wäre. Eine Zeitlang dachten wir daran, wenigstens für den Urfaust in einem Anhang die Wörter zusammenzustellen, die sich in der vollendeten Dichtung nicht finden; aber auch dies haben wir als mit unserem Plan in keinem Zusammenhang stehend fallen lassen.

Als textliche Grundlage wählten wir (i. J. 1934) die damals letzte, achte Auflage der Ausgabe von Wıtkowski, die wir an fraglichen Punkten mit der Weimarer und Jubiläums-Ausgabe, mit den Ausgaben von Gräf, Petsch, Trendelenburg u. a. und zuletzt noch während der Korrektur mit der Heckerschen Textrevision in der inzwischen erschienenen Welt-Goethe-Ausgabe verglichen. Hierbei stellte sich bald heraus, daß auch die grundsätzlich modernisierten und normalisierten Ausgaben in Fragen der Schreibung nicht nur stark voneinander abweichen, was in manchen Punkten unvermeidlich ist, sondern auch, daß kaum eine von ihnen, für sich betrachtet, wirklich einheitlich gestaltet ist, wie an anderer Stelle ausführlicher nachgewiesen werden soll. So z. B. findet sich, um nur einiges anzudeuten, **sag, lob** u. s. w. neben **sag', lob',** u. s. w. (*2. sg. imper.*), **hätt'st** neben **hättst, Jahr'** neben **Jahr** (*pl.*), **heut nacht** neben **heut Nacht, zum ersten Mal** neben **zum erstenmal, rings umher** neben **ringsumher, hinausgewiesen** neben **dahin zu fließen, bemooster** neben **bemost, zu Hauf** neben **zugrund** — alles Unstimmigkeiten, die eben erst durch das Zusammentreffen oder jedenfalls durch die leicht zu erreichende Gegenüberstellung der verschiedenen Schreibungen sich unangenehm bemerkbar machen. In all solchen Fällen haben wir, wenn kein ersichtlicher Grund dagegensprach, die erstrebte Einheitlichkeit auch wirklich durchgeführt, und zwar unter Benutzung der 11. Auflage des Großen Duden [1] von 1934. Offenkundige Druckfehler, die sich sowohl in der 8., wie besonders auch in der 9. Auflage von Witkowski finden, wurden selbstverständlich beseitigt, und von den neuen Lesungen der 9. Auflage übernahmen wir **tieferm** (11867), **es** (12109), nicht aber **'en** (6814), **unbesonnen** (11372). Der ideelle, in Wirklichkeit nicht vorhandene Text, der also unserm Index zugrunde liegt, ist jedenfalls einheitlicher gestaltet als die große Mehrzahl der wirklich vorliegenden Texte,[2] und mit Hilfe des Index sollte es bei Neuausgaben dem Herausgeber weit leichter sein als bisher, einen in sich einheitlichen Fausttext zu gestalten.

Die Vorteile, die der Index abgesehen von sprachstatistischen Problemen für die Untersuchung grammatischer, metrischer und stilistischer Fragen von Goethes Sprachgebrauch bietet, liegen auf der Hand, wie auch seine Bedeutung als Vorarbeit für ein zu schaffendes neues Faustwörterbuch und ein groß angelegtes Goethe-Wörterbuch. Aber auch der Charakteristik und Interpretation der Dichtung erwachsen manche Gewinne. So z. B. lassen sich alle Vorkommnisse von für den Sinn der Dichtung wichtigen Ausdrücken wie **streben, irren, genießen** leicht überschauen.

---

[1] Wir behalten aber **Wage** und **wagerecht.**

[2] Hier soll nicht unerwähnt bleiben, daß der von Hecker in der Welt-Goethe-Ausgabe geschaffene und jetzt auch von Beutler übernommene Text, so eigenwillige Wege er in mancher Hinsicht geht, einen außerordentlich hohen Grad von Einheitlichkeit erreicht hat.

Die Behauptung, daß in der Faustdichtung jeder Begriff von Reue fehle, wird man in Zukunft wenigstens nicht ohne einen vorherigen Blick in den Index aufstellen wollen. Auch ermöglicht unser Verfahren in der Anordnung der Belege, genau in der Reihenfolge des Textes selber, aufschlußreiche Vergleiche zwischen der Wortwelt, also auch der Sinnwelt, des Ersten und des Zweiten Teils oder anderer wichtiger Abschnitte der Dichtung. Der Benutzer des Index erfährt z. B. auf einen Blick, daß, Ableitungen und Zusammensetzungen ungerechnet, **fühlen, Gefühl** in Faust I 55mal vorkommt, dagegen in dem doppelt so umfangreichen II. Teil nur 37mal, wobei für **ich fühl'** die Verhältniszahlen sogar I:14 zu II:4 sind. Oder man vergleiche z. B. **arm** (I:26, II:5) mit **reich** (I:7, II:29), **lieben** (I:32, II:20) und **lieb** (I:38, II:18) mit **lieblich** (I:2, II:22). Oder man beachte Fälle wie **Glanz, glänzen** (I:6, II:32), **Volk** (I:10, II:35) u. s. w.

Unmittelbare Worterklärungen dagegen finden sich, wie bereits betont, im Index nicht. Nur vereinzelt haben wir in zweifelhaften Fällen (wie z. B. **Nordens** in Z. 1796) durch eine Anmerkung auf die Unsicherheit hingewiesen. Andrerseits gewinnt die Interpretation mitunter an Sicherheit durch die oben erwähnte Möglichkeit, alle Vorkommnisse eines Wortes im Zusammenhang überschauen zu können.

Die Beschränkungen, die wir uns besonders aus Gründen der Raumersparnis haben auferlegen müssen in bezug auf die am häufigsten vorkommenden Wörter, sowie in bezug auf die Scheidung lautlich gleicher, der Funktion oder Bedeutung nach aber verschiedener Wörter und Wortformen, werden von Herrn Joos in seiner „Technischen Einleitung" (§§ 7 — 17) erörtert. Wir sind uns dabei wohl bewußt, daß wir einerseits nicht immer konsequent geblieben sind und daß andrerseits manche wichtigen Unterscheidungen im Gebrauch von Wörtern wie z. B. **zu** oder **doch** sich nicht verfolgen lassen. Es sei deshalb auch hier darauf hingewiesen, daß die Einzelbelege für die nur summarisch verzeichneten 26 Wörter häufigsten Vorkommens im Archiv der deutschen Abteilung der Universität Wisconsin aufbewahrt werden und Forschern leicht mitgeteilt werden können.

Indem wir hiermit den Wortindex zum „Faust" den Fachgenossen vorlegen, hoffen wir, daß seine recht vielseitige Benutzung zu Vorschlägen führen möge, wie dies oder jenes vorteilhafter könnte gestaltet werden; denn wir hoffen nicht minder, daß diese erste Gesamtschau des Wortschatzes eines großen deutschen Literaturwerkes neuerer Zeit nicht ohne Nachfolge bleiben werde. Welche Aussicht auf wertvollste Ausbeute ergäbe sich z. B., wenn neben den Wortindex zum „Faust" sich eine gleiche Übersicht stellte für den „Wilhelm Meister" und den „Wallenstein", zum Vergleich von Goethes dichterischer Vers- und Prosasprache und der Dichtersprache der beiden Dioskuren.

Endlich sei hier allen denen unser Dank ausgesprochen, die uns in den Anfangsstadien unsrer Arbeit beraten und gefördert haben, sowie denen, die durch Vorausbestellungen den Druck des Werkes haben verwirklichen helfen. Trotzdem wäre uns die Drucklegung kaum möglich gewesen, sicher nicht in so ansprechender Form, wenn nicht der Oberlaender Trust der Carl Schurz Memorial Foundation uns eine wesentliche Beihilfe gewährt hätte durch Übernahme von hundert Exemplaren des Buches zur freien Verteilung an deutsche Bibliotheken und Gelehrte. Für diese Förderung unsres Unternehmens sprechen die drei Herausgeber auch an dieser Stelle ihren herzlichsten Dank aus.

A. R. HOHLFELD
W. F. TWADDELL

Technische Einleitung

§ 1. Im Folgenden wird über die Anlage des Faustindex einigermaßen eingehend berichtet, wennschon aus Raummangel ohne Angabe der Gründe oder Erwägungen, die für uns bei der Arbeit maßgebend gewesen sind. Da die vorliegenden Indices Verborum zu griechischen und lateinischen Autoren uns nur in beschränktem Maße als Vorbilder dienen konnten und da über die Theorie und Herstellung eines Index verborum [1] anscheinend so gut wie nichts im Druck erschienen ist, so mußten wir für einen ersten Versuch,[2] einen Wortindex zu einem modernen Literaturwerke zu schaffen, unsere eigenen Leitsätze entwerfen und dann Schritt für Schritt aus der Praxis unser Verfahren sich entwickeln lassen. So sorgfältig wir auch dabei vorgegangen sind, so sind wir doch überzeugt, daß in der Folge sich manche Änderungen als vorteilhaft erweisen dürften. Jedenfalls ermöglichen es die hier folgenden Angaben dem Benutzer des Index, denselben für seine jeweiligen Zwecke sicher und bequem zu gebrauchen [3] und zugleich sich Rechenschaft zu geben über die Beschränkungen, die wir uns teils freiwillig, teils unfreiwillig auferlegt haben.

[1] Wir verweisen in diesem Zusammenhang auf den als unveröffentlichte Magisterthese in der Bibliothek der Universität Wisconsin aufbewahrten Aufsatz des Unterzeichneten, „Theory of the Index Verborum Applied to the Faust Index", wo das hier Fehlende der Hauptsache nach zu Worte kommt.

[2] Der inzwischen erschienene, allerdings ganz anders angelegte „Word Index to James Joyce's Ulysses" von Miles L. Hanley (Madison, 1937) wurde erst geplant, als unsere Arbeit bereits fast abgeschlossen war.

[3] Wenn die Anlage eines Indexabsatzes zu irgend welchen Schwierigkeiten Anlaß geben könnte, so wird auf den betreffenden Paragraphen dieser Einleitung verwiesen; s. auch die Zeichenerklärung auf S. xiv.

§ 2. Der Index folgt der Zeilenzählung der Weimarer Ausgabe, die sich in dieser Hinsicht mit Witkowski und den anderen in Frage kommenden Ausgaben deckt. Eine Ausnahme macht die Szene „Trüber Tag", wo im allgemeinen jeder Herausgeber seinen eignen Weg geht. Wir haben deshalb diese Szene nach der durchlaufenden Zeilenzählung der Weimarer Ausgabe im Anhang abgedruckt und die betreffenden Zeilennummern im Index mit „TT" bezeichnet.

§ 3. Die Wortformen, die im Fausttext vorkommen, sind mit ihren Zeilennummern unter Stichwörtern (§ 18) angeführt. Wenn die Gesamtzahl aller Vorkommnisse mehr als fünf beträgt, so ist sie unmittelbar nach dem Stichwort in runden Klammern angegeben. Alle Zahlen, die nicht mit solchen Klammern versehen sind, verweisen auf den Fausttext. Kommt ein Wort in derselben Zeile mehr als einmal vor, so wird die Zeilennummer wiederholt: s. **ach**, wo „2881 2881" steht als Verweis auf „Ach seh' Sie nur! ach schau' Sie nur!"

§ 4. Der Index läßt jedesmal die genaue Wortform erkennen, die an der betreffenden Stelle vorkommt. Bei nicht mehr als fünf Belegen unter einem Stichwort stehen unmittelbar nach jeder Form die dazugehörigen Zeilennummern: s. **abgeschmackt.** Gelegentlich findet sich die gleiche Anordnung auch bei längeren Absätzen, wenn die Übersichtlichkeit darunter nicht leidet.

§ 5. Grundsätzlich jedoch gilt für mehr als fünf Belege eine andere Anordnung. In diesem Falle werden zunächst alle vorkommenden Formen aufgezählt und dann erst alle Zeilennummern der Reihe nach angeführt. Dabei ist jede Wortform mit einem kleinen hochgedruckten Buchstaben versehen, der dann bei den dazugehörigen Zeilennummern wiederkehrt: s. **ahnen.** Dadurch wird es möglich, die Gesamtverwendung eines Wortes, ohne Rücksicht auf Variationen, durch den ganzen Text zu verfolgen, bzw. rasch festzustellen, ob und wie oft es in einem gegebenen Abschnitt vorkommt.

§ 6. Wenn eine Wortform fast alle Belege eines Stichwortes erschöpft, so versehen wir diese häufigste Form mit einem hochgedruckten „x", lassen bei ihren Zeilennummern aber jede weitere Bezeichnung weg: s. **Abenteuer, Schade.**

§ 7. Beträgt die Gesamtzahl der Vorkommnisse aller Formen eines Wortes mehr als etwa 400, so werden aus Gründen der Raumersparnis die einzelnen Zeilennummern nicht angeführt, wohl aber die Gesamtzahl aller Vorkommnisse sowie die Belegzahl für jede einzelne Form. Derart vereinfachte Absätze bringen wir für 26 Stichwörter, die hier samt ihren Belegzahlen folgen: **der** (Artikel und hinweisendes Adjektiv, wie z. B. Zeile 3470) 4363, **der** (Demonstrativpronomen) 462, **der** (Relativpronomen) 428, **doch** 526, **du** 1207, **ein** (Artikel und Zahlwort) 1085, **er** 852, **es** 1351, haben 517, **ich** 2550, **ihr** (zweite Person) 732, **in** 685, **mit** 513, **nicht** 957, **sein** (Verb) 1984, **sich** 784, **sie** (Femininum) 445, **sie** (Mehrzahl) 382, **so** 654, **und** 2024, **von** 425, **was** 513, **werden** 356, **wie** 610, **wir** 709, **zu** (§ 24) 1058. Insgesamt kommen die angeführten 26 Wörter 26 172 mal vor und machen somit mehr als ein Drittel des ganzen Textes aus, der sich auf etwa 71 900 Worte beläuft. Die Einzelbelege sind alle auf Zetteln eingetragen, die in Madison aufbewahrt werden.

§ 8. Die Absätze über Wörter wie **doch, so, was, zu** u. a. führen also keine Zeilennummern an, obwohl wir uns bewußt sind, daß hier abweichende Verwendungen und Bedeutungen im Sinne von § 17 in Frage kommen.

§ 9. Wenn aber eins von diesen häufigsten Wörtern Biegungsformen oder sonstige Variationen aufweist, wird nicht nur die Belegzahl für jede Variation angegeben, sondern es werden auch die Zeilennummern angeführt für jede Form, die weniger als etwa zehnmal vorkommt: s. **der, haben.**

§ 10. Der Gesamtwortschatz ist gemäß der Rechtschreibung der Hauptformen (§ 18) in Absätze eingeteilt, und innerhalb eines jeden Absatzes sind die gleichgeschriebenen Wortformen vereinigt. So wird z. B. nicht unterschieden: zwischen **Tag** „Tageslicht" und **Tag** „Zeitabschnitt", oder zwischen **kommt** (3. sg.) und **kommt** (2. pl.). In Ausnahmefällen haben wir indessen nach Funktion oder Bedeutung unterschieden, wie unten (§§ 11, 16, 17) angeführt wird.

§ 11. Innerhalb eines Absatzes unterscheiden wir: zwischen Einzahl und Mehrzahl eines Hauptwortes (aber nicht eines Adjektivs, auch nicht wenn es als Hauptwort verwendet wird), zwischen Komparativ und -er-Form des Positivs und zwischen dem Partizip des Präteritums und einer anderen gleichlautenden Verbalform.

§ 12. In einem Hauptwortabsatz sind die Formen alphabetisch angeordnet. Eine Form, die entweder Einzahl oder Mehrzahl sein könnte, wird durch „*sg*" bzw. „*pl*" gekennzeichnet. Das adverbiell gebrauchte Hauptwort wird nicht in einem eigenen Absatz gebucht und überhaupt nur dann getrennt angeführt, wenn es kleingeschrieben vorkommt: s. **Abend.**

§ 13. In einem Adjektivabsatz sind die vorkommenden Formen in drei Gruppen eingeteilt und innerhalb jeder Gruppe alphabetisch angeordnet: (1) die Positivformen, von denen die kleingeschriebenen Formen den großgeschriebenen vorangehen, — so auch in der zweiten und in der dritten Gruppe, (2) die Komparativformen, die wenn nötig durch ein „*k*" von den gleichlautenden Positivformen unterschieden werden, während diese unbezeichnet bleiben, (3) die Superlativformen. Die pronominale Verwendung einer Adjektivform, wie z. B. bei **solch** oder **all,** wird nicht berücksichtigt. Obgleich auch das adverbiell gebrauchte Adjektiv grundsätzlich als Adjektivform eingetragen ist, also ohne Unterscheidung von dem gleichlautenden gewöhnlichen Adjektiv, sind einige selbständigeren Adverbien besonders gebucht worden: s. **anders, lang.** Das Adverb auf **-stens** bildet stets einen besonderen Absatz (s. **höchstens**), ebenso Abstrakta wie **die Schöne** = **Schönheit** (aber nicht **das Schöne!**) und selbständige Hauptwörter wie **Gut** und **Grün.**

§ 14. In einem Verbabsatz sind die Formen in vier Gruppen eingeteilt: (1) Präsensformen samt Infinitiv, (2) Präteritalformen, (3) Partizip des Präsens, (4) Partizip des Präteritums, das wenn nötig durch „*pp*" gekennzeichnet wird, zur Unterscheidung von dem gleichlautenden Infinitiv (z. B. **gefallen**) oder finiten Verbalformen (z. B. **verliehen, vermehrt, vermehrten**), welche unbezeichnet bleiben. Da der Infinitiv als Stichwort dient, wird er als erste Präsensform angeführt; auch erste und dritte Person Mehrzahl sind hier untergebracht worden. Darauf folgt der als Hauptwort gebrauchte Infinitiv (s. **anschauen**), außer wenn er ein vom Verbalsystem losgelöstes und verselbständigtes Hauptwort bildet wie **Essen** in Zeile 3148 (aber nicht in Zeile 1920!). Die übrigen Präsensformen folgen dann in alphabetischer Anordnung. Danach folgen zunächst die alphabetisch geordneten Präteritalformen, und am Ende die beiden Partizipien. Jede Gruppe von Partizipialformen befolgt die Anordnung eines selbständigen Adjektivabsatzes: s. **drängen, drohen, erkennen, erschüttern.**

§ 15. Die Anordnung der übrigen Absätze bedarf keiner besonderen Erklärung.

§ 16. In § § 10 — 14 haben wir die Hauptgesichtspunkte angegeben, nach denen das Sprachmaterial in einheitliche Absätze eingereiht, bzw. in getrennten Absätzen gebucht worden ist. Grundsätzlich (§ 10) ist dabei die Form entscheidend gewesen. Bedeutungsunterschiede sind nur ausnahmsweise berücksichtigt worden, so besonders, wenn gewisse formale Kennzeichen vorhanden sind (s. **Band, erschrecken, schaffen**), mitunter aber auch, wo solche fehlen (s. **Gesicht, Gut, Gütchen**). Ohne Konzessionen dieser Art wären Sinnlosigkeiten entstanden, wie z. B. bei den verschiedenen Bedeutungen von **dauern.**

§ 17. In einzelnen Fällen haben wir es für angebracht gehalten, auch innerhalb eines Absatzes die Belege nach Bedeutung oder Verwendung zu trennen: s. **aber, als, an.** Strenge Konsequenz und Vollständigkeit erwiesen sich aber auch hier als unerreichbar.

§ 18. Die einzelnen Absätze sind alphabetisch angeordnet nach den Formen, die herkömmlich als Hauptformen gelten, wie der Nominativ der Einzahl, das flexionslose Adjektiv und der Infinitiv. Kommt nur eine Form eines Wortes vor, die aber nicht die Hauptform ist, so wird die belegte Form als Stichwort verwendet, wenn sie alphabetisch an die richtige Stelle kommt und keinen Anlaß zu Mißverständnissen gibt: s. **ärm-**

lichsten, armsel'ger. Sind jedoch mehrere Formen eines Wortes belegt, die Hauptform aber nicht, oder könnte die Auslassung der Hauptform irreführen, so wird diese doch angesetzt: s. **faseln, faul.**

§ 19. In den Verweisen auf Zusammensetzungen ist Vollständigkeit erstrebt worden (doch vgl. § 25), damit man alle Vorkommnisse eines Wortes verfolgen kann, samt jeder Verwendung als Wortteil, auch wenn es als ein selbständiges Wort nicht vorkommt: s. **ab, Ameise.** Hat ein Kompositum mehr als zwei Bestandteile, so wird bei jedem Teilwort auf das Kompositum verwiesen: s. **Spiel, Gaukelspiel, Flammengaukelspiel.** Gelegentlich finden runde Klammern Verwendung, um einen abgekürzten Verweis auf zwei Stichwörter zu bilden: so gilt bei **Tag** der Verweis „Erde(n)~" sowohl für **Erdentag** als auch **Erdetag.**

§ 20. Für gewöhnlich gibt der Verweis nicht an, welche Biegungsform eines Kompositums wirklich vorkommt. Das Zeichen ∼ deutet an, daß die Wurzel in der Zusammensetzung, d. h. in deren Hauptform (§ 18), umgelautet vorkommt. Ein Pluszeichen nach dem Verweis deutet an, daß noch weitere Stichwörter mit anderen Schlußelementen in der Nähe des ausdrücklich angezeigten Wortes zu finden sind: so zeigt bei **ab** der Verweis „her~+" nicht nur das Wort **herab** an, sondern auch dreizehn Verben auf **herab-.** Ebenso macht ein Pluszeichen vor dem Verweis darauf aufmerksam, daß bei dem angezeigten Worte noch weitere Zusammensetzungen angeführt sind: so gilt bei **Tag** der Verweis „+Feier~" nicht nur dem Worte **Feiertag** selbst, sondern auch dem bei **Feiertag** befindlichen Verweis auf **Sommerfeiertag.**

§ 21. Bei elliptischen Zusammensetzungen ergänzen wir das fehlende Glied in eckigen Klammern und buchen das vervollständigte Kompositum als Stichwort: s. **Farb-[gestein], [Höllen]-Flamme.** Da das Wort **Gestein** selber vorkommt, hat **Stein** den abgekürzten Verweis „+Ge~" und **Gestein** dann die drei Verweise „Edel~ Farb-[~] Glanz~".

§ 22. Auf zusammengesetzte Verben wird natürlich bei den einfachen verwiesen, soweit diese mit einer irgendwie verwandten Bedeutung denkbar sind; ist das aber nicht der Fall, wie z. B. bei **bescheren,** so steht das Kompositum für sich, als ob es ein einfaches Wort wäre. Es ist oft schwer zu entscheiden, ob ein trennbares Verb anzusetzen ist oder das Verb und die Partikel getrennt einzutragen sind. Wir haben, soweit es nach gegenwärtigem Gebrauch (Duden) berechtigt schien, immer das zusammengesetzte Verb angesetzt, auch wenn die Mehrzahl der Herausgeber es nicht tun: s. Zeile 1937. Bei der Vollständigkeit unserer Verweise sollte dieses Verfahren zu keinen Schwierigkeiten führen. Erst lange nach dem eigentlichen Abschluß unserer Arbeit (1936) ersahen wir, wie weitgehend Max Hecker in der Welt-Goethe-Ausgabe nach dem gleichen Grundsatz verfahren ist.

§ 23. Innerhalb eines Absatzes sind die getrennten Formen eines trennbaren Verbs in der Reihenfolge angeführt, wie sie im Text vorkommen; nur wird nicht angedeutet, ob an einer bestimmten Stelle etwas dazwischensteht oder nicht. So finden sich z. B. bei **aussehen** fünf gleichmäßig angeführte Zeilennummern für **sieht aus,** obgleich im Text viermal etwas zwischen **sieht** und **aus** zu stehen kommt.

§ 24. Bei Formen wie **abzufahren** buchen wir **abfahren** und zählen einen Beleg für das Einzelwort **zu.**

§ 25. Auf Vollständigkeit der Verweise auf abgeleitete oder verwandte Wörter ist nur soweit zu zählen, als die Wurzeln ohne größere lautliche Abweichungen in weiteren Bindungen oder Ableitungen vorkommen. Zwar haben wir bei **trinken** einen Verweis auf **Trank** eingesetzt und dergleichen mehr und bei den Präpositionen durchweg auf alle Zusammensetzungen mit dem Artikel verwiesen, aber wir haben nicht bei jedem Stichwort nach allen möglichen verwandten Wörtern gesucht, und daher mag wohl einiges von dieser Art übersehen worden sein.

Martin Joos

Zeichenerklärung

→ vergleiche, siehe, *vide*

§ Paragraph der technischen Einleitung S. ix–xiv

(7) kommt siebenmal vor → §2

1234 Vers 1234 → §3, §4, §6

TT56 „Trüber Tag" Zeile 56 → §1

7890a → §5

Wort^x → §6

   sg Singular → §12

   pl Plural → §12

   k Komparativ → §13

  pp Partizip des Präteritums → §14

  sv *sub voce*, bei dem Worte

  ~ → §19

  $\approx$ → §20

  + → §20

 [ ] → §21

WORTINDEX

ZU

GOETHES FAUST

a! tara lara da! 2088 2089.
aalgleich 5231.
Aar 5462.
Aas 2479.
ab → felsen∼ her∼+ hin∼+ meer∼ seit∼.
abbrauchen abgebraucht 6529.
ABC 5551.
Abend (6). Abend^a abend^b abends^c. 866c 1144a 3024b 3028b 5729b 6171b.
Abendhimmel 11264.
Abendrot 151.
Abendsonneglut 1070.
Abendstrahl 1076.
Abendwind 11164.
Abenteuer (6). Abenteuer^x sg Abenteuers^b. 7065 7691 8483 11073b 11319 11783. → Liebes∼.
aber (99). aber^x aber(=abermals)^b.
89 454 810 911 1004 1210 1212 1247 1263 1935 2335 2632 3254 3467 3479 3631 3712 3745 3906 3989 4229 4372 4512 4532 4586 4707 4890 5139 5449 5508 5636 5891 5931 5944 6181 6347 6700 6746 6803 6885 6918 6948 6951 7018 7031 7299 7301 7548 7712 7865 7957 8450 8451b 8496 8512 8514 8538 8543 8579 8617 8628 8674 8708 8761 8807 8826 8841 8845 8852 8946 8949 8978 8989 9006 9069 9074 9088 9099 9165 9297 9326 9334 9395 9487 9608 9651 9930 9974 9988 10022 10068 10170 10321 10763 10935 11097 11360 11440 11740.
Aberglauben 11416.
abermals 1526 8607 9081 11438.
abertausend 4719 8325 10212.
Aberwitz 8874.
abestürzt 11911. → abstürzen.
abfahren 2296.
abfinden 3715.
abgehen ging ab 11351.
Abgesandten sg 5697 10854.
abgeschmackt 2387 7794. abgeschmackten TT15. Abgeschmackters 3372. abgeschmackteste 2534.

abgewöhnen abgewöhnt 278.
Abglanz 4727.
abgleiten gleitet ab 9025.
Abgrund (6). Abgrund^x Abgrunds^b. 3351 3919b 4691 7571 10108 11867. → Felsen∼.
abhalten. hält ab 2483 11764. halt' ab 5443.
abhängen. hängen ab 7003. hängt ab 8954.
abhängig 9128. → un∼.
abhärmt 8627.
abkehren. kehrt ab 10511. abgekehrt 8146.
ablecken 2263.
ablegen 9197. abgelegt 3042.
ablenken 7310. lenkt ab 10484.
ablocken abgelockt 6579.
ablösen löst ab 10043.
abmachen abgemacht 6939.
abmähen abgemähtes 9330.
abmessen abgemessen 9534.
abnehmen. abnimmt 6327. nimmt ab 10344.
Abram 12046.
abraten abgeraten 10415.
abriechen abgerochen 4068.
abringen abgerungen 7923.
abründen abgeründet 10098.
Abscheu 1980.
abscheulich 7007. abscheuliche 7046. abscheuliches TT20.
abschlagen abgeschlagen 4208.
abschläglich 6045.
abschneiden schnitt ab 9057.
abschweben schweben ab 4401.
abschweifen 7098.
abschwellen ab schwellen 6009.
absenden → Abgesandten.
absolut 6736.
absondern abgesondert 9588.
abspazieren. abspaziert 6097. abspaziert *pp* 3271.
abspiegeln spiegelt ab 4725.
abspinnen. spinnst ab 9595. abgesponnen 91.
abspringen sprang ab 7422.
abstecken Abgesteckte 11506.
absteigen steigst ab 10069.

1

abstreifen abgestreift 617.
abstürzen stürzen ab 11000. → abestürzt.
absurd 6813 7792 7792. absurde 11838.
abteilen teilt ab 146.
abtragen abgetragen 6178.
abtreiben abgetrieben 3300.
abtun abgetan 6854 6958.
abwallen [wall'] ab 502.
abwärts 10007.
abwaschen 8941.
abwenden. wende ab 8684. wenden ab
    3828. abgewandt 10939.
abwischen wische ab 4513.
abzehren abgezehrt 5643.
abziehn 11561. zieh ab 324.
abzwacken abgezwackt 1417.
abzwingen zwingst ab 675.
ach (81) ach^x Ach^b. 20 67 354 392 454
    530 558 608 612 632 755 791 795
    1090 1108 1112 1194 1201 1210
    2024b 2267 2433 2697 2727 2804 2881
    2881 2895 2908 2910 2918 2919 2941
    2945 2957 2992 3086 3102 3161 3171
    3205 3401 3408 3422 3502 3505 3550
    3586 3587 3605 3609 3617 4178 4279
    4512 4515 4778 5185 5410 5419 6633
    6673 6830 7156 7413 7784 8429 8707
    8744 8927 9098 9103 9107 9125 9833
    9909 9915 10052 11055 11312 11316.
Achaia 9468.
Achill 7435 8877.
achselzuckend 9616.
acht (12). (in acht nehmen)^a (acht ge-
    ben)^b. 876a 1263b 2124b 2180b 2297b
    3690a 4120a 6338b 10623b 10626b
    11423a 11669a.
Acht (*Zahlwort*) 2548.
achte (*Ordinalzahlwort*) 8198.
achten 10122. acht 2358. acht' 5697 9016.
    geachtet 8586. → ver~+.
achtzig 2361.
Ächzen 7662 8471. → hin~.
Acker 2359 6167.
ackre 5038.
Adam 7711. Adams 4119.
ade! 3210.
Adel 10265.
Adepten *pl* 1038.
Adern 433 619 3925 5851 10963. →
    Berges~.
Adler (6). Adler^a*sg* Adler^b*pl* Adlern^c.
    1097a 8121c 8371a 9039b 10624a 10629a.
Affe 2400. Affen *pl* 542. → Gras~.
affenjunge 3313.

Ägäischen 7501.
Agathe 876.
Ägypten 7241 8873.
ah! 3026.
aha! 2263.
ahmen → nach~.
Ahn Ahnen *pl* 1117 7558 9916 10955. →
    Ur–Ur~.
ähnelt 5079.
ahnen (15). ahnen^a ahne^b ahn'^{c} ahnet^d
    ahnte^e geahnt^f. 3280a 4421d 5260d
    5797d 6063b 6424c 7183d 8471d 8926f
    9262c 10373b 11892c 12067e 12086d
    12095d.
Ahnherrn *sg* 2701.
Ahnherrntage *pl* 9640.
ähnlich 5132 10050. ähnlichem 9163. →
    menschen~ Gott~keit.
Ahnung 1558.
Ahnungsdrang 3286.
ahnungsvoll (7). ahnungsvoll^a ahnungs-
    vollem^b ahnungsvoller^c. 621a 773a 1180b
    3494c 3793c 6933c 10573c.
Ahorn 9544.
Ajax 9030.
akademischen 6724.
Akkorden 149.
akkurat 3114 11667.
Aktion → Haupt–[~] Staats~.
albern 6763. alberne 2423.
Alcides' 7219.
all (378). all^a alle^b all'^{c} allem^d allen^e
    aller^f alles^g All^h (→ §13). 47g 86e
    138b 144f 152b 173b 191b 269b 272g
    306b 306b 338e 366b 370b 384b 396d
    413b 431b 447g 453a 453h 456g 479c
    495e 497e 537f 601g 602b 609e 650d
    694f 849b 858b 870g 913g 928b 944d
    953g 967b 992e 1078b 1081e 1107b
    1129e 1165g 1173g 1232g 1269e 1308b
    1329d 1339g 1342g 1349g 1496b 1502b
    1503b 1568e 1587d 1606e 1720e 1727b
    1749d 1791b 1805b 1810b 1822g 1828g
    1871b 1876d 1934f 1944g 1946b 1948e
    2028c 2031e 2038b 2061g 2135e 2158e
    2324b 2333g 2374g 2439e 2495b 2560e
    2601f 2622f 2670f 2769g 2799g 2800g
    2804g 2805f 2847e 2856g 2863b 2905g
    2968f 2968f 2986g 2986b 3020b 3052e
    3054b 3062e 3063e 3080b 3083g 3113e
    3123b 3212g 3212g 3214e 3217g 3287b
    3289g 3304g 3354a 3447g 3456g 3459g
    3463b 3478e 3585g 3614d 3627a 3630g
    3637b 3660b 3751b 3768f 3891b 3908g

3908g 3949b 3979b 4082g 4086g 4300b
4328g 4349g 4398g TT31f TT76b 4471b
4578g 4614b 4616e 4664b 4775b 4776b
4799b 4810b 4810b 4823h 4853b 4854b
4869b 4937g 4957e 4967g 4969g 4985b
4989e 5076b 5121c 5138e 5176g 5241g
5370e 5377e 5413b 5426e 5454e 5456f
5464g 5491b 5510b 5513g 5593g
5627e 5628e 5721b 5736e 5753c 5753c
5776b 5782g 5785g 5790b 5826g 5862g
5866f 5873h 6034f 6056g 6073e 6078g
6129e 6153f 6205f 6249f 6256h 6289f
6318g 6337e 6385g 6389b 6431d 6446g
6467d 6498f 6513e 6522b 6536d 6537e
6547d 6575g 6652e 6658d 6747g 6780g
6800f 6801f 6920e 6921g 6939g 7029b
7082g 7084g 7110g 7206g 7238g 7280e
7301e 7303b 7340b 7376e 7380b 7386b
7436f 7449b 7507b 7522g 7597e 7643b
7651b 7664b 7683g 7717e 7827g 7930g
8011e 8032f 8054g 8125g 8136b 8169e
8189b 8192b 8201b 8435g 8436g 8460g
8478g 8479g 8487b 8501e 8508g 8519e
8555g 8556g 8569g 8578g 8583g 8612b
8807d 8816b 8839g 8854e 8878e 8897f
8907f 8915e 8921g 8935b 8969f 8981g
8986g 9008g 9022g 9027f 9074d 9110g
9245e 9268g 9296b 9303b 9325g 9335g
9351b 9355g 9355g 9364c 9456b 9483e
9514f 9561b 9592f 9626g 9637g 9664e
9703g 9713e 9765c 9766c 9849b 9934g
9945d 9952g 9998g 10013f 10016e
10022e 10022b 10027g 10034b 10035b
10167f 10188g 10192d 10203b 10257b
10270e 10338d 10398b 10406b 10478b
10479b 10520f 10524g 10527e 10536g
10593b 10601b 10760e 10762g 10777e
10829b 10855e 10865g 10885d 10888e
10901e 10937e 10951f 10966b 11105f
11203b 11211g 11246g 11296e 11454b
11459e 11476b 11560g 11620e 11681e
11724f 11821b 11863g 11873g 11873g
11896e 11896e 12052b 12097b 12104g.
→ Welt~ über~+.
allbereits 9148.
allbewegend 7255.
allbezwingenden 8523.
Allegorien 5531.
allegorisch 10329.
allein (*Adj.* : → §13) (36). allein^x al-
leine^b. 826 943 1024 2669 2685 2868
3092 3108 3132 3505b 3531 3601 3605b
3962 4036 4075 4184 4773 5333 5432b
5469 6237 6469 6655 6913 7550 9211

9307 9522 9593 9906 9907 10858 11418
11502 11618.
allein (*Adv.* : → §13, §17) (52).
(=nur) (18) allein^x alleine^b. 285
2370 2839 2910 5028b 5694 5839 6645
6946 8251 8411 8786 8834 8954 9382
10116 11304 11406.
(=aber) (34) allein 46 546 586 765
883 1085 1726 1785 2002 2055 2202
2349 2377 2508 2800 2938 2953 2960
3098 3177 3197 3417 3868 4721 4731
5607 7177 7833 8410 8687 8990 10420
11357 11500.
All-Einzeln 9478.
allemal 2656 10174.
allemsig 7598.
allenfalls 198 4156 5006 7131.
allerbeste 834 10918. allerbesten 2265.
Allerbesten 7154.
allerderbsten 3836.
allerdings 9596.
allergrößten 9313.
Allerhalter 3439.
allerhöchste 1852. allerhöchster 10751.
Allerhöchste 10258.
allerklarste 7823.
allerklügsten 7841.
allerlei 2650 5100.
allerletzten 10779.
allerliebst (7). allerliebste^a allerliebsten^b
allerliebster^c. 201a 6902c 6905b 7390b
8267c 9679a 11763b.
allerliebst–geselliger 10173.
allermeist 6414.
Allermindeste 7594.
allerneusten 5654.
allerorten 1934 3462 5950.
allerreichste 4998.
allerreifsten 5166.
allerschlimmste 115.
allerschönste 9294 11508. allerschönsten
10170.
allerseitigem 5957.
allerseits 5452. → allseits.
allerstillsten 6676.
allertiefsten 6284.
allerwegs 3014.
allerweit'sten 2966.
allesamt 7757.
allgemeine 6399. allgemeinen 148 5859.
allgemeiner 2841 5965.
allgewaltige 6433. allgewaltigen 11255.
allhier 1868 4216 6403 6459 8486.
allieblichste 8289.

allmächtig 5961. allmächtige 11872. All-
mächtiger 3721. → über∿.
allseits 9141. → allerseits.
Allumfasser 3438.
allunverändert 6571.
Allverein 11807.
allwärts 9262.
allwißbegierige 6647.
allwissend 1582.
allzu 1994 4080 5314 10353.
allzudeutlich 1333.
allzugewohnt 7694.
allzugleich 8899.
allzugroßer 10079.
allzuherben 8870.
allzulästigen 5689.
allzuleicht 340.
allzulüstern 8821.
allzumal 10919 11208.
allzusammen 5458 11816.
allzuschändlich 11151.
allzuschöner 8861.
allzutoll 10277.
allzuviele 2995.
Alpe (=Bergweide) 4699.
Alpen 5070.
Alphabet 6081.
Alpenfeld 3353.
Alraune *pl* 7972. Alraunen 4979.
als (250). (→ §17).
 (als Teufel schaffen, als unbedingt
erkennen) (99) 213 343 598 613 648
648 649 736 984 1060 1062 1193 1535
1597 1597 1598 1713 2358 2447 2538
2786 2953 3092 3688 3689 3775 4061
4303 TT6 4963 5131 5165 5182 5184
5355 5356 5552 5568 5697 5698 5849
6004 6059 6067 6249 6294 6477 6482
6585 6588 6704 7011 7091 7123 7224
7342 7388 7446 7564 7732 7778 7880
7986 8007 8147 8149 8220 8300 8300
8409 8527 8866 8879 8965 8967 8996
9189 9214 9214 9362 9441 9625 9689
10059 10409 10451 10460 10492 10743
10772 10772 10883 10945 10967 11020
11085 11133 11369 11908.
 (=wie: so . . . als, als wie, als ob)
(70) 101 282 359 632 689 1021 1365
1827 1947 1963 2040 2129 2132 2133
2140 2141 2148 2149 2214 2294 2334
2387 2435 2649 2749 2750 2844 2846
3049 3198 3475 3673 3809 4152 4490
4533 4534 4958 5990 6039 6163 6252
6895 7050 7316 7319 7344 7356 7441

7441 7561 7941 8101 8117 8162 8468
8537 8570 8683 9594 10558 10784
11191 11267 11400 11601 11602 11772
11774 11875.
 (*nach Komparativ*) (36) 286 366 618
681 850 851 861 1052 1219 1438 2878
2952 2960 3080 3099 3116 3256 3373
4205 4314 TT29 5559 5625 5657 6101
6769 7064 7972 8063 8069 8791 8889
9643 10287 10428 11755.
 (=außer) (12) 665 1156 1961 2118
3200 3697 8829 9268 10357 10512
10560 10606.
 (*Konj. der Zeit*) (33) 1000 1406
2767 2971 2982 3164 3168 3610 3777
5074 5178 5654 6718 7558 7816 8499
8538 8667 8674 8701 8789 8860 9047
9518 10075 10097 10107 10109 10244
10418 11049 11947 11948.
alsbald 10971.
alsdann 5834 6027 7115 8830.
also (12) 1323 4704 4761 6872 8770 8936
9064 9266 10185 10899 10965 11983.
alsobald 9611 9666 9829 11006.
alsofort 8023.
alt (128). alt^a alte^b alt'e^c altem^d alten^e
alter^f altes^g Alte^h Alten^j älter^k ältern^m
Ältere^n ältste^p ältesten^q Älteste^r Ältesten^s.
11e 210b 243f 290g 350j 676a 678b
721e 871e 906b 1262f 1352e 1546a
1779e 2049e 2113f 2308g 2340e 2366b
2520p 2553h 2559a 2627a 2775b 3317b
3526d 3888f 3938b 3962b 4047b 4072e
4081j 4124h 4155e 4225f 4284c 4449g
4755f 4759b 4903e 4940e 4953a 5305r
5320j 5346e 6054e 6177e 6203e 6372e
6377a 6404f 6582b 6582e 6593f 6606e
6610e 6612f 6629d 6665e 6707e 6721f
6737f 6737e 6817a 6818a 6892a 6955a
6989e 7030f 7044b 7122e 7389m 7425j
7430a 7532h 7701e 7712a 7742g 7811a
7867b 7909b 7952f 8082e 8098e 8118j
8225e 8228e 8354e 8363q 8551e 8632b
8649e 8664b 8754a 8757f 8803e 8807n
8817j 8841r 8949s 8980e 9077h 9455b
9681a 9939g 10038e 10545h 10569g
10770e 10970p 11047b 11054a 11087k
11142e 11239j 11277j 11284b 11316e
11347b 11374b 11616d 11621g 11632b
11638d 11674e 11834e 11951b 12089e.
→ +ur∿ Unver∿ete.
Altane 9029.
Altar 3757 3778 10959. Altare *sg* 4788
9433. → Trag∿.

Alter (6) (*Neut*.). Alter[x] Alters[b]. 212
6785 7432 8763 11044b 11535. → Mit-
tel~ Nebel~.
Altertums 8212.
altklug 1630.
alt–thessalischen 9963.
altvergrabnen 2676.
altverwahrten 5018.
Alt-Wälder 9542.
altwürdige 7988.
am (141) 90 181 193 250 256 270 282
320 339 508 598 670 672 763 841 845
864 994 1144 1368 1636 1775 1806
1812 1880 1988 2013 2142 2231 2389
2442 2623 2774 2788 2793 2803 2855
2961 3144 3144 3256 3316 3503 3563
3610 3697 3757 4063 4072 4153 4162
4309 4362 TT47 TT47 4554 4727 4752
4861 4950 4990 5031 5110 5116 5143
5181 5282 5353 5489 5497 5667 5722
5775 5865 5885 6006 6196 6278 6331
6331 6575 6582 6694 6731 6737 6789
6876 7003 7263 7334 7343 7825 7840
7841 7872 8112 8250 8289 8472 8542
8560 8676 8928 8943 8990 9034 9115
9149 9306 9375 9420 9433 9554 9583
9724 9776 9831 9933 9953 9969 10012
10149 10150 10161 10455 10690 10754
10817 10858 11251 11422 11498 11530
11559 11629 11698 11793 11794 11843
11976 11996.
Amazonen 9861.
Ambrosia 6477.
Ameise → Leucht~.
Ameis–Wimmelhaufen *pl* 10151.
Amme 8818.
amortisiert *pp* 6126.
Amt 6451.
amtsgemäß 5507.
amüsieren 6192 7137.
an (265). (*Präp*.)[x] (*Adv*.)[b]. 23 45 54
55 126 200 233 237 238 361 363 389
457 484 495 574 603 679 703 722 729
731 769 791 823 860 914 958 972
996 1026 1053 1102 1115 1169 1187
1354 1523 1551 1594 1682 1777 1892
1894 1907 1949 1990 1999 2020 2077
2144 2169 2194 2438 2512 2579 2660
2670 2682 2697 2744 2760 2821 2852
2858 2866 2927 2929 2951 2983 2984
2985 2989 3035 3106 3107 3139 3145
3216 3259 3263 3346 3412 3426 3427
3488 3489 3504 3552 3639 3656 3702
3703 3705 3705 3766 4013 4020 4174

4250 4389 TT36 TT46 4418 4464 4465
4487 4528 4530 4603 4643 4692 4720
4737 4740 4756 4777 4835 4861 4862
4915 4926 4964 4995 5072 5083 5262
5315 5322 5496 5611 5629 5635 5661
5661 5674b 5736 5824 5904 6033 6092
6119 6129 6130 6147b 6172 6178 6262
6348 6353 6456 6467 6526 6530b 6532
6549 6583 6706 6720 6747 6830 6857
6880 6952 7062 7077 7128 7129 7289
7311 7312 7314 7341 7538 7646 7780
7857 7935 7963 7983 8004 8127 8184
8199 8249 8381 8407 8533 8558 8645
8814 8856 8947 8961 8983 8998 9004
9042 9280 9308 9343 9357 9361 9393
9402 9403 9403 9454 9507 9517 9541
9543 9552 9597 9597 9606 9656 9750
9939 9947 9999 10042 10071 10073
10087 10100 10100 10109 10120 10129
10148 10168 10212 10223 10449b 10485
10498 10530 10696 10720 10760 10799
10878 10937 10961 10988 10991 11050
11094 11095 11206 11256 11393 11394
11485 11521 11567 11648 11712 11809
11828 11847 11938 11960 12077. → am
ans dar~ fort~ glück~ her~+
himmel~ hin~+ oben~ vor~+
vornen~ wor~.
Anarchie 10261.
anbauen angebaut 8548.
Anbeginn 11978.
anbeginnen 8260.
Anbetung 6500.
anbieten angeboten 11135.
anbinden angebunden 2617.
Anblick 60 247 267 2833 11761.
anblicken. blickt an 4958 8294. blickte
an 8535. angeblickt 6080.
anblinken blinken an 936.
anbrechen bricht an 3195.
Andacht 691 11692.
andächtig 6106.
ander (*Adj*. : → §13) (98). andere[a] anderer[b] anderes[c] andern[d] anders[e] andre[f]
andrem[g] andrer[h] andres[j]. 134d 425d
448d 539h 599f 725d 813d 1045a 1111d
1113d 1116f 1383e 1499a 1501a 1653d
1662f 1873f 1948d 2022d 2032h 2059d
2349d 2511f 2736f 2993d 3032d 3116f
3461d 3579h 4005d 4147d 4150f 4737h
4980f 4982h 5190h 5284d 5383f 5401f
5404f 5405f 5481f 5602d 5634d 5725d
5861d 5952j 6001d 6093f 6128e 6159f
6286f 6436d 6726b 6986d 6991f 7014d

7136d 7174d 7216d 7225j 7307d 7368d
7371h 7380d 7460f 7487d 7876f 8013d
8135j 8190d 8255h 8349h 8578f 9018c
9075f 9131d 9131d 9188d 9292h 9299h
9369d 9371j 9492d 9591g 9613d 10011d
10037h 10087d 10287a 10338d 10708d
10842f 10937d 11126d 11464d 11477f
11526d. → +ein∼+ ∼s.
andermal 2041.
ändern 7528 8559. → um∼ +ver∼+.
anders (*Adv.* : → § 13) (14) 460 1104
1227 1407 2732 2797 3776 4052 4770
6639 6740 6812 9706 10106.
anderwärts 3572.
andrängen drängt an 635.
Andreas' 878.
andringen angedrungen 10660.
aneignen 6843.
aneinander 10566.
anerkennen (6). anerkennen[a] anerkennend[b]
anerkannte[c] Anerkannte[d]. 6619a 6723b
8803d 8963c 9271a 11494a.
anfächeln fächelt an 11380.
anfachen. facht an 3247. angefacht 11311.
Anfall 10942.
anfallen 7164. fällt an 133.
Anfang (7). Anfang[x] anfangs[b]. 1224 1229
1233 1237 1349b 1890 6867.
anfangen (23). anfangen[a] (fang an)[b]
(fang' an)[c] (fangen an)[d] (fanget an)[e]
(fängst an)[f] (fängt an)[g] ([fängt] an)[h]
(fingen an)[j] (fingst an)[k]. 1198g 1199h
1361f 1446e 1834d 2263f 2354b 2457g
2461g 2816g 3736k 4214g 4930a 5747c
5783g 6312a 6959d 8261g 8322a 10074f
10081j 10719g 10786c.
anfassen (9). (faß an)[a] (fasse an)[b] an-
faßte[c] (faßt an)[d] angefaßte[e]. 474d 4406d
4437b 4577b 6260a 6561d 7717c 9064c
11333e.
anfechten angefochten 163.
anfrischen angefrischt 8637.
anführen 4314 8211. angeführt 2110 3965.
anfüllen. füll' an 9320. füllt an 1312.
angefüllt 2714.
Angedenken 2935.
angehen (12). (gehe an)[a] (gehn an)[b]
(geht an)[c] (ging' an)[d]. 825b 2632c
2945c 3089c 3542c 4770d 4830d 6209c
8015d 8018d 8817a 10124c.
angehören (6). angehören 10948. ange-
hörst 5694. gehörst an 9565. angehöret
9524. angehört 11745. gehört an 9982.
Angejahrten 6362.

angenehm 6463 7374. angenehmste 10903.
Anger *sg* 11096.
Angesicht (7). Angesicht[x] Angesichts[b]
angesichts[c]. 2487 3219 3431 5751 6751
7558c 7715b. → Himmels∼.
anglühen angeglüht 5744.
Angriff 10500.
angrinsen. grinse an 8795. grinst an 1294.
angrünen angegrünt 9528.
Angst 2142 3302 3362 4472. Ängsten
8281.
Ängstesprung 2138.
ängstet 3792. → be∼.
ängstigen → be∼.
ängstlich (11). ängstlich[x] ängstlicher[b].
1563 1994 6703 7516 7661 8891 9607
9616 9655 11429b 11651.
ängstlich–/labyrinthischen 9391/92.
angstumschlungene 8720.
anhaben 1370.
anhalten. halt' an 9744. angehaltnem 9446.
anhäufen. häufe an 9337. häuft an 6865.
anheimgeben 9269.
anhören 8972. hör' an 9365. hört an 3725
9581.
anhüpfen angehüpft 9511.
anketten angekettet 5442.
anklagen 294.
anklammern klammern an 11846.
Anklang 1586.
anklingen angeklungen 5276.
anklopfen. klopfen an 8092. klopften an
11352.
anknüpfen angeknüpft 9513.
ankommen (7). (kommt an)[x] (käme an)[b]
1888 3151b 5058 5872 6850 9871 10855.
ankrähen 5228.
ankünden 6377.
ankündigen 9138. angekündigt 11006.
anlangt 8258.
Anlaß 2889.
anlegen 1541. leg an 2886. legt' an 10409.
anlernen angelernt 8354.
anlocken angelockt 7027.
anmaßen 10145.
anmaßlich 6774.
anmästen angemäst't 2128.
anmessen. miß an 2218 miß [an] 2217.
angemessen 12068.
Anmut 207 5299 5300 5301 7404.
anmutig 5304 8237. anmutigster 8140.
Anmutigkeit 8390.
annehmen (6). annehmen 3559. nahm
an 2981. nehm' an 10639. nehmt an

1875. nimmt an 1889 11223.
anpaaren 5170.
anpacken packt an 5736.
anpochen pochten an 11352.
anrauchen angeraucht 405 678
anriechen riecht an 2819.
anrufen 4453. ruf' an 7904.
ans (19) 404 928 1522 2851 5038 5178 6187 6223 6536 6991 7208 7464 7694 8415 8657 8693 8936 9622 11698.
ansagen. sag an 7463 8965 10438. sag' an 8666.
ansaugen sog an 9239.
anschaffen. schafft an 2257. angeschafft 2813.
anschauen (13). anschauen[a] anschaun[b] Anschau[c] (schau an)[d] (schau' an)[e] (schaut an)[f] angeschaut[g]. 854a 4717e 5104a 6233g 7043a 7146a 7181c 7388a 8401d 9058a 9579b 11909f 11914a.
anschießen schießen an 6016.
anschließen schließt an 6294. → scharfangeschlossen.
anschmausen 10141.
anschmiegen schmiegen an 10000.
anschnauzen schnauzen an 7682.
anschreiten schreitet an 5803.
anschüren angeschürt 6358.
anschwimmen schwimmen an 11649.
ansehen (11). ansehen[a] ansehn[b] (seh' an)[c] (sieht an)[d] (sieh an)[e] (siehst an)[f] (sieht an)[g] ansah[h]. 2173f 2295d 3517c 5347b 8219c 9275g 9584b 10267h 11176g 11796e 11799a.
ansiedeln angesiedelt 9000 11567.
ansprechen. sprich an 7968. sprichst an 1169.
Anspruch 9991.
ansprühen angesprüht 5633.
Anstand 5567 6520 9184.
anständig 6369 7091 8946 9154. → un~.
anständig–nackter k 11797.
anstatt 3311 8797.
anstecken angesteckten 3752.
anstehen steht an 2364.
anstellen angestellt 8680.
anstimmen 7497.
anstoßen. stoßet an 5268 5270 5277. stößt an 11616. stieß an 958.
anstrahlen angestrahlt 6508.
anstreifen streift' an 8986.
anstrengen. strengt an 6116. angestrengtest 7544.
antasten tastet an 8785.

Antäus 7077 9611.
Anteil 3488.
antik 6409 7979. Antike 7087.
antikische 6949.
Antipathie 3501.
Antizipationen 4871.
Antlitz 487 3589 3619 3828 12072.
Antonius 2926.
antragen 2606.
antrauen angetraut 5183.
antreiben trieb an 8099.
antreten trete an 10503.
antun angetan 2224 4212 4957 9618.
Antwort 3429 10002.
antwortet 429.
anvertraut pp 5613 10931 11074.
Anverwandten sg 5698. pl 4252 10375.
anwandeln 3173. wandelt an 11838.
anweiben angeweibt 10531.
anweisen angewiesen 7862.
anzeigen. zeig an 8922. zeigt an 11417.
anziehen (9). anziehen[a] (ziehn an)[b] (zieht an)[c] (zog an)[d] anzögen[e] angezogen[f]. 483f 624a 837f 951f 4113b 5103c 8163e 10134d 10226c.
Äolsharfe 28.
äolischer 7866.
Äonen pl 11584.
apart Aparts 1378.
Äpfel 4130 5169. → Pinien~.
Apfelbaum 4129.
Äpfelchen pl 4132.
Apfelgold 9832.
Aphidnus' 8851.
Apoll 9558. Apollen 7566.
Appetit 2653.
appetitlich 7146 11800. appetitlicher 7431.
Arbeit 6889 8678. → Bauern~.
Arbeiter pl 11552.
Ares 7384 9669.
arg Ärgers 2806.
ärgert 4153.
Arglist 1798.
Argolis 9473.
Argonauten pl 7339.
Argonautenkreise sg 7365.
Ariel 4239.
Arimaspen–Volk 7106.
Arkadien 9569.
arkadisch 9573.
Arm (28). Arm[a] Arme[b]sg Arme[c]pl Armen[d] Arms[e]. 969a 969a 1576d 2606a 2637d 2696a 2948a 3134a 3345d 3491a 4207b 4994b 5110b 5373d 6465a 6543e

7537c 8682a 9619d 9755c 9805a 9943c
10358a 10481a 10581a 11226a 11672c
12055a. → um~en.
arm (31). arm^a arme^b armen^c armer^d
armes^e Arme^f Armen^g. 127c 298c 358d
436b 565d 1675d 1844b 2139b 2152c
2804g 2907e 3053b 3078a 3131b 3149c
3215a 3266d 3313b 3382d 3384d 3562b
3578e 3599e 3693c 3693c 4552e 5600b
8926f 8968g 9241e 11590f. → bettel~.
armausbreitend 8627.
Ärmel *sg* 6350.
ärmlichsten 609.
Armschienen 10771.
armsel'ger 2720.
Armut 2693.
ärschlings 11738.
Art (15) 155 2514 2517 2560 3630 3673
4173 6504 7604 8353 8847 9027 10157
10167 11548. → Lebens~ Sprech~
Tyrannen~ Wolken~ um~en
blitz~ig bös~ig faunen~ig gemsen~ig
hiobs~ig klotz~ig schlangen~ig
zelt~ig.
artig 6874. artiger 5733.
Arzenei 1048 1987.
Arzt 2352 2538 7345. Ärzte 7453.
Asbest 11956.
Asche 8675 9164.
Aschenhaufen *sg* 5968.
Aschenhäufchen *sg* 541.
Aschenruh 3804.
Aschermittwoch 5058.
asklepischer 7487.
Äskulaps 7451.
Asmodeus 6961. Asmodi 5378.
Asphodelos–Wiesen 9975.
assoziiert 1789.
Ast (10). Ast^a Äste^b Ästen^c. 3945b 4690b
7152c 9543a 9543a 9992b 11244a
11244a 11326b 11331b. → Berg~
Nachbar~.
Astrologen *sg* 4948.
aszetisch 7135.
Atem 3810 6833 11623. Atems 8580.
atemholend 11478.
Atemkraft 6493.
Atheisten *pl* 4898.
Äther (10) 704 1451 9660 9953 10010
10065 10592 11732 11923 12018.
Ätherblau 7555.
ätherische 4680. ätherischem 12090.
Atlas 6405 7538.
atmen (8). atme^a atmest^b atmet^c atmete^d

atmende^e. 969e 2691c 4682b 5706a 6049c
9413a 10414d 11824a. → er~ ent~.
Atmosphäre 10575 11880.
atmosphärisch 6478.
Attika 8851.
au! au! au! au! 2465.
auch (287) 48 80 166 184 215 274 276
308 336 356 370 374 634 770 841 868
985 1001 1192 1234 1392 1430 1442
1562 1564 1668 1669 1690 1716 1775
1866 1988 2004 2020 2097 2110 2185
2204 2226 2230 2255 2287 2348 2401
2495 2524 2566 2653 2683 2800 2842
2892 2939 2950 2973 2977 2986 3012
3018 3031 3058 3137 3204 3341 3423
3460 3483 3498 3500 3527 3547 3561
3573 3677 3709 3731 3739 3746 3762
3847 3984 3989 4041 4069 4084 4095
4135 4207 4218 4238 4242 4270 4274
4294 4324 4326 4346 4385 4434 4501
4510 4681 4692 4834 4841 4852 4866
4876 4976 4983 5075 5192 5208 5325
5355 5362 5365 5509 5550 5572 5576
5586 5588 5618 5662 5701 5837 5861
5872 5880 6019 6155 6201 6218 6269
6273 6275 6336 6387 6447 6457 6523
6529 6582 6638 6811 6813 6870 6888
6945 6947 6998 7062 7086 7122 7141
7202 7295 7309 7390 7395 7398 7434
7477 7613 7625 7679 7695 7732 7750
7756 7759 7844 7849 7870 7932 8002
8013 8015 8052 8091 8108 8122 8155
8198 8207 8214 8233 8255 8279 8281
8313 8333 8355 8413 8455 8459 8500
8536 8573 8575 8596 8604 8652 8758
8778 8788 8793 8857 8864 8873 8901
8912 8916 8933 8955 8976 9035 9035
9037 9039 9041 9044 9095 9103 9145
9161 9187 9189 9299 9373 9377 9436
9526 9578 9634 9662 9664 9671 9677
9801 9907 9939 9971 9984 10075
10089 10122 10285 10296 10308 10339
10413 10424 10473 10523 10531 10541
10563 10567 10570 10613 10822 10857
10883 10898 10917 10957 10969 11029
11038 11040 11057 11090 11286 11299
11346 11412 11551 11561 11642 11696
11759 11770 11797 11884 12065.
Aue 1137. Auen 1178 1493.
auf (321). (*Präp.*)^x (*Adv.*)^b. 57 110 121
143 153 231 295 300 315 326 387 392
395 418b 431 445b 449b 460 567 643
686 688 702 704 728 769b 772 824 863
1036 1131 1135 1150 1151 1155 1164

1190 1236 1356 1395 1489 1538 1563
1645 1657 1692 1698 1719 1773 1792
1808 1811 1831 1842 1886 1888 1899
1902 1919 1966 1989 2042 2083b 2105b
2106b 2112 2147 2184 2225 2251 2330
2361 2433 2440 2448 2496 2590 2705
2773 2774 2824 2868 2883 2954 2993
3134 3143b 3145 3151 3177 3178 3200
3210 3269 3283 3353 3364 3372 3422
3509 3554 3557 3566 3763 3765 3789
3837 3838 3847 3850 3927 3963 4076
4095 4101 4112 4146 4148 4221 4285
4329 4354 4358 4359 4361 4369 4370
4374 4382 4394b TT5 TT24 TT26 TT52
TT67 TT69 TT76 TT82b 4448 4466
4476 4566 4568 4597b 4733 4792 4795
4796 4816 4831 4840 4841 4875 4889
5059 5068 5109 5229 5284b 5293 5448
5449 5470 5528b 5553 5616 5632 5640
5674 5740 5742 5832 5853b 5853b 5989
6027 6136 6241 6292 6350 6361 6368
6373 6383 6464 6797 6799 6850 6862
6918 6931 6966b 6994 7169 7169 7305
7395 7406 7435 7579 7585b 7596 7650
7668 7680 7681 7687 7803 7836 7842
7848 7862 7888 7925 7953 7976 8005
8018 8038 8078 8090 8141 8168 8240
8269 8319 8397 8477 8492 8545 8623
8659 8682 8822 8897 9016 9021 9033
9122 9155 9222 9224 9231 9255 9264
9301 9314 9319 9337 9427 9486 9526
9532 9570 9598 9604 9612 9614 9686
9709 9884 9990 9991 10024 10048
10216 10227 10238 10242 10351 10355
10359 10364 10383 10403 10419 10448
10501 10529 10537 10580 10585 10595
10604 10728 10739 10806 10829 10893
10897 10923 10959 10962 10983 11027
11084 11138 11146 11428 11428 11473
11503b 11507 11550 11552 11566
11570b 11580 11610 11616 11617
11622 11634 11664 11736 11737 11740
11759 11812 11814 11867. → aufs
dar~+ dr~ her~+ hier~ hin~+
oben~ wurzel~.

Aufbau 11027.
aufbaun 8692. baue auf 1621. aufgebaut 8498.
aufbeben bebt auf 3807.
aufbewahrt *pp* 2935 10021.
aufblähen bläht auf 5477.
aufblicken. blick auf 7469. blickst auf 3592.
aufblühnder 6453.

aufbrechen aufgebrochen 2189.
aufdämmern dämmert auf 4600.
aufdringen drangen auf TT40.
aufeinander 10632.
Aufenthalt 11281.
auferbauen. auferbaut 172. auferbaut *pp* 10916.
auferlegt *pp* 10936.
auferstanden *pp* 922 6162.
Auferstehung 921.
auffinden aufgefunden 9955.
auffliegen. flög' auf 5756. aufgeflogen 3202.
auffordern fordre auf 7572 8564.
auffressen aufgefressen 2837.
auffüttern fütterten auf 8819.
aufgeben gib auf 7131.
aufgehen. aufgeht 9152. geht auf 424 5962 11456. ging auf 9224.
aufhalten. halt' auf 2001. hielten auf 7419. → unaufhaltsam.
aufhäufen aufgehäuft 8554 10023.
aufheben. heb' auf 1245. hebt auf 8825. hob auf 8587. hub auf 4417.
aufhören. hör auf 1635 11467. hör' auf 10786. hört auf 4164.
aufjauchzen jauchzet auf 11953.
aufkeimen aufgekeimten 8782.
aufklären aufgeklärt 4159.
aufklettern klettr' auf 7805.
aufladen aufgeladen 5495.
auflauern lauern auf 4545. → tief~d.
auflösen 7133. löst auf 5598 10065.
aufmachen mach' auf 2789.
aufmerksam 4098.
aufnehmen. nehm' auf 5370. nimm auf 2695 9944. aufgenommen 3158.
aufpacken aufgepackt 10797.
aufpassen. passen auf 6740. paßt auf 2119 2119. paßt' auf 11624.
aufpolstern aufgepolsterter 9406.
aufputzen aufgeputzt 4738.
aufquellen quellen auf 10060.
aufraffen 4891. raff auf 10810.
aufregen (7). aufgeregt[a] aufgeregten[b] aufgeregtes[c]. 178a 5941a 7885b 8848a 10204c 10320a 10609a.
aufreiben aufgerieben 3301.
aufreißen 710. reißt auf 8687.
aufreizen 5668.
aufrichtig 1881. aufrichtige 2464.
aufrufen ruf' auf 8678.
Aufruhr 10288 10288. Aufruhrs 4794.
aufs (15) 260 260 809 2220 2353 4054

4234 4628 6046 8142 8432 10198
10912 10918 11776.
aufschaffen aufgeschaffen 3806.
aufschäumen schäumt auf 255.
aufscheuchen aufgescheucht 3942.
aufschimmerndes 8902.
aufschlagen 1220. aufgeschlagen 39.
aufschließen 4452. schließt auf 6651.
aufschweben. schweben auf 3236 4401.
[schwebet] auf 1265.
aufschwellen 3285. auf [schwellen] 6009.
schwillt auf 1303.
aufschwingen schwing auf 2101.
Aufseher *sg* 11551.
aufsetzen. setz auf 1807. aufgesetzt 7565
7747.
aufsieden siedet auf 5922.
aufsitzen. sitz auf 7333. saß auf 3614.
aufstehn 3142. stehen auf 6088. standen
auf 10278. wieder∼.
aufsteigen. steigen auf 10 10591. steigt
auf 10057.
aufstellen 6396. stell auf 9339. aufstellten
8302. aufgestellt 5020 10887.
aufstemmen aufgestemmt 3625.
aufstreichen aufgestrichen 6327.
aufstutzen aufgestutzt 10562.
aufsuchen. suche auf 8815. sucht auf 6436.
auftauchen 1065.
Auftrag 1688 10884.
auftragen. trug auf 10451. aufgetragen
2194.
auftreten (6). (treten auf)[a] (tretet auf)[b]
(trat auf)[c] auftretend[d]. 4387b 5818a
9272d 9452a 10402c 10423a.
auftun (6). tut auf 1082 4299 5711 6392.
aufgetan 7475 11353.
auftürmen. türmt auf 11165. aufgetürmt
9001 10052.
aufwachen wach' auf 1554.
aufwallen. wall' auf 502. wallt auf 5925.
aufwälzen aufgewälzt 9019 11568.
Aufwand 11837.
aufwärmen aufgewärmt 8398.
aufwarten wartet auf 1168.
aufwärts 3651 9610 10621.
aufwirbelten 5993.
aufziehen 4220. ziehe auf 8543. zog auf
3125.
aufzieren aufgeziert 6098.
Auge (76). Auge[a] Aug'[b] Augen[c] Auges[d].
91c 687c 1083c 1255c 2320c 2615c
2765c 2781c 3096c 3165c 3397c 3446b
3446a 3755c 3970c 4195c 4268c TT10c

TT32c 4640c 4673a 4962a 5165a 5361b
5361a 5543c 6099b 6419c 6487c 6680c
6926a 7085a 7273a 7285a 7290a 7385c
7475c 7916a 7982a 8014a 8019b 8022a
8031c 8032c 8465c 8561c 8598c 8607c
8663c 8690b 8723c 8733d 8742a 9017c
9069c 9189c 9238b 9279c 9409c 9521c
9576c 9581c 9585c 10045a 10047a
10051a 10198a 10331a 10837c 10845c
11153c 11161c 11300c 11328c 11443c
11906c. → Hohl∼ Menschen∼.
Äugeln 1683.
Augenblick (22). Augenblick[a] Augenblicke[b]*sg* Augenblicke[c]*pl* Augenblicks[d].
70d 73a 626b 685a 1422a 1699b 2017a
2665a 2725a 5385c 6681a 6866a 6886a
7449c 9128a 9418a 10463a 10870d
11452a 11581b 11586a 11589a.
Augenblickchen *sg* 3106.
Augenblitz 9199.
Augenbraunen 41.
Augenschmerz 4703 8746.
Augenstrahl 9230.
Augentäuschung 1157.
auktionieren → ver∼.
Aurorens 10061.
aus (168). (*Präp.*)[x] (*Adv.*)[b]. 6 98 140
177 333 535 541 569 657 721 798
918 923 924 925 926 927 1045 1065
1120 1134 1211 1332 1408 1583 1632
1663 2026 2063 2135 2176 2177 2205
2250 2382 2523 2541 2546 2681 2955b
3076 3096 3096 3168 3237 3274 3305
3393 3733 3779 3804 3860 3895 3898
3921 3995 4025 4105 4179 4379 4426
4601 4629 4688b 4707 4729 4762 4987
5021 5133 5149 5540b 5738 5851 5854
5861 5893b 5991 6032 6254 6298 6379
6399b 6423 6424 6445 6449 6485 6501
6554b 6707 6748 6779 6795 6840 6841
6849 6907 6907 6923 7143 7173 7229
7256 7296 7416 7455 7535 7571 7577
7590b 7714 7774 7860 7939 8041 8332b
8396 8435 8504 8574 8630 8651 8752
8764 8859 8876 8884 8909 8913 9000
9029b 9048 9092 9136 9143 9146 9233
9310 9519 9581 9658 9670 9770 9844
9893 10031 10076 10293 10317 10548
10674 10718 10726 10764 10861 10866
10926 10956 11028 11233b 11307 11323
11513 11529 11942 12026 12090 →
dar ∼ drauß + durch ∼ her ∼ +
+hin∼+ oben∼ vor∼+ wor∼.
ausbauen baut aus 6641.

ausbilden bildetest aus 2711.
ausbitten bitt' aus 1715.
ausblassen blas' aus 3865.
ausbleiben. bleiben aus 4833. bleibst aus 7476.
ausbreiten. breiten aus 2065. ausgebreitet 1097 9533. → arm∼d.
ausbrennen ausgebrannt 5639 11815.
ausdauern 4817 9857.
ausdenken ausgedacht 101.
ausdrücken 5778.
auseinanderfahren fahrt auseinander 7785.
auserlesen *pp* 3029.
ausersah 11277.
ausfahren fuhr aus 11623.
ausfinden ausgefunden 2346.
ausführlich 3522.
ausfüllen füllt aus 4627.
Ausgang 3368.
ausgaukeln ausgegaukelt 8414.
ausgehen ging aus 11227.
ausgleichen 8919.
aushalten hält aus 3299.
aushelfen helfe aus 6364.
aushöhlen ausgehöhlten 9549.
auskitten 8975.
ausklauben 7585.
auslachen lacht aus 3180.
ausleeren 728.
auspichen ausgepichten 11839.
auspusten 10082.
ausraufen 3638.
ausräumen ausgeräumt 10556.
ausrecken ausgereckte 3034.
ausreiben ausgerieben 9585.
ausruhn 4846.
ausrupfen rupft aus 11661.
ausschicken augeschickt 10383.
Ausschlag 2100.
ausschließen 10229.
ausschlürfen schlürft aus 4864.
ausschmücken ausgeschmückt 8501.
ausschneiden schneidet aus 6094.
ausschreiten schreitet aus 239.
aussehen (10). (sehen aus)[a] (seht aus)[b] aussieht[c] (sieht aus)[d] (sah aus)[e]. 1254d 1407d 2037d 2178a 2680e 4338c 4950d 6678d 6735b 9010d.
außen (6) 1401 1569 5797 9023 9475 9505. → dr∼ h∼ hier∼.
außer 4272 6801 7436.
äußer. äußern 11457. Äußres 2595.
aussetzest TT66.
Aussicht 11442 11989.

aussinnen. sann aus 9071. sinnst aus 8591.
ausspannen ausgespannten 11999.
ausspenden 10074.
aussprechen (6). sprich aus 1654 7132 8918. spricht aus 11002. sprach aus 8923. ausgesprochen 4797. → unaussprechlich unausgesprochen.
Ausspruch → Götter∼.
ausspüren 2445 2641. spürt' aus 9597. ausgespürt 7106.
aussteigen steigen aus 8541.
ausstreuen 5379. ausgestreut 7168. ausgestreuter 3929.
aussuchen. sucht aus 96. suchte aus 10136. ausgesuchter 8853.
austeilen. teil' aus 5579. teilst aus 5905. austeilenden 3105.
austrinken. trinkt aus 864. ausgetrunken 1580.
ausüben 1059 4774.
auswachsen ausgewachsen 5538.
Ausweg 6936.
ausweichen 7355. weich' aus 7039. → unausweichlich.
ausweinen ausgeweint 3321.
auszeichnen zeichnet aus 4064.
ausziehen 10237. ausgezogen 7645.
auszieren ausgeziert 6374.
Auszug 694.
Avaritia 5649.

B

Bacchus 10017.
Bach (14). Bach[a] Bäche[b] Bächen[c]. 903b 1200c 1475c 3882a 4554a 5882b 8439b 8996a 9530b 9595b 10005c 10725a 10725c 11868b. → Fisch∼ Silber∼.
Bächlein *sg* 3308 3310 3882. Bächlein *pl* 10999.
Backen → Feuer∼ Ober∼ Unter∼.
backenrot 853.
Backenstreich 10834.
Bäcker *sg* 6091.
Bäckertüren 55.
Bad 1043 11266 11739. Bade 7282.
baden 397. bade 445. badet 4629. badend 7286.
Bahn (10). Bahn[x] Bahnen[b]. 704 3850 5338 8477 9319 9876 10403b 11223 11245 11651. → Gedanken∼.
bahnen gebahnten 11473.

Bahre 1778.
bald (56). bald^x bälder^b. 178 178 309
341 1212 1424 1429 1891 2139 2406
2597 2602 2604 3025 3141 3141 3142
3251 3289 3666 3722 3723b 3737 3874
4123 4630 4723 4723 5432 5432 6262
6697 6753 6753 7309 8381 8467 8467
8467 8852 9735 9994 9994 10015 10015
10015 10085 10135 10340 10795 11015
11098 11122 11344 11483 11483. →
als~ +so~.
baldig 3210.
Balken sg 8928. → Gebälke.
Ball (=Kugel) 7035 9613. Ballen 7561.
→ Erd~.
Ball (=Tanzgesellschaft) 4148.
ballen. ballt 1382 5475 5787. geballt 6442.
geballtem 10044.
Balsam 2346 11700 12039.
Balsamduft 5886.
Balsamsaft 1603.
Bammeln 8959. bammelt 9432.
Band (7). Band^a Bänder^b Bändern^c. 950a
1464b 2225b 2788a 5544a 5869a 11513c.
→ Decken~ Knie~ Perlen~ Strumpf~.
Band (11). Band^a Bande^bpl Banden^c.
799c 1159a 1939a 2320a 3896b TT54b
5762a 7186c 9941a 11492a 11543a. →
Erden ~ Gewerbes ~ Handwerks ~
Liebe(s)~ Königs~.
bändigen. bändige 9737 9737. bändigt
8696 9245. gebändigt 8763. → unbändig ungebändigt.
bang (11). bang^a bange^b. 22a 331b 411a
561a 1786a 2050b 4487a 5342a 5404a
7050b 7226b.
bangen 8962. banget 3599. bangt 10979.
→ er~.
bänglich 10841. Bängliches 10980.
Bank 5293. Bänke 6386. Bänken 1886.
→ Fleisch~ Tür~ Wechsler~.
Bann 11036. → Blut~.
bannen (7). bannt^a bannte^b gebannt^c.
530c 1310c 1398a 1522b 1590a 5410a
10076b. → festgebannt her~ hinweg~.
bar 9327. → offen(ge)baren.
Barbaren pl 9013.
Bärbelchen 3544.
barmherzig 8403. → erbarmen+ un~.
Baron 2510.
barsch 3259.
Bart (6). Bart 671 2055 3628 5931 5935.
Barte 10615. → Grau~ Schön~.
Bärtigen sg 6705. Bärtigen pl 9578.

baß 4352.
Basses 2086.
Baubo 3962 3965.
Bauch (6). Bauch^a Bauche^b Bäuche^c.
1164a 3893c TT26b 6166a 10286a
10802b. → Fett~–Krummbein–Schelme
Kröten~ Schmer~.
Baucis 11067.
Bau → Auf~ +Ge≈+ Tempel~.
bauen (9). bauen^a baue^b baut^c baute^d
baut'^e gebaut^f. 1620b 2369a 6640c
7533d 7631c 10160e 10171a 11244a
11604f. → an~ auf~ aus~ +er~
wohlgebaut.
Bauer sg 5009.
Bauernarbeit 5040.
Baum 11267. → Bim–~–Bimmel.
Baum (14). Baum^a Bäume^b Bäumen^c.
1687b 1885a 2039a 3854a 3876b 3876c
3909b 4137a 5201b 9231a 9541a 9541a
11241b 11910b. → Apfel~ Stamm~
um~t.
Bäumchen sg 310.
Baumwolle 2084.
Baulichkeit 9027.
Baute 11157.
beängsteten pp 8471.
beängstigen 10218.
beben (8). beben^a Beben^b bebst^c bebt^d
bebten^e. 650c 714a 3802a 5895d 5973d
6621d 6669e 7525b. → auf~ er~
Erde~ Freude~.
beblümt pp 9342.
bebräunten pp 6611.
bebuschter 7578.
Becher sg 2762 2770 2777 6456.
Becken sg 10894. Becken pl 10030.
Bedacht → Wohl~.
bedächtig 7375 11440. bedächtigen 10955.
bedächt'ger 241. bedächtiger ҟ 1914.
→ wohl~+.
bedauerst 3562.
bedecken 6322. bedeckt 403 1179.
bedenken (16). bedenk^a bedenke^b be-
denkst^c bedenkt^d bedachte^e. 111d 1230b
1707a 2639d 3868d 4931d 6189e 6738d
6817d 6940e 6992b 6992b 9490e 10303c
10395d 10569d. → Wohlbedacht +.
bedenklich (7). bedenklich^x bedenkliche^b.
6347 8532b 8582 10461 10593 10654
11643.
bedeuten (6). bedeuten^a Bedeuten^b be-
deutende^c. 6335a 6903c 7469c 7749a
10572c 10870b. → un~d+.

Bedeutung 48 5506.
bedeutungsvoll 9033.
bedienen 5022. bediene 9950. bedien'
2501. bedient 10677.
Beding 3001 10968.
bedingt 7095. → un~.
Bedingnis 1432.
Bedingung 1654.
bedrängen 5365. bedrängt 11078.
Bedrängliches 9036.
Bedrängnis 10680.
bedrohlich 8967.
bedürfen (14). bedürfen[a] bedarf[b] be-
darfst[c] bedurfte[d] bedürfende[e]. 198c 222a
1513b 6221a 6316b 7852b 8067b 10019d
10104b 10195b 10928b 10929b 11025b
12019e.
bedürftig 8158 11889.
Beeren 10028. → Lorbeer.
Beeren–Füllhorn 10023.
befangen 3818. befängt 2824. befangen
pp 319.
befassen 2564.
befehdeten 10262.
Befehl 9155 9496. Befehle 8830.
befehlen (20). befehlen[a] Befehlen[b] be-
fehlt[c] befiehl[d] befiehleste[e] befiehlst[f] be-
fiehlt[g] befahl[h] befohlen[j]. 1518g 3764c
4372j 6392g 6937d 7639j 8918e 8918f
9291h 9346g 10252a 10253b 10312a
10500d 10678g 10692c 10692a 10705d
10757a 10865a.
befestigen. befestige 10302. befestiget 349.
befeuchtet 7514.
befinde 272.
befittigt' pp 8809.
beflaumt pp 9161.
befleißen 6314. befleißt 1962. beflissen
pp 600.
beflügeln. beflügelt 118. beflügelt pp 7084.
→ Zweigleinbeflügelte.
befördern 10233. befördert 10934.
befrage 6052.
befreien (13). befreien[a] befrein[b] Befreien[c]
befrei[d] befreiste[e] befreit[f] befreit[g]pp. 903g
1723a TT73d 4424a 4505e 5503a 7416g
8852g 10293b 10705a 10988g 11177f
11483c.
befriedest 12008.
befriedigen 132. befriedigt 307 9374. →
unbefriedigt.
Befriedigung 1211.
begabt 7326. begabten 4896 8895. →
frucht~.

begeben 9582. begib 2353. → fort~ hin-
aus~.
Begebenheit 1755.
Begebnis 11265.
begegnen (18). begegnen[a] begegne[b] be-
gegn'[c] begegnet[d] begegnete[e] begegnet[f]pp.
883a 1271a 2309a 4191a 6426a 6942a
8644a 8662f 8670e 8759a 8828d 8927a
9206a 9344b 9720b 10520c 11053a
11940d.
begehen. begeing' 5388. begangen 5193.
Begehr 5721.
begehren (18). Begehren[a] begehrt[b] begehrt[c]pp. 2203b 2629h 3031c 4132b
5048a 5729c 6057b 6166b 6419bc 7412a
7488b 8223b 8418c 9482b 10193b
10467b 10875b 11437c.
begeistet → kraft~.
begeistre 5524.
Begier 3328.
Begierde 3249 3250 7666 9715. Begierden
5657.
begierig 3351 8822. → allwiß~.
begierlich 11775.
Beginn → An~ Ur~.
beginnen (15). beginnen[a] Beginnen[b] be-
ginne[c] beginnest[d] beginnt[e] begann[f] be-
gannen[g] begonnte[h] begonnen[j]. 1383a
1623c 3176h 3354b 4683d 6391c 6422f
6796f 7486a 8293e 8479j 9186e 10539b
10697g 10898b. → an~.
beglänzt → sonn~.
begleiten 829 5811 8351. begleitet 11394.
Begleiter pl 8533.
beglücken (11). beglücken[a] beglückt[b] be-
glückte[c] beglückt[d]pp. 1724d 6039b
6054d 6079b 6140d 6486d 6496c 7276d
7408a 9515d 9699a. → gottbeglückt.
begnadigst 9212.
begnügen 7289. begnügt' 9008.
begraben (7). begräbt[a] begraben[b]pp Be-
grabene[c]. 292a 655a 785c 1371b 2925b
3010b 4937b.
Begräbnis 11266.
begreifen 5508. begreife 3216. begreifst
512 4726. begreift 10116. → unbegreiflich.
begrenzt → unbegrenzt.
Begriff 1993 6227 10117. Begriffe sg
11145. Begriffe pl 1995. → In~.
begrünen 1687.
begrüßen (8). begrüßen[a] begrüßt[b] be-
grüßten[c] begrüßenden[d] begrüßte[e]pp.
4157a 4680a 7234b 7736e 8540c 8660a

8673d 9462a.

Begrüßung → Hoch~.

begünstigt → hoch~.

begütet 8276.

behagen (24). behagenᵃ Behagenᵇ behagetᶜ behagtᵈ. 37a 536b 1905a 2162b 2588a 2833a 3293a 5111c 5222b 5280d 5429a 5566b 6732b 6745d 6982d 7151d 7237a 8059a 8169a 8266d 8364b 9002d 10330a 10921b. → Miß~ wohl~.

behaglich (8). behaglichˣ behäglicherᵇ. 81 5078 5837 7030 8268b 10157 11566 11773.

behalten 3069 10342. behalt 10699. behält 3070. → vor~.

Behälter (Neut.) sg 1473.

behandeln (6). behandelnᵃ Behandelnᵇ behandelstᶜ behandeltᵈ behandelteᵖᵖ. 5781a 6253c 6301b 10487a 11085e 11487d.

behängt pp 5396.

beharre 1710.

behaust → Un~e.

Behelf 6365.

behemdet pp 7082.

behend (16). behendᵃ behendeᵇ behendemᶜ behendenᵈ behenderᵉ behendestᶠ behendesteᵍ. 929a 2070a 4248b 4301c 5450d 7590f 8006a 8956g 9662g 9774b 10524a 10579d 10596b 11007b 11165e 11361b.

behendig 9659.

beherrscht 5156.

Behcrrscher sg 9668.

beherzt pp 228 7494.

behilflich → un~.

behüte 6838.

bei (98). 53 60 107 272 560 581 723 821 827 1012 1157 1210 1331 1470 1681 1739 1993 2050 2055 2067 2174 2230 2371 2398 2399 2500 2668 2696 2805 2898 2969 3028 3471 3565 3620 3643 3685 3746 3853 3999 4078 4078 4277 4529 4550 4582 5313 5428 5494 5550 5675 5826 6011 6095 6143 6153 6204 6285 6342 6773 6815 7175 7203 7377 7420 7450 7457 7729 7748 7904 7955 7966 8034 8106 8675 10079 10302 10334 10411 10567 10601 10742 10777 10879 10886 11434 11457 11642 11832 12037 12043 12045 12047 12049 12053 12055 12057 12059. → beim da~ her~+ hie~ vor~+.

Beichte 2625 2880 3425.

beid (18). beideᵃ beidenᵇ beidesᶜ. 33b 1044a 1243b 2079c 2491b 2893b 4244b 7137c 7565b 8240b 8757b 8778a 9129b 9499b 9817c 9942a 10664b 11963b.

beidrängen drängt bei 3653.

Beifall 22 1030 5088.

beihakeln hakelt bei 11182.

beikommen 1366. kommst bei 11467.

Beil 8587 8921 8925 8940 9434.

beilegen leg' bei 6150.

beim (21) 228 589 871 1412 1712 2182 2381 2609 2771 2805 2926 3005 3648 3698 3759 4567 4586 5308 7818 8366 12041.

Bein (11). Beinᵃ Beineᵇᵖˡ Bein'ᶜ Beinenᵈ. 1827b 3838d 3893b 4335b 4382b 4417c 5830a 6792a 7707a 7887d 10771b. → Fettbauch−Krumm ~−Schelme Ge~ lang~ig Toten~ zwei~ig.

beinah 8011.

beinstellendem 9676.

beipressen presse bei 11554.

beisammen 1446 4035 7078.

Beisein 8859.

beiseite 6957. beiseit 976 4526.

Beispiel 6893 7018 10887.

beißen 5169.

Beistand 10460.

beistehen 10452. beistehn 8662. beigestanden 34.

beizeiten 3004.

beizender 830.

beiziehn 10906.

bejahndes 5242.

bejahrt pp 6637.

bejammern. bejammerte 2940. bejammernd 9942.

bekämpfet 5981.

bekannt (9). bekanntᵃ bekannteᵇ bekanntenᶜ bekannterᵈ. 168a 206b 222a 1584d 2519c 2535a 5568a 6686a 11441a. → un~ wohl~.

bekehren 373 3150. bekehre 7454.

bekennen (6). bekennen 327 2463 3433 4187 5356. bekenn' 6486.

Bekenntnis 9197.

beklagen 11832.

beklommen 6703 10841.

beknurren 1209.

bekommen 3524 11518. bekomm' 1763. bekommen pp 3157.

bekräftigen 10974. bekräftigt pp 10878.

Bekräftigung 10928.

bekränzt pp 6421.

bekriegen 11695.
beladen 6564. beladen *pp* 11033. →
turm⌐.
belastet *pp* 681.
beleben (7). beleben^a beleb'^{b} belebend^c
belebende^d belebenden^e belebten^f. 147c
904e 913a 3898f 5578b 11680a 11702d.
beleckt 2495.
belehren (12). belehren^a belehrt^b belehr-
endem^c belehret^d*pp* belehrt^e*pp*. 1788a
1981b 3152a 5510a 5212d 6584e 9631c
10158b 10996e 11031e 11930d 12092a.
beleuchten. beleuchte 8459. beleuchtet
7035.
belieben (13). Belieben^a belieb'^{b} beliebet^c
beliebt^d beliebte^e beliebt'^{f}. 854b 1425a
1430d 1761d 3003d 5393b 5434a 5767d
7333a 9607a 10011c 10248f 11666e.
beliebig 4033 8329.
Bellen 1240.
beloben 8290.
belohnen 3314. → unbelohnt.
belügen 1694. belogen *pp* 975.
belustigt 5833.
bemächtigen. bemächtige TT77. bemächtigt
11843.
bemeistern 7088.
bemerken 10541. bemerkst 1152. → unbemerkt.
bemerkenswert 10122.
bemodert *pp* 6928.
bemoost 11313. bemooster 6638.
bemühen (10). bemühen^a bemühn^b Be-
mühen^c Bemühn^d bemüht^e bemüht^f*pp*.
357d 2002b 5780b 8691e 9232a 10236c
10996d 11523d 11544f 11936e.
benagen 1519.
benedeien Gebenedeiten 8286.
benehmen benommen 6772 12021.
beneiden 1103. beneide 3334. beneid'
5120. beneidet 3336.
beneidenswert 6512.
benennen 5533.
benutzen. benutz 7494. benutzt 5723.
bepflanzten *pp* 10012.
beprägt *pp* 1726.
bequem (10). bequem^x bequemen^b be-
quemste^c. 5908 6105 6120 6464 6935c
7373 7626b 7678 7934 10101. → un⌐
vertraut–⌐.
bequemen (6) 1644 1969 2362 2658 3867
9369.
bequemlichstens 6384.
beratet 3095.

berauben 673.
Beräuchern *sg* 8922.
berauschen 6122. berauschet 10922.
berechnet 11211.
Bereich 6195.
bereit (25). bereit^x bereite^b. 180 703
1430 1753 1850 4142 TT79 4880b
5739 6035 6123 6224 6390 6755 7335
8323 8576 8905 8919 8921 9434 9547
10002 10569 11088 11148. → hülfs⌐.
bereiten (13). bereiten^a bereite^b bereitest^c
bereitet^d bereitende^e bereitet^f*pp*. 734f
1129d 1998a 2069a 4277b 6477f 6555a
9138e 9536f 10929a 11486d 11546c
11729a. → unvorbereitet zu⌐.
bereits 10521. → all⌐.
Bereitung 1445.
bereute 2939.
Berg (=taubes Gestein) 7601.
Berg (33). Berg^a Berge^b*pl* Berg'^{c} Bergen^d
Berges^e. 907a 935e 1051d 1081a 3868a
3915a 3954a 4225a 4565a 4695b 4863c
5395a 5850b 6954b 7554b 7565b 7688a
7688a 7860a 7868a 7873a 7937a 8295b
8548d 8651e 9464a 9526b 9827a 10100a
10100a 10452e 10997a 11012a. →
Blocks⌐ +Gebirge+ Hexen⌐ Wein⌐.
Bergast 9513.
bergen (7). bergen^a barg^b geborgen^c.
4714a 7898a 10038a 10314c 10544c
11048b 11378a. → ver⌐+.
Bergesadern 4893.
Bergeshöh' 5802. Bergeshöhn 392 5832.
Bergeshöhle 394.
Berggebäu 7945.
bergigen 1190.
Berg–[regal] 10948.
Bergsee 10712.
Bergvolk 10320 10425.
berichtigt *pp* 6041.
bersten 10086. berstend 7506.
Beruf 3340 6793.
berufen 7672. berufe 1126. beruft 9358.
berufen *pp* 11878. → herbei⌐.
Berufung 10946.
beruhigt *pp* 1078 1692 8284 10856.
berühmen 3621. berühmt 4789. berühmte
pp 335. berühmter 7329.
berühren (6). berühren^a berühr^b berühre^c
berührt^d. 3335a 6293b 6563d 8648d
9610c 12048a. → unberührt+.
berußten *pp* 6820.
besänftigen. besänftige 5054. besänftigt
4623. besänftigend 3236.

beschäftigen 10973. beschäftigt *pp* 5847 10877 11841.

beschämen 3074. beschämt 6127. beschämt *pp* 327 3213.

beschauen 5768. beschaut 1400.

bescheiden (*Adj.*) 7355 7826 8236. bescheidne 1346.

bescheiden. beschieden *pp* 6659. beschiedner 10801. → her∼.

Bescheidenheit 6659.

bescheinen beschien 8908.

beschenk' 6143.

beschert *pp* 2111 8518.

beschimpfen 3641.

Beschlagener 6642.

beschleunen 6684.

beschleunigen 10906.

beschließen 9134. Beschließen 4684.

Beschluß 8878 9140.

beschnittner 7127.

beschränken (6). beschränkt 10146. beschränkt *pp* 402 6267. beschränkten *pp* 2356 10139. beschränkter 1884. → einsiedlerisch–beschränkt.

beschreiben (6). beschreiben 1936 4521 5534 5561. beschreibt 5562. beschrieben 1726. → Unbeschreibliche.

Beschuldigte 9217.

beschuppt → gold∼.

beschützen 4825 9510 10482 10707. beschützt 10671.

beschwätzen 4151.

beschwatzend 10747.

beschweren 2041. beschweret 2248.

beschwerlich 1208.

beschwichtigen. beschwichtige 11888. beschwichtigt *pp* 6042.

beschwören 1297 1514. beschworne 9243.

beseelen 10281. beseelte 7367.

besehen. beseht 123. besehn *pp* 6963.

Besen *sg* 844 3976 4000 7770.

Besenstiel 2308 3835.

besetzen 10370.

besiegeln 11662. besiegelnd 4648. besiegelt *pp* 10417.

besiegen 10221 10683. besiegt 139. besiegt *pp* 7155 7417. → unbesiegt.

besinnen 1385. Besinnen 8259 11178. besinne 4563. besinnt 7720. → unbesonnen.

Besitz (10) 1597 4835 5559 5726 8806 9272 9383 10544 10967 11460. → Ehren∼ Grund∼ Hoch∼ Teil∼ Welt∼.

besitzen (14). besitzen[a] besitze[b] besitzt[c] besaß[d] besessen[e]. 31b 624e 683a 1966c 6262c 7593a 8148c 9061d 9066d 9066c 9299d 9329d 9487c 11453b.

Besitzer *sg* 9501.

besitzlos 5008.

Besitztums 10938.

besonder (7). besondern[a] besondre[b] besondrem[c] besondrer[d] Besondre[e]. 300b 1740d 2592b 4027c 8353d 9336e 10588a.

besonders 38 89 2023 4157 6314.

besorgt → un∼.

bespannt → vier∼.

bespiegeln 579. bespiegelt *pp* 10418.

besprechen 597 1419.

Besprengen 8922.

besser best *sv* gut.

bessern 373. → ver∼.

Bestand 8413 10934.

beständig 2404 4681 5881.

bestärken 1854. bestärke 9362.

bestätigt *pp* 10966.

Bestätigung 9384 9481.

bestattet *pp* 8946.

Bestecher *sg* 4804.

bestehn 9130. bestandet 1005. bestanden 761.

besteigen. besteige 6398. besteigt 6029. bestieg 9175. bestiegest 9321.

bestellen 8920. bestell' 8866. bestellt *pp* 2397 9200 11289. → um∼.

Bestellung 8858.

Bestialität 2297.

Bestie 7147. Bestien 5493. Bestjen 4342.

bestimmen. bestimmten 8531. bestimmt *pp* 6842 10943. → unbestimmt.

bestrafen 9247. bestrafst 9212.

Bestreben 560 4725.

bestreiten → unbestritten.

bestürmen 10201. bestürmt 6892.

bestürzt *pp* 3169.

Besuch 2902 3222 6983.

besuchen. besuche 1390. besuchend 8511.

Besudelung 8942.

betätigen 5986. betätigt 1759 9666. betätigend 11249. betätigt *pp* 10965.

betaut' 3609.

beteiligt *pp* 10287.

beten (9). beten[a] Beten[b] betst[c] betet[d] betet'[e]. 1025b 2942a 2972e 3498a 3787c 7451b 10016d 11077a 11141a. → Anbetung +er∼ Gebet+ hin∼.

Beth' 10947 11024.

betören (7). betören[x] betört[b] betört[e]pp. 3053 3547c 3681 9249 11470 11765 12030b. → Gottbetörten.

betrachten 6384 10123. betracht 1149. betrachte 1070 4118.

Betrachtung 3239.

betragen. Betragen 3171 5319 8128. betrug 7559.

betraurt' 2990.

betreffen. betrifft 1984 2499 4090. betroffen 3508 4708.

betreten (7). betrete^a betret'^{b} betrittst^c betrat^d Betretende^e betretner^f.   6007c 6223e 8549a 8655f 8668d 8804c 10040b.

betrinken Betrunknen 8772.

betrüben (6). betrüben^a betrübende^b betrübt^cpp. 759b 1056a 2869a 2922a 3320c 8761c.

Betrug 2333 2534.

betrügen (14). betrügen^a betrog^b betrogen^c betrogen^dpp betrogne^e. 975d 1139a 1399d 1526d 1586b 1696a 4947d 6250c 7209a 7427d 7710e 7799a 10685d 10735a.

Bett (6). Bett^a Bette^b Betten^c. 3139a 3142a 3615a 4874b 7504a 7541c. → Faul~ Ruhe~ Sterbe~

bettelarm 9276.

betteln 4546. bettelt 2936 9274.

Bettelsuppen 2392.

betten gebettet 8397.

Bettler pl 3761.

betupft pp 1520.

beugen (9). beugen^a beugt^b beugten^c gebeugt^d. 1020c 1301a 4401a 7851a 7853b 8522b 9322a 9936d 10962d. → erdgebeugten.

Beugung 1459.

Beule 11809. Beul' 11809.

Beute 8987 10526 11318 11827. → er~n.

Beutel sg 6103 7179.

Beuteschatz 11028.

Beuteteil 10820.

bevorstehen. steht bevor 8135. bevorsteht 8604.

bewaffnet 9860. Bewaffnete 10549.

bewahren 4609 8365. bewahrt 8974. bewahrt pp 7188. → auf~ Hausbewahrer.

bewähren. bewähret 10545. bewährt 9939. bewährten pp 1007.

bewegen (33). bewegen^a bewege^b beweg'^{c} bewegest^d beweget^e bewegt^f bewegend^g bewegt^hpp bewegte^jpp bewegten^kpp bewegter^m bewegtern^n. 138f 932f 1490a 1569a 3043f 3477f 4134h 4239f 5678h 5843f 5998h 6332c 6368f 6417b 6777f 6911m 7278k 7297h 7456h 7579h

8287h 8379h 8540h 9150g 9627a 9756d 10000g 10005n 10964f 11658j 11788f 11971j 12002e. → allbewegend freibewegt herab~ tiefbewegt Unbewegliche.

Bewegung 8427 9748.

Beweise sg 8068.

beweisen 712. beweist 1929. bewiesen 4145. beweisenden 802.

beweinen 651 795.

bewitzeln 5102.

bewohnen 7874. bewohnten pp 11106.

Bewohner 7573.

bewundern. bewundr' 9158. bewundert pp 8488.

Bewunderung 9628.   Bewundrung 542 10045.

Bewundrer pl 5527.

bewußt (7) 303 329 1110 1582 8243 9856 10160. → grenzun~ Schatz~c selbst~ still~.

bezahlen 7782. bezahle 11554. bezahlt 2302.

bezähme 7331.

bezeichnen 10009. bezeichnet 10061. bezeichnet' 8923. bezeichnet pp 8654.

bezeugt 3038.

Bezirk Bezirken 4987.

bezirken 5959.

bezwingen 4171. bezwinget 11859. bezwingt 7233. → all~den unbezwinglich.

Biedre 10459.

biegt 7021.

Bier 815 830.

bieten (8). bieten^a beut^b biete^c biet'^{d} bietet^e geboten^f. 1698d 4140c 4197f 5162a 5723e 6168c 7171b 9336a. → an~ ent~ ge~+ ver~.

Bild (24). Bild^a Bilde^b Bilder^c Bildern^d. 9c 170d 726c 1440c 2429a 2436a 3248a 4808b 6289d 6430c 6507a 7400a 7997b 8021a 8386a 8835c 8930d 9142a 9339a 9778a 10058a 10592a 10592a 11086a. → Eben~ Frauen~ +Ge~ Götter~ Muster~ Schaum~ Schreck~ Traum–[~] Zauber~.

bilden (16). bilden^a bildet^b bildete^c bildend^d gebildet^e. 261a 2172b 4329a 6008b 7863b 8264b 8306b 8409b 8719c 8753e 9156e 9173d 9702b 10158b 10552a 11873b. → aus~ ein~ hinab~ wohlgebildet.

Bildner pl 7395.

Bildnerein 9032.
Bildnis 8017.
Bildung 912 8690. → Lieblings~ Flammen~.
Billett 56.
billigen billige 12001.
Bim 11267.
Bim–Baum–Bimmel 11263.
Binde Binden 753 9619.
binden (9). binden[a] Binden[b] bindet[c] gebunden[d]. 3154d 4591a 5329d 6416d 7210a 7211a 7433c 7434d 10015b. → an~ ent~ los~ ungebunden ver~+.
Binnenraum 8667.
Birken 3845.
bis (38) 54 404 574 933 1525 1778 2579 2760 2984 3918 TT8 4936 4936 5361 5716 6345 6679 7110 7116 7346 7547 7563 7743 8126 8251 8326 8509 8546 8694 8762 10699 10779 10877 10904 11266 11334 11570 11648.
Bischof 10266 10977.
bisher (7) 6691 6891 6985 7833 7900 8796 10965.
Biß 1524. → Ge~.
bißchen (11) 2069 2246 2280 2677 3051 3461 3659 3659 4944 6458 11788.
Bissen 4371 11107.
Bitte 2930.
bitten (19). bitten[a] bitte[b] bitt'[c] bittet[d] bat[e] bät'[f] bittend[g]. 594c 1420c 1875c 2520a 2646c 2685b 3068b 3196f 3218e 3855b 4500b 4517b 6330c 7332b 8394g 8934d 10541b 10713d 10757a. → aus~ er~ ver~.
bitter (7). bitter[a] bittern[b] bittre[c] bittrer[d]. 1555c 4423d 4624c 7148b 8528b 10194a 10981b. → er~n.
Blachgefild 8491.
blähen (6). blähen[a] bläht[b] gebläht[c]. 1744c 3911a 5110a 6093b 7304b 7685b. → auf~.
blank 3988 10881 10881 10921. blanken 10595.
Blase → Seifen~.
blasen 3880. geblasen 11719. → aus~ Doppel~ ein~+ Feuer~ heraus~ Hörner~.
blasses 4184.
Blatt (12). Blatt[a] Blätter[b] Blättern[c]. 154b 557b 1105a 1105a 4693a 5177b 5870a 5885a 6055a 6089a 9994c 11325c. → Zauber~.
Blättchen *sg* 1736 6104. Blättchen *pl*

7582. → Wochen~.
blättern 7742.
Blau → Äther~.
blau (7). blau[a] blaue[b] blauen[c]. 1094c 1450b 5880c 7033a 9041a 11104c 11998c.
blechklappernd 10566.
bleiben (91). bleiben[a] Bleiben[b] bleibe[c] bleibe[d] bleib'[e] bleibet[f] bleibst[g] bleibt[h] blieb[j] blieben[k] geblieben[m]. 74h 115h 161h 281h 871e 1235d 1260f 1368h 1422d 1431a 1739a 1809g 2304a 2433d 2509m 2558h 2912a 3050g 3088a 3196a 3520h 3822h 3891m 4272h 4294h 4496m 4520a 4550d 4715d 4731m 4814h 4840h 4851a 4961h 5085h 5198h 5334j 5368h 5560a 5658h 5788h 5795a 5799a 5939h 6021g 6065m 6129h 6154h 6575m 6815h 6931h 6988g 7142a 7239h 7403h 7678h 7964h 8078d 8109h 8195m 8244h 8508d 8583d 8754f 8792h 8800h 9268h 9556h 9568h 9593k 9834d 9945j 9958h 10020h 10095h 10242j 10357h 10393h 10447h 10532h 10977m 11041a 11107g 11609k 11652h 11740c 11742g 11779c 11954h 12058j 12103d. → aus~ ver~.
bleich bleichen 8337.
bleichen bleicht 11717. → nieder~ über~.
Bleigewicht 4993.
bleischwer 2331.
blenden (13). Blenden[a] blendet[b] blendete[c] blendend[d] blendende[e] blenden-den[f] geblendet[g]. 1593a 4702g 5402b 6973b 8601e 8910d 9159e 9240b 9241b 9345d 10054d 11699f 12093b. → ver~.
blendend–weißem 7327.
Blend–[kräften] 1590.
Blend–[werken] 1853. → Zauber~.
Blick (56). Blick[x] Blicke[bsg] Blicken[b] Blicks[d]. 2 430 581 686 904 2034c 2288 2911 3079 3188 3235 4192 4202 4488c 5157 5557 5933 6345c 6630c 7184 7292 7321 8425 8430 8446 8446 8639 8671 8689d 8911 8918 9094 9123b 9124b 9226 9274 9302c 9331 9344 9919 10062 10206 10367 10621 10867 10896 10955 11008 11219 11245 11247 11336 11378 11776 11777 12030. → An~ Augen~+ +Funken~ Kenner~ Retter~ Sonnen~ Strahlen~ Tages~.
blicken (12). blicken[a] blicke[b] blick'[c] blicket[d] blickst[e] blickt[f] blickend[g]. 3444g

3593e 4098f 4535e 4713a 5330b 6100f
6914f 8037b 11292c 11792a 12096d.
→ an∼ auf∼ ein∼ er∼ her∼ her-
vor∼ hierher∼ hinaus∼ hinauf∼
Miß∼de.
blickschnelles 10751.
blind 11497.
blinken (8). blinken[a] blinkt[b] blinkend[c].
554c 4616b 7511c 8940c 9340a 10361a
10574a 10748c. → an∼ zurück∼.
blinzelnd 11443.
blinzt 4673 9581.
Blitz (13). Blitz[a] Blitze[b]*sg* Blitzes[c]
Blitze[d]*pl*. 828a 5543a 5725a 5892c
6827d 9067d 9279a 9475a 9673a 10647b
11324d 11861d 11879a. → Augen∼
Strahl∼.
blitzartig 7786.
blitzen (9). blitzen[a] blitzt[b] blitzendes[c].
263c 5743b 6261b 6865b 7068a 7925b
8473b 10371b 10594a. → er∼ mil-
de∼d.
Blitzeswink 6087.
Block → Marmor∼.
Blocksberg (6) 2113 4221 4317 4329
7678 7810.
blöde 1764 6976.
bloß 3584 3746 4046.
Blöße 5199.
bloßgeben gebt bloß 7768.
blühen (6). blühen 5145. blühn 1199
11705. blüht 64 11080. blühend 8433.
→ entgegen∼.
Blümchen *sg* 3561.
Blume (11). Blume[a] Blum'[b] Blumen[c].
190c 914c 2629b 3611c 4436c 4693b
5093a 5098c 5132c 5158c 5177a. →
beblümt tausendblumig.
Blümeleien 11713.
Blumenflor 5120.
Blumenkronen 4675.
blumenreiche 9449.
blumenstreifige 9617.
Blumenwort 3184.
Blut (39). Blut[x] Blute[b] Blutes[c] Bluts[d].
872 1372 1737 1740 1795 1877 2115
2451 2512 2636 2798 2824 2907 3313
3419 3477 3789 4104 4192 4514 5054
5712b 6047 6579 6776 6777 6778 7026c
7665 7674 7895 8821b 8942c 9210
9348 9846d 10204 10860 10963.
Blüte (7). Blüte[a] Blüt'[b] Blüten[c]. 174a
311b 4613c 6476a 9448c 9994c 11726c.
→ Frühlings∼ Ge∼ Jugend∼.

Blutbann 3715.
Blutegel *pl* 4174.
bluten 11127. blutend 9934.
Blütentag 7022.
blutgeschriebnen 11613.
blutig 10574. blutigen 10374. blut'gen
1574 9316. → grausam–∼.
blutig–trüben 8689.
Blutschuld TT67.
Blutstuhl 4592.
Bock 2113 3836 3961 4001 4285. →
Ziegen∼.
Bocksfuß 7238.
Boden (30). Boden[x]*sg* Bodens[b]. 1074
4013 4299 4601 4937 4938 5042 5722
5973 6112 6133 7026 7075 7539 7547
7577 7685 7867b 8138 8676 8687 9115
9344 9604 9604 9610 9724 9937 10754
12029. → Wasser∼.
Bögelchen *pl* 9028.
Bogen (7). Bogen[a]*sg* Bogen[b]*pl* Bogens[c].
4722c 7644a 8037a 8289a 9028b 9260a
9671a. → Ellen∼ Fiedel∼ spitzbögig.
Bogenstrahl 10727.
Bohrer *sg* 2257.
Bootsmann 11149.
Boreaden 7372.
borgen. borgt 2166 5281 5281 5282. ge-
borgt 11610. → ver∼.
Börs' 6103.
borstigen 1303. → schwarz∼.
bös (32). bös[a] böse[b] böse[c] bösen[d]
böser[e] Böse[f] Bösen[g] Böses[h] böser[jk]
Bösestes[m]. 947d 996d 1336f 1343f
1730e 1832d 2509g 2509g 3091b 3177a
3178j 3197e 3642e 3980g 4039g TT13d
4448a 4457f 4547c 4619b 5381e 5656e
7038d 7134d 8585a 8594h 8898m 9073g
10994b 11805g 11935g 11947f. → erbosen.
Bösartige 8887.
Bote 4956. Boten *sg* 9437. Boten *pl* 265
10691. → erbötig +Gebot Liebes∼
Verbot.
Botschaft 765 7318 9438 10665 10855.
Bovist 7784.
Brand 1367 5965 6394. → Haus∼
Wonne∼.
Brandung 8396 11648.
brät 5255 6096.
Braten (*Mask.*) 5259 10141.
Brauch (6) 2841 2949 2950 3526 4216
10821. → Festge∼ Höllen∼ Hunde∼.
brauchen (30). brauchen[a] brauche[b]

brauch'^{c} braucht^d brauchte^e gebraucht^f.
158d 285d 381b 676f 677e 1066e 1067a
1272c 1445d 1514c 1849b 2094d 2640b
2643e 4022a 4246d 4854a 5200a 5676d
5765d 6121d 6144a 6317d 6375d 6451c
7429d 10763d 10865d 11029d 11447d
11908a. → ab~ ge~.
brauen 2367. braut 224 539. gebraut 172.
braun. braune 11157. braunen 1579 5092
6714. brauner 733.
bräunen bräunt 11721. → be~ ver~.
bräunlich 6321. bräunliche 5162. →
mauer~.
Braus → Jugend~ Meer~.
brausen (6). brausen 259 9816. Brausen
11874. braust 3228. brauste 3350. brau-
send 8832. → durch~.
Braut 974 5182 5364 5365. Bräute 4296.
→ Wind(e)s~.
Brautgemach 1045.
Bräutigam 2447.
Bräutigamsgestalt 8505.
brav (11). brav^a brave^b braven^c braver^d
braves^e. 79c 85a 1057d 2115d 2674a
3019d 3156e 3751b 3775a 7366a 7520a.
bravo! 2241 2241 2442 3026.
brechen (17). brechen^a Brechen^b breche^c
bricht^d brach^e gebrochen^f. 56d 190e
351a 401d 1686d 1741c 2406d 3611e
3945b 4108f 4590d 4707d 6187a 8222a
9519e 10592d 11256d. → ab~ auf~
durch~ entzwei~ ge~ hervor~ los~
+unter~ ver~+ zer~ zusammen~.
Brei 2391 2476 2859.
breit (22). breit^a breite^b breiten^c breites^d
breiter^e$_k$. 255c 1250a 1814a 2392b
3974a 4014a 4205e 4318c 5451c 5825a
6373b 8045b 8513a 8998a 9283d
10052a 10144b 10776a 10993c 11001b
11039a 11250c.
Breite (6). Breite^x Breit'^{b}. 93 931b 8328
10201 10230 11105. → Erden~ Fel-
sen~ Herdes~.
breiten 1481 2705. → +aus~ hin~
über~ +ver~.
brennen (21). brennen^a brenne^b brennt^c
brannte^d. 1195c 1218c 2076c 2299c
2311b 2311b 2461a 3064b 3856c 4018c
4057a 5953c 6339c 6367a 7033a 8597d
11326a 11721c 11753c 11753c 11786c.
→ aus~ durch~ Kohlenbrenner ver~
wildentbrannten.
Bretter 39.
Bretterhaus 239 11228.

Brevier 6106.
Brieflein → Liebes~.
Brimborium 2650.
bringen (65). bringen^a bring^b bring'^{c}
bringet^d bringst^e bringt^f brachte^g bracht'^{h}
brächte^j brächten^k gebracht^m. 9f 97f
97a 277j 573m 928m 1136f 1170a 1253h
1289b 1440a 1655f 1783m 2159a 2786h
2830m 2852m 2893a 2913f 2929a 3242f
3328b 3741m 4497g 4671f 5206f 5299a
5466f 5856a 5947m 6031m 6208e 6297m
6353a 6489f 6700f 6834m 6943f 7038f
7108a 7201m 7378m 7429f 7464m 7483m
7945m 8125h 8172a 8178a 8385d 8446a
9193c 9246g 9255c 9315m 9398f 9438e
9850c 10388a 10889f 10902f 10951m
11034f 11108e 11191k. → dar~
durch~ heran~ herbei~ her~ her-
vor~ hin~ mit~ nach~ um~ unwiederbringlich ver~ voll~ zu~.
Briten *pl* 7118.
Brocken 3956 4032.
Brockenstückchen *sg* 6970.
Broden 11717.
Bronn 12045. Bronnen *sg* 566. → Brunnen.
Bröselein *sg* 7592.
Brot 55 2965 2966 4875.
Bruch → Schiff~.
Brücke Brücken 2369. → Teufels~.
Bruder (16). Bruder^a Brüder^b. 829a 842a
3120a 3226b 3732a 3770a 4525a 5291a
7389a 7421b 8066b 8290a 9055a 10263b
10376a 11397a.
brüderlich 803.
Brudersphären 244.
Brüllgesang 5956.
Brunnen *sg* 2291. → Bronn.
brünstig 2972 10499 11011. brünstige
8344. brünstiger 774. → in~ liebes~.
Brust (49). Brust^x Brüste^b Brüsten^c. 67
307 333 446 456b 458 491 791 1112
1560 1682 1889 1892c 2082 2661 3046
3223 3233 3247 3346 3504 3504 4197
4528 5936 6049 6282 6974 8561 8652
8871 8961 9238 9379 9797 9858 10056
10254 10358 10417 10633 10862 10868
10961 10991 11078 11856 12001. →
Jugend~.
brüsten. brüstet 11133. brüstend 7302.
brüstende 7649. gebrüstet 5273. → er~.
Brusterweiternde 7906.
Brüstlein *pl* 4968.
Brut 7675 7947 8776 10675. → Höllen~

Menschen~ Tier–[~].
brüten → über~.
Bube. Buben 1841 3575. Bub' 3339. →
    spitzbübisch Wetter~.
Bubenschar 9045.
bübisch–mädchenhafte 11687.
Buch (10). Buch[a] Buche[b] Büchern[c]. 390c
    419a 576a 661c 1105a 1105a 1961b
    2349a 2555a 7742a. → Fabel~ Gebet~
    Stamm~.
Büchelchen *sg* 3779.
Bücherhauf 402.
Bücherkrusten 6707.
Büchsen 406.
buchstabiert 9419.
Bucht (9). Bucht[a] Buchten[b]. 1082b 5175a
    6953b 7296b 8057a 8493b 8985a 8985a
    9466b.
Buchtgestad 8538.
bücken (9). bücken[a] Bücken[b] bückt[c] ge-
    bückt[d]. 1009d 3878a 5216d 5241b 5724c
    5930c 7989d 9998c 10805a.
Bude 50.
Büfett 10918.
Büffelhörner 9040.
Bügel *sg* 669.
Buhle 2761 3671 10532. Buhlen 3565
    5661.
buhlen. buhlend 8817. → fort~.
Buhlerin 6525.
Buhnen 11545.
Bühnen 231.
Bühnenspiel 7122.
Bund 4108 7151 9883. Bunde 748 10982.
    → ver~et.
Bündel *sg* 2068.
Bündnis 1741.
Bundsgenossen 4831.
bunt (24). bunt[a] bunte[b] buntem[c] bunten[d]
    bunter[e] buntes[f]. 59d 170d 865d 919f
    950e 1046d 1121c 4034d 4722d 5049b
    5110a 5132b 5144b 5187b 5272d 5396d
    5517b 6175d 6572d 6622f 6730d 11147d
    11163b 11217d.
Burg (19). Burg[x] Burgen[b]. 884b 897b
    8851 8867 9001 9017 9050 9074 9085
    9136 9146 9203 9263 9335 9386 9566
    9857 10264 10264. → empor~en
    Väter~.
Burgdorf 814.
Burgemeister *sg* 846.
Bürger *sg* 4815 7468. Bürgers 8778.
Bürger–Nahrungs–Graus 10137.
Bürgersleut' 3751.

Bursche *sg* 11794. Bursche *pl* 2150 10323.
    Burschen *pl* 2176. → Handwerks~.
Busch 3227 3237 10475. Büsche 7278.
    Büschen 10753. → +Ge~e.
buschen 4655. → be~ um~.
buschiger 9539.
Busen (32) 7 126 140 411 561 1196
    1211 1566 1621 1724 1768 1773 2461
    2714 3224 3287 3406 3503 3604 3654
    4465 5720 6104 6600 9065 9076 9143
    9248 9619 9678 10607 11881.
Buße 7148 7703 12057. → Kirch~.
büßen (7). büßen[a] büßest[b] büßt[c] büßen-
    des[d]. 621a 2726a 2915a 4483a 5388c
    9431b 12063d.
Büßer *sg* 11014.
Büßerinnen 11943 12015.
Büste 7547.
Butten → Trage~.
Butter 2127.

C

Cäsar 7023.
Ceres' 5128.
Champagner 2268.
Chaos 1384 7559 7990 8027 8028.
Chelonens 8170.
Chemie 1940.
Cherub 618.
Chiron 7199 7212 7330.
Chirurgen → Fels~.
Chor (Kirchenraum) 11008.
Chor (9). Chor[x] Chöre[b] Chören[c]. 86c
    746b 1491c 2575 4331 5083 5083 7567
    7693. → Geister~ Lebe~ Zauber~.
Chorus 2198 7232.
Christ (=Christus) 737 756 757 797.
Christ (heiliger Christ =Weinachtsge-
    schenk) 2699.
Christ 2953. Christen 4897.
Christenheit 10989.
Christentum 3468.
Chrysalide 6729.
Chymisterei 4974.
cimmerischer 9000.
Circe 8123.
Cupido 2598.
Cursum 2054.
Cyperns 8359.
Cyprien 9677. Cypriens 8365.
Cytherens 8511.

D

da (280).

(*Konj.*) (18) 185 186 188 190 268 271 847 1353 3678 3772 4082 4093 5838 6389 6408 7405 8002 8803.

(*Adv.*) (262) 42 67 93 169 263 318 336 358 415 489 580 663 773 792 807 832 958 1042 1106 1163 1411 1414 1521 1564 1756 1880 1902 1912 1950 1996 2079 2131 2146 2195 2215 2217 2229 2388 2393 2443 2471 2476 2477 2621 2657 2674 2788 2821 2867 2875 2902 2972 2976 3018 3023 3040 3130 3147   3207   3272   3303   3442 3471   3498   3523   3527   3539 3561   3568   3637   3663   3718 3768 3857 3859 3920 3928 3967 3969 3973 3995 4022 4029 4034 4040 4046 4056 4066 4083 4087 4124 4129 4137 4158 4214 4222 4255 4303 4331 4355 4362 TT37 4419 4475 4566 4568 4742 4754 4764 4801 4829 4836 4883 4948 4977 4992 5204 5255 5256 5457 5473 5483 5584 5594 5615 5640 5642 5649 5650 5658 5659 5696 5779 5780 5840 5889 6017 6091 6124 6159 6165 6174 6203 6291 6321 6383 6537 6564 6690 6726 6749 6764 6780 6780 6797 6926 7036 7048 7082 7350 7385 7419 7422 7460 7496 7513 7609 7777 7834 7870 7951 8004 8015 8021 8026 8133 8257 8261 8271 8289 8299 8318 8324 8328 8563 8576 8675 8693 8815 8861 9002 9028 9034 9039 9044 9044 9070 9163 9202 9412 9412 9578 9588 9594 9599 9761 9816 9946 10077 10098 10103 10107 10114 10142 10148 10169 10172 10210 10216 10220 10227 10239 10246 10299 10312 10323 10325 10453 10457 10544 10557 10572 10590 10591 10664 10766 10809 10838 10847 10933 10993 11039 11167 11168 11178 11179 11183 11287 11346 11350 11355 11388 11388 11397 11397 11407 11421 11519 11534 11570 11600 11666. (Einbegriffen in dieser Liste sind *dasitzen* in Zeile 42 und 17 Fälle von *dasein*).

dabei (12) 838 1235 1904 2566 2822 3658 3672 4189 5878 9075 10107 10125.

Dach 8976. Daches 8928. Dächern 925. → Ob∼ Wölbe∼.

dadurch 4923 7869.

dafür (8) 370 915 2988 3148 3456 6166 8089 11603.

dagegen 1649 6417 7776 11723.

daherkommen. kommen daher 9166. kommt daher 5570. kam daher 7803.

dahier 4099.

dahin (11). dahin[x] da−[hin][b]. 458 812 TT8 TT8 4934b 5006 7010 8273 9152 10180 11724. → *9761.*

dahinaus 4537.

dahinein → *415.*

dahinfließen 719.

dahinschreiten schreite dahin 8592.

dahinsinken dahingesunken 1578.

dahinten 2259 5484 11396 11396.

dahintersteckt 4887 6961.

dahinziehn ziehn dahin 8769.

Daktyl 7898. Daktyle 7637.

daliegen liegt da 4929.

damals 1001 3128 6717 6728.

Damen 119.

damit (26).

(*Konj.*) 1542 1960 2160 2539 2595 2663 4572 5857 6061 6073 6252 6881 7845 8799 8944 10975.

(*Adv.*) 1362 2556 3007 3303 3671 4122 10336 10339 10795 10895.

Damm 11126. Dämmen 11545. → ver∼en ein∼en.

Dämmer 395.

dämmern 5408. dämmert 3652. → auf∼.

Dämmerschein 2687 4686.

Dämmerung 4637 4680. Dämmrung 666 1146.

Dämon 9665. Dämonen 8057 9252 9947 11491. → Wider∼.

Dampf 3920 5836. → Weihrauchs∼.

dampfen dampft 471.

dämpfen. dämpfet 5980. dämpfenden 9847. gedämpft 11402.

daneben 5023 7817 11029.

Dank (11). Dank[x] Danks[b]. 992 2183 3265 8130b 9139 9498 10610 10951 11064 11189 11190. → Un∼.

dankbar 183 2699 7619 8963.

Dankbarkeit 10394 10949.

danken (10). Danken[a] danke[b] dank'[c] dankt[d] dankte[e] dankt'[f] dankend[g]. 318c 608c 2093d 2845f 5304a 5764c 6886b 7336c 7424e 12099g. → ver∼.

dann (108) 163 174 176 178 229 390 424 573 637 866 1044 1080 1196 1425 1443 1444 1666 1701 1702 1703 1704

1918 1938 1991 2028 2031 2052 2740
2889 2891 2965 2991 3056 3062 3145
3232 3233 3254 3291 3322 3453 3657
3692 3746 3762 3842 3922 3923 4183
4629 4719 4966 5043 5588 5891 5893
5923 6071 6301 6748 6843 6995 7066
7286 7375 7698 8100 8308 8332 8549
8570 8659 8760 8859 8876 8958 8997
9040 9468 9474 10008 10101 10144
10160 10170 10200 10207 10273 10298
10379 10382 10435 10515 10757 10846
10879 10881 10891 10932 10943 10947
10958 10960 10999 11001 11023 11182
11663. → als∼ so∼.

daran (11) 2226 4917 6128 6308 7580
8001 8686 10365 10611 10709 11600.
→ dran.

darauf 1046 1626 2787. → drauf.

daraus 2766 8863 → drauß+.

darbringen dargebracht 102.

darein 10561. → drein.

dareinscheinen scheinen darein 1456.

darnach 543 1662 4182 6309.

darneben 4525.

darnieder 7504.

darüber 2763.

darum (7) 211 1056 2501 3037 3467
4157 4325. → drum.

darunter 5080.

das *sv* der.

Dasein 1570 4685 9418 11897.

daselbst 6089 10490.

daß (208) 47 76 92 147 311 364 380
382 426 520 613 662 663 665 713 843
982 988 994 1008 1055 1074 1093 1158
1205 1207 1231 1235 1316 1340 1341
1393 1435 1528 1529 1638 1695 1718
1741 1778 1914 1919 1950 1961 1977
2015 2030 2094 2096 2220 2221 2292
2303 2464 2494 2663 2743 2806 2822
2912 2941 2954 2974 2984 3034 3042
3073 3077 3086 3102 3102 3104 3115
3162 3178 3240 3253 3265 3325 3358
3470 3488 3490 3496 3520 3533 3540
3751 3840 3853 3855 3874 3934 4045
4114 4135 4187 4188 4227 TT26 TT29
TT30 TT59 4421 4504 4536 4582 4713
4739 4840 4981 5112 5279 5309 5311
5362 5497 5622 5793 5879 5973 6164
6221 6253 6258 6267 6318 6523 6636
6691 6727 6774 6829 6849 6982 7094
7210 7215 7239 7242 7311 7452 7652
7721 7798 7868 7920 7948 7982 7995
8063 8069 8080 8143 8236 8431 8504

8506 8546 8556 8654 8666 8722 8755
8758 8771 8773 8836 8904 8918 8993
9014 9052 9103 9249 9308 9328 9494
9559 9663 9719 9940 10085 10128
10156 10346 10387 10396 10408 10507
10604 10692 10911 10968 11225 11259
11271 11411 11509 11673 11720 11764
11786 11805 11862 11902 12022 12067.

dastehn (8). (steh' da)[a] (stehn da)[b]
(stehst da)[c] (steht da)[d] (stand da)[e]
(stünden da)[f]. 2750f 3213a 5687d
7469d 8112e 8891b 8917c 8930d.

Dauben 5025.

Dauer → Namens∼ Wechsel∼.

Dau'rbarkeit 1796.

dauerhaft 6492 9940.

dauern (=leid tun) 297. → be∼.

dauern (6). dauern[a] dauert[b] dauerte[c]
dauernden[d]. 330b 349d 1357b 6822a
7800c 9953a. → aus∼.

Dauerstern 11864.

Däumerlinge 7875.

davon (18) 587 590 1214 1386 1417 1667
1723 2103 2848 2978 3048 3417 3451
3848 TT82 5485 6155 11200.

davonflattern flattert davon 5597.

davonhalten halt davon 2412.

davonkommen. kommst davon 2492.
kommt davon 7790.

davonlaufen. läuft davon 581. liefe davon
4822.

davonschleichen schleicht davon 5418.

davonziehen ziehen davon 902.

davor 9162.

dazu (14) 1650 1708 1921 2374 2643
3086 3481 3585 4007 4547 5739 5795
8806 9422.

dazwischen 7927 8281 10033.

Decke 1314 5481 7543.

decken (11). decken[a] decke[b] deckt[c]
deckte[d] deckende[e]. 1465a 1466a 4014c
5978c 6440c 6616b 6919c 8780e 9110d
10998a 11079a. → be∼ ent∼ ver∼
zu∼.

Deckenband 5964.

Definitionen 3045.

Degen *sg* 1539 4516.

dehnen. dehnt 6954. gedehnt 6442. ge-
dehnten 8447. → langgedehnt letztge-
dehnt weitgedehnt.

dein (*Adj.*: *Genitiv sv* du) (252). dein[a]
deine[b] deinem[c] deinen[d] deiner[e] deines[f]
Dein[g] Deinen[h]. 200d 265b 266f 269b
326c 393c 395c 397c 409b 410a 411c

444a 444a 488a 665a 674c 682d 695c
695b 709d 721c 731e 733b 796a 823e
825b 1060d 1063a 1133d 1135d 1171c
1176b 1231b 1359b 1436b 1442a 1443d
1444a 1581b 1621c 1635c 1643b 1645a
1646a 1648a 1648a 1656c 1657d 1704f
1711a 1734b 1745d 1808d 1821a 1846d
2050e 2153e 2322b 2323b 2355d 2431e
2480e 2482d 2484b 2529e 2530d 2530b
2578d 2702d 2706d 2726d 3171c 3219a
3246b 3267a 3303a 3307b 3310a 3451a
3491c 3518c 3589a 3592f 3595b 3619a
3720e 3728b 3784a 3785c 3787e 3789e
3790c 3803a TT11b TT43b TT67e
4411a 4442e 4487c 4488d 4488d
4493b 4495a 4503d 4511b 4512b 4530b
4552a 4607a 4732e 4749f 4751b 4834d
4878h 4924e 5000b 5038d 5197d 5528e
5581b 5620b 5626d 5690e 5696b 5703h
5739a 5764e 5911b 5912d 5919a 6040e
6079a 6112d 6179a 6190b 6256c 6303a
6354e 6807e 6880a 6901b 6926a 6950a
7053d 7067b 7129c 7141b 7144c 7148e
7331d 7360e 7448c 7477a 7842b 7851a
7908e 7922c 7959c 8038e 8078d 8105c
8244b 8335c 8437a 8462b 8553a 8578e
8643f 8643h 8661d 8808e 8814c 8815b
8824b 8917e 8917e 8918a 9054d 9197e
9270d 9280c 9308c 9314d 9315d 9319e
9326a 9361b 9362f 9469c 9525a 9641a
9704a 9734g 9757a 9763a 9802c 9805c
9912a 10180b 10190d 10194a 10196c
10197e 10303d 10440a 10448d 10474a
10498e 10499h 10502d 10502b 10508b
10509d 10515b 10523c 10607a 10608e
10621d 10873a 10877a 10878d 10887a
10896b 10896a 10908a 10924b 10952b
10964a 10978c 10982a 10986a 10988c
10989c 10991b 10993a 10994c 11016b
11028c 11138e 11220a 11226a 11231a
11231h 11493b 11545d 11545d 11834d
12000a 12038f 12062b 12068a 12072a.

deinesgleichen 337 500 1677.
deinetwillen 137 3514.
Deiphobus 9054 9430.
deklamieren 522.
Delos 7533.
Delphine 6244 8425. → Proteus—~.
dem *sv* der.
Demut 3104 10961.
demütig 7928.
den denen *sv* der.
denken (62). denken[a] Denken[b] Denkens[c]
denk[d] denke[e] denk'[f] denkst[g] denkt[h]
dachte[j] dacht'[k] dächte[m] dächt'[n] gedacht[p]. 80n 109h 572p 722p 1028k
1748c 1788n 1887b 1965e 2305n 2566a
2570h 2789e 2813h 2828k 2851h 2905d
2970p 3106h 3107a 3130a 3171k 3212a
3527a 3863h 4031e 4830h 5065h 5182j
5184j 5307a 5315h 6037k 6076h 6092a
6197g 6228n 6375n 6517p 6809a 6810p
6869a 6978f 7311a 7740k 7807p 7946p
7963h 8001p 8073a 8189m 8199j 8308a
9013m 9729d 9729e 10115p 10175f
10425h 10614a 11501p 11713a. → An-
dacht+ aus~ +be~+ Gedanke+
+ge~ Gedächtnis verdacht+ ver~
zu~.

Denker *sg* 6870.
denn (192). (→ §17).
  (*nach Komparativ*) 8898.
  (*Konj.*) (116) 49 318 525 922 1269
1339 1534 1966 1995 2254 2493 2557
2580 3052 3072 3468 3713 3980 4078
4082 4200 4208 4222 4313 4357 5096
5106 5164 5207 5213 5219 5241 5290
5319 5358 5369 5394 5531 5769 5782
5878 6158 6290 6291 6315 6432 6750
6850 6876 6892 6958 7015 7055 7113
7149 7193 7449 7609 7620 7724 7843
8132 8180 8331 8337 8393 8510 8518
8531 8535 8555 8559 8562 8589 8645
8691 8730 8741 8786 8828 8887 8914
8959 9163 9175 9220 9321 9388 9500
9560 9584 9623 9685 9775 9908 9937
10006 10031 10038 10072 10091 10174
10247 10271 10478 10672 10949 10987
11082 11098 11102 11113 11287 11546
11782 11922.
  (*Adv.*) (75) 77 158 515 529 580 808
813 848 1335 1342 1398 1404 1526
1532 1756 1803 2063 2365 2366 2491
2807 2913 2973 2977 3006 3209 3330
3561 3568 3708 3710 3719 3964 4118
4148 4214 4346 4501 4505 4715 4888
4926 4950 6275 6479 6537 6749 6783
6835 6948 7359 7684 7801 7969 8479
8749 8771 8773 8875 8895 8992 9217
9377 9881 9892 10196 10503 10507
10523 10871 11183 11273 11421 11598
11766.

dennoch 4161 4972 7719 8740.
Deputate 4859.
der die das *usw* (*Artikel*) (4363). (→
§ 9). das (612). das 4230. 's (=das
3638 4486 4814 7655 11040. dem
(410). den (567). der (1233). des

(262). 's (= des) 3864. die (1291).
→ am ans aufs beim durchs fürs hinterm
im ins+ übers ums unterm untern unters vom vorm zum zur.

der die das *usw* (*Demonstr. Pron.*) (462).
(→ § 9). das (324). dem (20).
dem 5294. den (18). denen 6980.
der (58). der 4725 5367. deren
5022. des 5212 5596. dessen 4789
6662. die (34). → indem indes(sen)
nachdem seitdem vordem.

der die das *usw* (*Relativ*) (428). (→ §9).
das (57). dem (25). den (32). denen
18 457 555 711 10601. der (135).
deren 60 10886. des 494. dessen 618
717 1858 9143. die (167). → indem
nachdem seitdem.

derb (9). derb^a derbe^b derben^c derber^d
derbes^e derbsten^f. 1114d 3898c 4286e
4390b 5818a 5870f 6747a 8384b 9794b.
→ aller~st ver~en+.

dergleichen (13) 1541 5988 6944 7191
7819 7956 7971 7999 8982 9042 10074
10792 11030.

derselbe 5570 7531.

derweil 2946.

des *sv* der.

deshalb 4898 6311 10871 10938.

Despotismus → Geistes~.

dessen *sv* der.

desto 8226 8257 8617 10330.

deuten 4450. deutest 5615. deutet 6729
10623. gedeutet 10638. → +be~+
zweideutig.

deutlich 1654 5778 6533 9069. deutli-
chen 6186. → allzu~.

Deutlichkeit 4700.

deutsch (8). deutsche^a deutschen^b deut-
scher^c Deutsch^d Deutschen^e. 35b 231b
1223d 2272c 4317a 5065b 5091b 6771e.

Diadem 10989.

Diana 7905.

dich *sv* du.

dicht (7). dicht^a dichte^b dichtem^c dich-
ten^d dichtern^e. 4807e 6157d 6904d
7278d 10758b 10997c 11847a.

dichten 5168. dichtet 11444. dichtend
9631. → Gedicht+ ver~.

Dichter (9). Dichter^{a}sg Dichter^{b}pl Dich-
ters^c. 58a 64a 135a 157a 4171b 7007b
7340c 7429a 7995a.

Dichterhöhe 121.

dichtgedrängt 11106.

dichtgewebtem 6919.

dichtrischen 159.

dick 10086. dicke 3893. Dicke 7779.

die *sv* der.

Dieb 2417 2420 2985 3695. Dieben 9663.

Diebsgelüst 3659.

Diebsgeschmeiß 10824.

dienen (9). dienen^a Dienen^b diene^c dient^d.
300d 308d 1689a 2282a 4956d 6062c
8794d 8797d 10711b. → be~ ver~+.

Diener (9). Diener^{x}sg Diener^{b}pl. 1648
1655 1713 8829 9347 9364 10017
10440 10886b.

Dienerinnen 8661 8784.

Dienerschaft 9150 10905.

Dienst (15). Dienst^a Dienste^{b}sg (zu
Diensten)^c Dienstes^d. 1322c 1656a
1704d 1953c 3032a 5626a 6132b 6200c
7311a 8042a 8788d 9589b 11006a
11032c 12101a.

dienstbar 8600.

dienstlich 2664.

dies (287). dies^a diese^b diesem^c diesen^d
dieser^e dieses^f. 57a 113d 178a 233c
324d 389c 402c 419a 430c 434b 440d
460a 520b 524e 636e 656b 659e 679c
706a 706b 718c 769d 779a 835d 916d
934e 983f 1012e 1051d 1051d 1065c
1068e 1215e 1234f 1300a 1337c
1364b 1421f 1437e 1508a 1512e
1519b 1589b 1627a 1661b 1663e
1664b 1671c 1672d 1722e 1738a
1741a 1777c 1780f 1882d 1882d
1954f 1971b 1984b 2046f 2067c
2070e 2122d 2200e 2249d 2318c
2339c 2388e 2422e 2430c 2433e
2438c 2487a 2517a 2526e 2580e
2603c 2609f 2688a 2693e 2694c
2697c 2958c 2993e 3064b 3067a 3080e
3174e 3184f 3188d 3189d 3241e 3271c
3279e 3361f 3529b 3611b 3837c 3839e
3842d 3932c 3939e 4121c 4202c 4203d
4209b 4232d 4311c 4313b 4356d 4389c
TT29f TT33e 4407e 4427b 4444b 4454d
4500a 4621a 4640f 4681b 4721c 4753e
4765d 4782c 4812d 4889e 4890a 4914b
5089b 5206a 5272c 5315f 5317d 5330c
5331d 5377c 5409b 5414e 5525b 5552e
5635c 5731c 5738f 5768d 5782a 5810d
5910a 6039b 6052b 6071e 6082c 6173b
6259d 6349b 6479e 6504e 6532b 6549e
6550e 6695b 6695b 6705d 6793a 6811c
6862e 6877c 6930e 6967e 7005e 7079a
7080b 7128e 7184e 7188d 7200e 7226d
7259e 7259e 7289d 7317e 7406c 7417b

7482e 7553b 7669e 7675e 7677d 7726d
7748d 7752b 7756b 7771b 7838d 7855e
7901c 7930e 7945a 7955d 7975a 7994e
8104b 8154d 8202b 8211f 8269e 8309d
8348d 8392c 8458e 8461e 8510b 8533e
8722a 8731c 8808e 8834a 8909f 8925b
8952b 8962b 9136d 9182c 9196e 9198a
9206c 9221e 9240b 9256d 9349e 9433e
9458d 9490f 9506d 9522a 9584b 9586d
9586d 9586d 9597b 9612f 9629a 9645d
9666a 9688c 9709c 9800e 9843a 9992e
9999e 10040e 10071e 10181e 10221a
10293c 10309f 10346a 10507e 10523e
10541d 10578d 10653b 10667b 10693d
10734d 10800e 10801a 10925e 10981e
10985e 11036d 11227e 11256c 11328a
11369e 11446b 11573c 11642c 11784a
11828e 11840c 11909b 11946d 11980d
11982d 12065e 12082e.

diesmal (17) 3 595 608 1387 2301 2444
2492 4348 4751 5306 6481 6687 6829
6951 7111 9439 10564.

dieweil 6888.

diktiert' 1963.

Dilettant 4217. Dilettanten *pl* 4218 4364.

dilettiert 4220.

Ding (23). Ding[a] Dinge[b]*pl* Dingen[e]
Dinger[d] Dings[e]. 2158c 2624a 2815a
2820a 2894c 2948a 3562a 3672a 3693d
4942c 5602b 5927e 6145b 6259a 6270b
6882b 7876b 9483c 11114c 11175b
11476b 11620c 11840a. → aller~s
+Be~+ Wunder~.

Dionysos 10031.

Dioskuren 7369 7415 10600.

dir *sv* du.

direkt 6751.

Dirne (8). Dirne[a] Dirnen[b]. 126a 828b
960a 2116a 2619a 3174a 6048b 7235b.

Diskurs 2388.

distilliert 6326.

doch (526) (→ §8). → je~.

Doktor (12). Doktor[x] Doktoren[b]. 299
360 367b 941 981 2129 3277 3523
3704 4024 6643 6663.

Doktorschmaus 1712.

Dokument 11021.

Dolch 649 4104 5381.

Dom 3168 5995.

Dommeln 4334.

Donner *sg* TT59. *pl* 10003.

Donnergang 246.

Donnerkeilen 7568.

donnern 9884. Donnern 7927. donnert

3231 10003. → nach~ wider~.

Donnerschlags 264.

Donnerwort 622.

Donnrer *sg* 8277.

doppelblasen Doppelblasen 5244.

Doppel–Flügelpaar 5679.

Doppelgewinn 8402.

doppelhaft 8872.

Doppelmütze 7564.

doppeln 2521. gedoppelt 6234 10726. →
ver~.

Doppelnacht 11309.

Doppelreich 6555.

Doppelschritt 8006.

doppelsinnige 6739.

doppelt (9). doppelt[x] doppeltem[b]. 2079
4971 6147 6557 7284 7513 9254 9503
10651b.

Doppelzahl 10368.

Doppelzwerggestalt 5474.

Dorf 3554 11096. Dorfs 937. → Burg~.

Doriden 8137 8385.

Dorn 11161 11161.

dorren dorrt 11721.

dörren gedörrtes 9300.

dort (94) 296 645 687 764 808 814
836 1073 2315 2774 2775 3202
3650 3665 3856 3920 3958 4021
4027 4039 4183 4399 4659 5269
5505 5789 5839 6096 6240 6241
6252 6432 6607 6610 6628 6686
6711 6769 7023 7047 7107 7123 7232
7238 7515 7567 7793 7950 7965 8198
8292 8494 8512 8550 8558 8710 8999
9021 9021 9032 9143 9148 9200 9202
9460 9538 9617 9761 9875 9885 10009
10013 10024 10168 10319 10375 10418
10447 10494 10499 10521 10586 10654
10719 11038 11044 11099 11102 11159
11243 11355 11364 11669 11991.

dorten 8816.

dorther 908 12050.

dorthin (6) 5695 7273 7321 9591 9899
11443.

dortwohin 4934.

Dozent 6588.

Drache (6). Drache[a] Drachen[b]*pl*. 5666b
5666a 5673b 5680b 5684b 6017b. →
Wasser~.

Drama 6391.

dran (16) 224 2365 2508 2888 2970 3130
3149 3421 3543 3737 4051 4130 4514
6845 8221 11845. → daran.

Drang (9). Drang[x] Drange[b]. 193 328b

631 1527 3975 5230 8976 9887 9887.
→ Ahnungs∼ Festes∼ +Ge∼e Gemein∼ Herzens∼ Wissens∼.

drängen (35). drängen[a] Drängen[b] dränget[e] drängt[d] drängende drängender[f] gedrängt[g] gedrängten[h] gedrängter[j]. 50d 186j 199a 458d 659c 1016d 1220d 1474f 1594d 2802d 3447d 3504a 3820d 3904h 3926h 4016d 4307j 4587d 4737d 4791a 5016a 5414a 5806a 6015a 6386a 7536b 8579e 8703f 9541g 9997e 10080j 10231a 10347g 10457d 10643a. → an∼ be∼+ bei∼ dichtgedrängt fort∼ heran∼ hervor∼ hin∼ hinweg∼ um∼ zu∼ zurück∼ zusammen∼.

drauf (6) 2843 3966 7124 7603 7694 8961. → darauf hinten∼.

dräun 5671. Dräun 8682 9441. dräut 4960.

drauß 2754 4538.

draußen 1190 4829 5482 11570.

drechselt 216.

Dreck 3536.

drehen 3908 4154. dreht 2163 4235.. drehend 143. → umher∼ ver∼.

drei (17). drei[a] dreien[b] Drei[c]. 1921c 2005a 2543c 2561c 2561c 3511a 5860a 8001c 8014b 8016a 8030c 8186a 8195a 9702c 11181a 11369a 11398a.

dreieinig 11188.

dreifach (6) 7966 7985 8274 9180 9255 10004.

Dreifuß 6283 6292 6423 8570 8921.

Dreigetüm 7975.

dreihundert 2931 3997.

dreiköpfigen 8889.

dreimal 1319 1531.

drein (6) 408 1952 1952 3669 6914 11929. → hinter∼ zwischen∼.

Dreinamig–Dreigestaltete 7903.

dreinsehen. sieht drein 2797 3486. seht drein 2748.

dreißig 2342 6787. Dreißig 6075.

dreister *k* 847. → erdreisten.

Dreizack 8275.

dreschen 1839. gedroschner 4973.

dressiert 1912.

Dressur 1173.

drin 3043 9824 11387.

dringen (17). dringen[a] dringt[b] drang[c] dringend[d] dringendes[e] gedrungen[f]. 140b 452a 495c 535b 1805a 2595b 2722c 5048e 6475b 6841c 7177b 7292b 7306b 9000d 10387f 10640d 11762f. → an∼

auf∼ +durch∼ ein∼ herauf∼ herbei∼ herein∼ hervor∼ hinauf∼ hinein∼ los∼ über∼ vorwärts∼ zudringlich+.

drinne 2785 3303 9070 10563.

drinnen (8) 1259 1957 6174 8928 8987 9588 9594 11458.

dritte (7). dritte[a] dritten[b] dritter[c] Dritt'[d]. 1931d 1933d 5194c 5483a 8017b 9286b 9605b.

drittenmal 818.

drob 9556.

droben (15) 1006 1009 1448 3442 4037 4647 4764 5401 5449 5640 7554 7902 8289 10766 11239.

drohen (21). drohen[a] drohn[b] Drohe[c] Drohn[d] drohe[e] droht[f] droht'[g] drohten[h] drohend[j] drohender[k] Drohende[m]. 1316e 5421f 5714t 5766f 5797f 5965f 5985a 7885f 7886b 8534k 8751d 8800a 8916j 9036f 9244e 10441g 10608c 10625c 10956m 11307f 11356h. → bedrohlich.

drohend–mächtige 7918.

dröhnen 11425. Dröhnen 3946. Dröhnens 8471. dröhnt' 7319. dröhnend 9788. → durch∼.

Drosseln 8929.

drüben 1658 5421 11442. Drüben 1660.

Druck 925 2724 11973. → Hände∼.

drücken (9). drücken[a] Drücken[b] drücke[c] drück'[d] drückte[e] drückend[f] drückende[g]. 2033a 5752c 5787e 6348a 6880c 7536b 9655g 9797d 11477f. → aus∼ Er∼ heran∼ nieder∼ zu∼.

Drudenfuß 1395.

drum (27) 85 233 342 377 1341 1823 1828 1910 1931 2678 2915 2921 3095 4285 4370 4497 4517 5863 6420 7659 8521 8795 8953 9491 9577 11756 11828. → darum.

drunten 5037 9578 10107.

du deiner dir dich (1207). (→ §9). du (708). dich (265). dir (233). deiner 4478. → dein (*Adj.*)

ducken 3568. duck 10805. duckt 3527 11710.

Dudelsack 4255 4341.

Duft (8). Duft[a] Düfte[b] Düften[c]. 1120a 4264b 4636b 5975a 8266a 10430b 10588c 11253a. → Balsam∼ Morgennebel∼ Weihrauch∼ Zauber∼.

duften 9046. duftet 6473. duftete 9046. → segen∼d.

duftig 4724. duft'gen 4691.

Dukaten 5719.

dulden 5658. duld' 6935. duldet 911 9526.
→ er∼ Geduld+.

dumm (8). dumm[a] dummes[b] Dummes[c].
961a 1946a 4084a 5363a 6522a 6809c
11530a 11595b.

Dummheit 2078.

dumpf (10). dumpf[a] dumpfem[b] dumpfen[c]
dumpfer[d] dumpfes[e]. 399e 744c 923c
3231a 3274b 3352c 5735c 7120c 9423e
11606d.

dumpfig 2753.

Dünen 11050 11119.

düngen 2359.

Dunkel 6827.

dunkel (10). dunkel[a] dunkeln[b] dunkle[c]
dunklen[d] dunkler[e]. 328d 714b 1034e
1447b 1452b 3566b 5902d 7490c 10363a
11043b. → um∼t ver∼t.

dunkelgräulich 9123.

dunkel–helle 6712.

dünkeln 6748. dünkelt 2630.

dünken (*persönlich* =dünkeln) 8563. dünk
7772. gedünkt 615.

dünken (19). dünkt[a] deucht[b] deuchte[c]
2334c 2553a 2575a 3311a 4187b 4513b
5286a 5462a 6505b 6539a 6572a 6762b
7753b 8018a 8256a 8584b 8949b 10622b
11532b.

Dunst (8). Dunst[x] Dünste[b]. 6 3921 5422
6918 7866b 7953 11381 11881. →
Feuer∼ Nebel∼.

dunstige 5407. dunstiger 6440. Dunstige
6449.

Dunstkreis 1127 2671 8270.

durch (133). (*Präp.*)[x] (*Adv.*)[b] 52 71 95
242 378 401 431 433 452 532 533
557 563 619 712 776 904 930 1069
1147 1191 1308 1433 1477 1860 1861
1980 1991 2066 2324 2419 2561 2595
2650 2708 3013 3062 3090 3660 3774
3788 3881 3881 3902 3902 3916 3936
3941 3950 4258 4264 4344 TT11 4468
4881 4947 5052 5225 5230 5371 5433
5500 5511 5513 5899 5997 6072 6090
6101 6370 6403 6416 6528 6551 6622
6627 6827 6850 7051 7064 7074 7277
7303 7335 7378 7434 7464 7583 7686
7855 7951 7952 8154 8234 8325 8367
8436 8453 8492 8503 8702 8713 8717
8802 8852 8852 8925 8977b 8997 9627
9667 9779 10166 10191 10204 10362
10404 10429 10608 10714 10914 10942
10966 11003 11012 11155 11309 11433

11553 11762b 11762b 11891 12052. →
da∼ ∼s hin∼ wo∼.

durchaus 357 4780 6761 10012.

durchbrausend 4716.

durchbrechen durchbrach 7867.

durchbrennen durchbrannte 10078.

durchbringen durchgebracht 7110.

durchdringen durchgedrungen 71.

durchdringen (8). durchdringen[a] durch-
dringet[b] durchdrungen[x]. 704a 4703
5384 7189 7274 8434 11858b 11952.
→ undurchdrungen.

durchdröhnen 8045.

durcheinander 145 870 5843.

durchflatternd 9661.

durchforsch' 7079.

durchführen TT39.

Durchgang 716.

durchgleiten 8161.

durchglühte 7076.

durchgrüble 9417.

durchkämpfen durchgekämpft 7018.

durchklingen 453.

Durchlauchtigster 6037.

durchleben durchgelebt 7362.

durchmachen durchgemacht 10307.

durchproben 6970.

durchrastem 1575.

durchs (11) 1409 1643 3892 3925 4467
5408 7044 8454 8705 11011 11391.

durchschauen. durchschaust 10892. durch-
schaut 11811.

durchschauert 6820.

durchschmarutzen 2054.

durchschweife 7080.

durchschwommen 6239 6722.

durchsehen durchgesehn 8569.

durchsichtig 9304. durchsichtige 6908
10434.

durchstechen. durchstochen 4109. durch-
stochnen 1309.

durchstrahlen → sonnedurchstrahlte.

Durchstreicher → See∼.

durchstudiert 2012.

durchstürmen durchgestürmt 11439.

durchtanzen durchgetanzt 4373.

durchtragen durchgetragen 5513.

durchwandre 6993.

durchwebst 2688.

durchwettert 11861.

durchwühlen wühlt durch TT32.

durchwühlen 3286. durchwühlt 653.

dürfen (59). dürfen[a] darf[b] darfst[c] dürfet[d]
dürfte[e] durfte[f] durft'[g] dürft'[h] durften[j].

236d 336c 589b 606b 623b 940b 1387h
1841c 1845b 2041h 2235j 2421c 2587c
2590c 2605b 2883b 2912b 3088b 3139f
3208b 3258c 3292b 3295b 3408h 3426b
3432b 3857g 4544b 4697a 4747c 4795b
5297h 5361a 5560c 5795b 5888b 6016b
6187b 6554b 6559b 6674b 6791b 7090b
7238b 8772e 9071b 9215b 9246b 9706h
10255b 10274f 10692b 10893b 11390e
11581h 11748e 11764b 11931e 12048g.
→ be~+.

dürr (6). dürr[a] dürrem[b] dürren[c] dürrer[d].
557c 1831d 3766c 5830b 7770d 11326a.

Durst 567 988 5643 10526. Durste 1213.

Dust 1116 6758.

düster (20). düster[a] düstere[b] düsteren[c]
düsterm[d] düstern[e] düstres[f] Düstern[g]
Düstre[h]. 5033h 6173e 6387e 6927g
6975a 7006b 7917h 8534a 8717c 8937f
9122a 9136e 9233d 9905e 11219d
11401f 11408g 11455h 11626e 11915a.
→ ver~t.

Dutzend 3738 7846 10582.

E

e' *sv* ein.

ebbet 698.

eben (*Adv.*) (34) 165 1066 1817 1834
1880 1942 1995 2168 2625 2754 2844
3527 3676 3731 3856 4087 4149 4584
5457 6287 6420 6457 6900 6940 7795
8272 9085 9161 10504 10789 11063
11234 11692 11772. → so~.

Ebenbild 516 614 2157 8855.

ebenbürtig 6759 7440 12012.

Ebene 8546. Ebne 6954. Ebnen 8442
9548.

ebenfalls 4206 9576.

Ebenholz 2876.

ebenso 9084.

Echo 3887 5391 8830 10494.

echot 9598.

echt (9). echt[a] echtem[b] echten[c] echter[d]
Echte[e]. 74e 105c 344c 2115b 2272d
2275c 6947a 9127a 10629b.

Ecke 3926. Eck' 6374. Ecken 6608 7597.
→ Jammer~.

Eckzähne 11644.

edel (43). edel[a] edle[b] edlen[c] edler[d] edles[e]
Edle[f] Edler[g] Edles[h] edelsten[j] edelster[k]
Edelsten[m]. 1478b 1535d 1791c 2177c

2279c 2345d 2512c 2596c 2681c 3340j
3395b 4622d 4664f 4865c 5001c 5027c
5403b 5765d 6411a 6643c 6793k 6909c
7209g 7337b 7339c 7361m 7461c 7509c
7667b 8646e 8661b 8927c 8974c 9700e
9981h 10430c 10491c 10928c 11261c
11813c 11917g 11934b 12084c.

Edelfrau 2792.

Edelgestein 8567.

Edelstein 9306. Edelsteinen 8052.

edel–stumm 10095.

Effekt 10564.

Egoist 1651.

eh! 6461 6987.

Eh' 2943.

ehe (25). ehe[a] eh'[b] eher[c] eh'r[d]. 165b
564b 1686b 1819b 1896b 2008c 3116d
4313d 5529a 5534c 5638b 6257b 6296b
6603d 6794b 7058b 7180c 8064a 8111b
8254b 8257c 10505b 10916b 11279b
11408b.

ehegestern 7991.

eherne 8705. ehrne 9858. ehrnen 5711
8502.

Ehherrn 3034.

ehlichem 8859.

ehmals 10088.

ehrbar 2027.

Ehre (22). Ehre[a] Ehr'[b] Ehren[c]. 375b
1684a 2630b 3052c 3772a 3873a 3964a
3964a 5896a 5896a 6997a 7342c 7452a
7746c 7821a 8026b 10119c 10394a
10468c 10489a 10887c 12010c.

ehren (11). ehren[a] ehre[b] ehret[c] ehrst[d]
ehrte[e]. 181a 1060d 2245a 3423d 3424b
5525a 7950e 8090c 8192e 10465e
11852a. → hochgeehrt +ver~+.

Ehrenbesitz 8517.

ehrenhafter 10440.

Ehrenkranz 155.

Ehrenmann 1034 6482.

Ehrenpunkt 10125.

Ehrenscheitel *sg* 1792.

Ehrentitel 7099.

Ehrenwürdigste 8957.

ehrenvoll 942 4065 10853. ehrenvoller
9208.

Ehrfurcht 1871 3860 6415.

ehrfurchtsvoll 9190. ehrfurchtsvollem 9193.

ehrlos 3558.

ehrwürdig 10168. ehrwürdiger 927. ehr-
würdiges 7821.

Ei 5476.

ei! (10) 872 1397 2279 2279 2536 2979

2979 3863 3863 4149.
Eiche 9542. Eichen 7952 7962.
Eichenkraft 7822.
Eichenkranz 5821.
Eifer 600.
eifern eiferte 5652.
Eifersucht 9064.
eigen (40). eigen^a eigenen^b eigne^c eignem^d eignen^e eigner^f eigenst^g eigensten^h eigenster^j. 420f 569f 578f 715f 1774a 2214e 3155f 3233e 5003e 5431e 5575g 6210e 6747f 6748d 6805h 7017d 7065a 7312c 7366e 7428a 7842c 7848c 8075a 8711e 9335a 9497d 9693e 9696f 9846e 9922j 10472f 10518b 10853b 10868e 11004d 11241a 11524e 11695e 11870d 12026f.
Eigenschaft 1280 6882. Eigenschaften 8249.
Eigensinn 11269.
eigensinnig 9543. eigensinnigem 1559.
eigentlich 8194 10072. eigentliches 1344.
Eigentum 10187.
eigenwillig 8832.
eignen 5140 11021. eignet 7611 11417.
→ an~.
Eile 7058.
eilen (17). eilen^a eile^b eil'^c eilest^d eilet^e eilt^f eilenden^g. 117f 1016f 3984a 4481b 4482d 4618e 5482a 6609f 7626e 8920f 9079g 10744e 10813b 11079b 11501c 11572f 11705e. → ent~ fort~ hin~ hinunter~ nieder~ über~ vor~ vorüber~ weiter~ zu~.
Eilgebot 8506.
eilig (15). eilig^x eiligem^b eiligen^c eiligstes^d. 732 4999 5112 6051 7320b 7419c 7501 7628 8966 9293 9962 9997 10384 10451d 11000.
Eiligtun 8671.
Eimer *sg* 12047. Eimer *pl* 450 10026.
ein (*Art., Zahlwort* : → § 9). (1085). ein (790). eine (90). ein' 599 6001 10037. einem (51). einen (86). e' (=einen) 6814. einer (40). eines (12). eins (7) 448 1714 2336 3856 6991 7196 7216. Eins 1921 2541 2550 2561 2561. → All–Einzeln drei~ig Hexen–Einmaleins Tausend Einer unser~s +Ver~+ vor~st.
ein (*Adv.*) 4688 5893 7590 9029 11386. → d(a)r~+ hafen~ her~+ himmel~ hin~+.
einander 863 1758 3949 9112 9402. → an~ aus~fahren auf~ durch~ ge-

gen~.
einbilden. bilde ein 371 372. bild't' ein 3557.
einblasen bläst ein 4954.
Einbläsereien 6400.
einblicken blickt' ein 9303.
eindämmen dämmten ein 11092.
eindringen. dringt ein 9435 11749. eingedrungen 7787.
einen. eint 4341. geeinte 11962. → ver~+.
einerlei 6276 6317. Einerlei 1438 11597.
einfach 9254 10908.
einfallen fällt ein 5062 10068.
Einfalt 3102.
einfalten eingefaltet 8681.
einfassen 6086.
einführen 4060. führe ein 9139.
eingeboren 1092. eingebornen 2712.
eingehen. geh ein 3367. gehen ein 4860. geht ein 1991. eingegangen 3872.
Eingeweid' 9063.
eingreifen 207.
einhalten halt ein 6897.
einheimisch 7959.
einherlaufen 5226.
einherstolpern einhergestolpert 7706.
einherstolzieren stolzierst einher 7765.
einhertreten tret' einher 7006.
einige 1497 7125. einigem 7457. einigen 6756. einiges 11028.
Einigkeit 6140.
Einklang 140.
einklemmender 6802.
einkommen kam ein 4758.
einladen eingeladen 5306 9176.
einleiten eingeleitet 5971.
einlassen. laß ein 7722. laßt ein 5351 7733. läßt ein 3687. [läßt] ein 3687.
einlügen lügt ein 4886.
einmal (59). einmal^x ein-[mal]^b. 220 271 431 517 688 1221 1236 2207 2211 2656b 2967 3088 3123 3179 3253 3320 3321 3485 3730 3927 4102 4223 4470 4983 5341 5989 6297 6368 6431 6588 6606 6616 6918 7040 7133 7142 7276 7519 7609 7687 7925 8129 8158 9122 9224 9264 9598 9614 9890 9943 10024 10174b 10294 10496 10728 11421 11453 11790 12066. → Hexen–Einmaleins.
einmischen mischt ein 10576.
einnehmen 2657 7627.
einrammeln eingerammelt 7105.
einrosten eingerostet 5771.

einrufen eingerufen 9877.
einsacken eingesackt 10798.
einsam 6097 6428. Einsamen 8861.
Einsamkeit (10). Einsamkeit[a] Einsam-
keiten[b]. 1632a 5696a 6213a 6226b
6227a 6236a 6552b 8000a 10039b
10173a.
einschärfen 2219.
einschießen 11571.
einschlafen schläft ein 5889.
einschleichen. schleicht ein 6441 8297
11391. schlich ein 2472.
einschließen eingeschlossen 6837.
einschlingen schlingt ein 11641.
einschlürfen schlürfst ein 3274.
einschmeißen eingeschmissen 2118.
einschmelzen eingeschmolzen 8312.
einschneien 11714.
einschnüren eingeschnürt 1913 5955.
einschränken 3115.
einschwärzen eingeschwärzt 7493.
einsehen. seh' ein 2278. siehst ein 3528.
einsgewordnen *sv* einswerden.
Einsicht 6808.
einsiedlerisch–beschränkt 7878.
einsingen eingesungen 1507.
einsperren eingesperrt TT7.
einst (14) 2 665 747 4128 4136 6405
6584 7185 7442 7493 8503 8547 9066
11066. → vor∼.
einstecken stecke ein 4516.
einstellen stellt ein 1996.
einstimmen stimmt ein 10865.
einstreichen strich ein 2843.
einstudiert *pp* 1959.
einstürzen stürzen ein 11327.
einswerden einsgewordnen 9146.
einteufeln eingeteufelt 3371.
eintreten tritt ein 7489 8564 10460.
eintrippeln trippelt ein 5840.
Eintritt 8654.
einverleiben. einverleibt 10509. einverleibt
pp 8992.
einweihen 9958.
einwickeln eingewickelt 8945.
einwirken wirkt ein 460.
einwurzeln eingewurzelt 8757.
einzahnigen 8884.
einzeln 6596. Einzelne 148. → All–Einzeln.
einzig (23). einzig[a] einzige[b] einzigen[c]
einziger[d] einziges[e] Einzige[f] Einzigen[g]
einzigste[h] einzigster[j]. 690b 1784a 3057a
4121a 4204a TT33g 4802a 5087a 6580c
6649a 7412e 7439h 8350a 8430d 8518a

9046a 9229f 9324c 9417h 9565a 9628j
10432d 11829d.
Eis. Eise 903. Eises 909.
Eisen 1261 5858 7655.
Eisenkisten 9318.
Eisgebirgen 10053.
eitel 6839 7178. eitle 8229. eitlen 5984.
eitles 9441.
Eitelkeit 3101.
ekel. ekle 8822. eklen 5475. ekler 11742.
ekles 5646 11627.
ekelt 1749 TT44..
elastischen 9653.
Elefant 1311.
Elefantenkälber 4388.
Element (18). Element[a] Elemente[b] Ele-
ment'[c] Elementen[d]. 139a 1278b 1344a
2300a 2805b 3698a 5942a 6003a 6943b
8142a 8487c 9982d 10219b 10419a
11549b 11628b 11754a 11959b. →
Hexen∼ Lebens∼ Liebes∼.
elend 3128 4546 4548. elenden TT60.
Elend (6). Elend[x] Elendes[b]. 2986 TT5
TT13 TT29b TT33 7682.
Eleusis 7420.
Elfen *pl* 4617 4622 4632.
Elis 9470.
Ellenbogen *sg* 959 972 3625 5191.
ellenhohe 1808.
elterlich 9698.
Eltern 9622 9738 11900.
empfahn *sv* empfangen.
Empfang 9181 9208. → Gast∼ Wohl∼.
empfangen (12). empfangen[a] empfahen[b]
empfahn[c] Empfangen[d] empfängst[e] emp-
fangt[f] empfing[g] empfangen[h]*pp*. 634h
1061h 2696h 2977g 5301d 6415f 7985b
10305e 10969h 11064c 11284g 11981a.
empfänglich 8576.
empfehlen. empfehl' 9469. empfohlen
11336 11617.
empfinden (14). empfinden[a] empfinde[b]
empfind'[c] empfindest[d] empfandest[e] emp-
fandet[f] empfunden[g]. 613a 1101g 2597d
3059b 3136g 3241c 3435a 6732f 7932g
8962c 9072c 10133e 10253a 10765a. →
schnellempfundnen vor∼.
Empfindung 87.
emporbürgen Emporgebürgte 7575.
empören empörten 10380.
emporflammen flammt empor 5636.
emporheben. hebe empor 9951. empor
hebt 8685. hebt empor 6543. hob empor 7569.

emporputzen putzen empor 5172.
emporschieben emporgeschoben 7587.
emporschwanken schwankten empor 9091.
emporschwellen schwoll empor 10199.
emporsteigen steigt empor 6918 8814 9545 11007.
emporstreben strebt empor 9023.
emportragen tragen empor 8608.
empor trieb 7535.
emporzüngeln züngelt' empor 5995
Empuse 7736.
emsig (6). emsig^x emsiger$^b k$. 5595 5846 6358b 8670 9997 11230. → all$\sim$ kühn–$\sim$.
Ende (34). Ende^x End'^{b} Ende^c. 841 1028 1129c 1368 1775b 1806 1812 2013 2442 2984 3193 3194 3194 3369 4056 4072 4250 4309 4861 5282 5667 6196 6696 7003 7343 7840 9776 10212c 10690 10760c 10858 11498 11530 11629.
enden 10697. ende 10960. → voll$\sim$.
endigen 7008. endigst TT49. endigt 4449.
endlich (18) 96 215 1084 3547 3551 4806 5085 6283 6690 7453 7551 8682 9086 9579 10067 10128 10146 10685. → un$\sim$+.
Endurteile pl 10945.
Endymion 6509.
eng (18). eng^a enge^b engen^c engsten^d. 52b 239c 717c 1162a 1194c 1545c 2131a 2163c 2364b 3304a 3816a 5810c 10293c 10372c 10494c 10540c 11529b 11653d. → krumm$\sim$ ver$\sim$en.
Enge 926 9813. → Himmels$\sim$.
Engel (11). Engel^{a}sg Engel^{b}pl Engel^c. 247c 267c 2712a 3124a 3163a 3494a 3510a 4608b 5355b 11901b 11961a.
Engelslippen 747.
Engelsschatz 2659.
englisch 1141. englisches 11984.
Enkel sg 1977. → Ur–Ur$\sim$in.
ennuyieren 1837 4164. ennuyiert 3265.
Entatmen 8969.
entbehren (9). entbehren 1549 1549 3244 3296 4776 5154 5436 6559. entbehrt pp 8606. → längstentbehrtes.
entbietet 9523.
entbinden. entband 6801. Entbundene 8622.
entbrannt → wild$\sim$.
entdecken (9). entdecken^a entdecke^b entdeck'^{c} entdeckt^d entdeckt^{e}pp. 5151d 5418e 5906a 6212c 6994c 7595a 8088e 8661b 11652a.

Enten 4858.
enteilest 9909.
entfachten 5254.
entfalten (10). entfalten^a entfalte^b entfaltet^c entfaltete^d entfaltende^e 4786c 5147c 5507a 5679a 6800d 6989b 8277c 8911c 9659e 11925c.
entfernen (18). entfernen^a entferne^b entfernt^c entfernte^d entfernende^e entfernt^{f}pp entferntes^g Entfernte^h. 934c 1329f 1387a 1878a 2462a 4485f 4624c 8629h 8656e 9256b 9333b 10208d 11030g 11119f 11392c 11404a 11422b 12080f.
entfesseln 5709.
entflammen. entflammt 5935. entflammte 11368.
entfliegen entflogen pp 11827.
entfliehen (10). entfliehen^a entfliehn^b entfliehe^c entflieht^d entflohn^{e}pp. 60d 3330e 3338c 3719e 5529a 5749a 5749c 6276c 8905a 11612b.
entfremdet pp 7081.
entführen. entführe TT79. entführt 6544. entführte 8850. entführt pp 7432.
entgegenblühen blühte entgegen 6798.
entgegenfletschen fletsche entgegen TT43.
entgegenfliegen flieget entgegen 1487.
entgegenheulet 8774.
entgegenleuchtete 8505.
entgegenragen ragt entgegen 10225.
entgegenruht 4631.
entgegenschlug 7072.
entgegensetzen setzest entgegen 1379.
entgegenstehen steht entgegen 7804.
entgegenstellen. entgegenstellt 1363 7019. stellen entgegen 9123.
entgegenträget 12004.
entgegnen. entgegenest 8750. entgegnet 7721 8278. Entgegnenden TT61.
entgeht 7721.
entglänzt 8171.
entgleitet 12028.
enthalten → Aufenthalt.
enthaucht 8885.
enthüllen 438 5427 6603. enthülle 476. enthüllt pp 10031.
entkleiden 6904.
entladen pp 396.
entlang 3954 11449.
entlassen 1421. entlass' 10975. entlassend 10041. entlaßnem 8656.
entnervend 8778.
entquellen. entquellt 8444. entquillt 11645.
entrafft 12089.

entreißen 9489. entreißet 9500. entriß 999. entrissen *pp* 370.
entrichtet *pp* 6045.
entrinnen 8966. entrannten 10091.
entrollen. entrollst 1108. entrollten *pp* 10405.
entrücken. entrückend 9251. entrückt *pp* 4592 6485 8002 11070.
entrüstet *pp* 5271 5680.
entsagen 8933.
entschieden *pp* 7744.
entschlafen *pp* 1182.
entschlagen 4766.
entschließen 718 5142. entschlossen *pp* 709 4991.
Entschlossenheit 8956.
entschlüpfen. entschlüpfst 4999. entschüpft 5635.
Entschluß 227 7371 11472. Entschlüsse 4809.
entschmeicheln 9488.
Entschuldigung → Untätigkeits–~.
entschwebt 9122.
entschwinden entschwand 9093.
entseelt *pp* 1578 11363.
entsenden entsandt 9260.
Entsetzen 1554 8649 9891 11306.
entsetzt (=enthoben) 6844.
entsetzlichen TT7.
entsiegelt *pp* 6627. → Knospen~e.
entsprießen. entsprieße 11706. entsprossen *pp* 4690. entsproßnen 1306.
entspringen. entsprang 1529. entsprungen 67 8435 9564.
entstehen (18). entstehen[a] entstehn[b] entsteh[c] entsteht[d] entstanden[e] entstünde[f] entstanden[g]*pp* Entstandnen[h]. 778a 1339d 1341f 1662b 3713d 4376e 4904g 6276h 7819b 7831b 7848b 7848c 7858b 7868a 8133b 8153b 8246b 11023d.
entsteigend 8650.
entsündigen 11018.
entwachsen *pp* 6724.
entweichen 4025 6236 6697. entweicht 1089. entwichen *pp* 6328.
entweihte *pp* 11005.
entwendet *pp* 11829.
entwickeln 4801. entwickelt 4910 5712 9554 10721.
entwinden 1375. entwand 9195.
entwirkte 2716.
entwischte 11436.
entwohnter 4405.
entwöhntes 25.

entziehn 11615. entzogen *pp* 10427.
entzücken (20). Entzücken[a] entzückt[b] entzückte[c] entzückend[d] entzückt[e]*pp*. 164e 1444b 1578e 2618a 4717a 5043a 6019b 6040b 6495c 6805a 7446e 7993e 8290a 8910c 9373b 9622a 9701a 10058d 10476b 11791a. → Hoch~ malerisch–entzückter.
Entzückung 133.
entzünden (8). entzünden[a] entzündet[b] entzündet[c]*pp*. 1078c 3931b 4709a 5153b 5936b 8847c 10191a 11884a → liebentzündet
entzwei 2475 2475 3702.
entzweibrechen bricht entzwei 10808.
entzweien. entzweit 2081. entzweitest 9925. entzweit *pp* 10379.
entzweiplatzen platzt entzwei 5477 7784.
entzweischlagen 7832.
er ihm ihn sein(er) (852). (→ §9). er (551). Er (13) 548 549 2304 2306 2634 2913 3039 3299 3863 3864 4142 4143 6345. ihm (123). Ihm 2635 3865 3297. ihn (159). Ihn 4250. sein 616 10495. seiner 2981 11843 → sein (*Adj.*).
eratmend 486.
eräugnen 5917 7750. → Ereignis.
erbangen 6668.
erbarmen. Erbarmen 2801. erbarme 4430. erbarmst 8970.
erbärmlich 489 2145 3315 TT5.
erbauen (7). erbauen[a] erbaut[b] erbaute[c] erbauten[d] erbaut[e]*pp*. 2848e 5320e 6414b 6706c 7340d 10434a 10932e. → auf~.
Erbe 8860. Erben *sg* 2769.
erbebt 7505.
erben → er~ fort~.
erbeten 2898. → Un~e.
erbeuten 11946.
Erbin 8149.
erbitten. erbat 5073. Erbittende 6224.
erbittern 82. erbittert *pp* 10521.
erblich 9550. erblichen 740.
erblicken (10). erblicken[a] erblickst[b] erblickt[c] erblickte[d] erblickt[e]*pp*. 5644e 6020e 7975c 7988e 7992e 8003c 8743d 9528a 10436a 11103b.
erblitzt 8279.
erblühte *pp* 5564.
erbosen 10565.
erbötig 8042 12101.
erbrüsten 6588.
Erbteil 10939.
Erdball 3271 10098.

Erde (46). Erde^a Erd'^{b} Erden^{c}sg. 252a
295a 305a 315a 452a 457a 461a 465a
465a 784a 791a 1119b 1374c 1663a
1859a 1899c 2070a 2440c 3022c 3284b
3286a 3443a 3763c 4101a TT5a TT76c
4681a 4713a 6030a 6798a 7169a 7319a
7539a 7621a 8602a 8756a 9452a 9486c
9609a 9760a 10558a 10962a 11232a
11541a 11566a 11973a. → +irdisch+.
Erdebeben 7516.
Erdelebens 1545.
Erdenbande sg 12088.
Erdenbreite 9201.
Erdenglück 9915.
Erdenkreis 10181 11441.
Erdenrest 11954.
Erdenrund 5470.
Erdensohn (6). Erdensohn^a Erdensöhne^b
Erdensöhnen^c. 609c 617a 1618b 3266a
3290a 9611a.
Erdensonne 708.
Erdentag 11449. → Erdetagen.
Erdestoß 8311.
Erdetagen 11583. → Erdentag.
Erdetreiben 8313.
erde–[verwandt] 9826.
Erdewegen 11904.
erdgebeugten 8588.
Erdgebornen 4616.
erdgemäß 11907.
Erdkreis 9524.
erdreisten 4662. erdreusten 6688. erdreistet
pp 6299 7287.
Erdrücken (Verb) 11483.
erduldetes 8529.
Erd–[weite] 9228.
Erebus 8812.
Ereignis 10436 12107. → eräugnen.
ererben. ererbt pp 682. eerbten pp 10774.
erfahren (15). erfahren^a erfahre^b erfahrest^c
erfährst^d erfährt^e erfahren^{f}pp erfahr-
nen^g. 1543c 3077g 4852a 5351a 6701a
6747a 6861f 7213d 7840a 8062a
8951f 10210a 10619a 10985e 11495b.
→ Klug～e Un～en.
Erfahrung 1214.
Erfahrungsfülle 6757.
Erfahrungswesen 6758.
erfassen 325 1900.
erfinden 10432. erfand 6655. erfinde 5542.
erfunden 11691.
erflehn 1865. erfleht 6662. erflehter 475.
Erfolg → Schluß～.
erfolgen. erfolgt 11508. erfolgte 8568.

erforschen → Unerforschlichen+.
erfragen 7057 7199 8197. erfragend 9147.
erfreuen (14). erfreuen^a erfreun^b erfreut^c
erfreuet^{d}pp erfreut^{e}pp. 23d 181a 345c
1872c 2584a 2826a 5013e 5296a 6013a
7480c 9754b 10099c 10103a 10896c. →
unerfreulich.
erfrieren. erfröret 5213. erfrornen 6330.
erfrischen. erfrischet 9935. erfrischt 6474
10896. erfrischtem 9539.
erfüllen (9). erfüllen^a erfüll^b erfülle^c er-
füllt^d erfüllte^e. 733d 1557a 1649a 1713a
3451b 5887d 6138d 8507c 9163e.
Erfüllungspforten 4706.
ergeben 5702. ergibt 8105. ergeben pp
377 11480 11573.
Ergebenheit 1869.
ergehn 2242 6633. ergangen 3551.
ergetzen (19). ergetzen^a Ergetzen^b er-
getze^c ergetzt^d ergetzten^e ergetzt^{f}pp er-
getztem^g. 570b 1191f 1442a 1601b
1763d 2187a 2597b 4174a 5793d 6278c
6845d 7285g 8403a 8430d 8960e 9784d
10736d 11304a 11539d. → Scherz～
unergetzlich.
ergießen (9). ergieß'^{a} ergießet^b ergoße^c
ergießend^d ergossen^{e}pp. 4106e 4688e
4719d 6488e 8235a 8473b 8765e 8871c
12050b.
erglänzt 700 8462 9623.
erglüht 6825.
ergraut pp 1142. Ergraute 7532.
ergreifen (14). ergreifen^a ergreif^b er-
greife^c ergreift^d ergriffe^e ergriffen^{f}pp.
25d 1146a 2017d 2689b 4275c 4549a
4665d 6274f 8628e 8838d 9561a 11434e
11448a 11505d.
ergrimmt pp 3487.
ergründen 248 268 5607 6255 10255.
erhaben (8). erhaben^a erhabne^b erhabnen^c
erhabner^d erhabnes^e Erhabne^f. 787f
3217d 8991e 9184c 9198b 9339e 10178a
11220a.
erhalten (8). erhalten^a erhält^b erhalte^c er-
halten^{d}pp. 2355c 3440b 4087a 8436d
8443b 8955a 10304a 10393a. → Allerhalter.
erhaschen 1762 5603 7695. erhasche 7762.
erheben (13). erhebt^a erhoben^{b}pp. 788b
6295a 6413a 7032a 7530a 7687a 9541a
10065a 10581b 10587b 10950b 10959a
11990b. → erhaben.
erheitern. erheitertest 724. erheiternd 10056.
erheitert pp 5544 6050.

erhellen 4396 6397.

erhöhn (6). erhöhn[a] erhöht[b] erhöhtere[c]. 2100b 5045b 10862a 10953c 11010b 11019b.

erholen 11159. erholte 3129. erholtest 7265.

erhört *pp* 7910. → un∼.

Erichtho 7006.

erinnern. erinnert 729 6583 11155. erinnre 6066.

Erinnrung 781 2957. Erinnerungen 7190 7275.

erjagen 534.

erkennen (25). erkennen[a] erkenne[b] erkenn'[c] erkennest[d] erkennst[e] erkennt[f] erkannte[g] erkannt'[h] erkannt[j]. 382b 422b 442c 587a 588a 590j 1936a 2418a 2420e 2481e 2482e 2486a 3103f 3340g 4469h 4917c 5031a 5638j 6001h 6004f 6443f 6559j 10365a 11328a 11448f. → an∼.

erklären (7). erklären[a] erkläre[b] erklärt[c]. 427c 727a 1896c 5509a 6380a 6839a 10241b. → unerklärter.

Erklärung 10112.

erklingen. erklang 494 6234. erklingt 6871 7472.

erlaben 11975.

erlangen (13). erlangen[a] erlange[b] erlangt[c] erlangt[d]*pp*. 4122c 4658a 4929a 4967a 5302a 5555c 6590a 7445a 8215d 8217d 10228b 10970a 11983a.

erlängt 11010.

erlass' 6028.

erlauben (12). erlaube[a] erlaub'[b] erlaubet[c] erlaubst[d] erlaubte[e] erlaubten[f] erlaubt[g]*pp*. 333e 599e 2185g 3222d 3855b 5170g 6333c 7984e 9319a 10377f 10507a 10536g. → unerlaubt.

Erlaubnis 313.

erleben 1054 3666. erleb' 5594. erlebt' 8697. erlebtem 4625.

erledigt *pp* 4923.

erlegen erlag 9087. → auferlegt.

erleichtert 6108.

erlesen *pp* 7769. → aus∼.

erleuchten. erleuchte 8040 11889. erleuchtet 3932 11008. erleuchtet *pp* 1228.

erlischt 11724.

erlösen 11806 11937.

ermangeln 8213.

ermannen 8916. ermannten 7418.

ermessen → unermeßlich.

ermorden 3744 5417.

ermüden 7217 11272. ermüdete *pp* 7266.

→ unermüdet.

ermuntre 11553.

ernähren. ernähre 2357. ernährst 8820. ernährt 1891.

ernennen 10958.

erneuen 10773 11651. erneutem 10863. erneuter 6738.

erniedern 6110.

erniedrigt 3245.

Ernst 552 3159 9049 11789. Ernste 3258.

ernst (21). ernst[a] ernste[b] ernstem[c] ernsten[d] ernster[e] ernstesten[f]. 26d 151d 724d 772e 782d 5878a 6753a 6822f 7079a 7184b 7362a 8387a 8548d 8667d 9179a 9967c 10897a 10925d 10978d 11219e 12002a. → langsam–∼em.

ernstlich 5496.

Ernte 4657 9316.

ernten. erntest 2359. erntet 6605.

Erntetag 859.

erobern 11576. erobert *pp* 8530. erobert' *pp* 8783. → unerobert.

eröffnen 11245. eröffne 7908. eröffn' 11563. eröffnet 8506 9876. → Weit–∼.

erörtern 10232. erörtert *pp* 10933.

Eros 8479 9675.

erpflegen 66.

erproben (9). erproben[a] erprobe[b] erprobe[c] erprobt[d]*pp*. 5000b 6005d 6968c 7100d 7379a 10358a 10743a 10949a 11171d.

erquicken (10). Erquicken[a] erquicke[b] erquickt[c] erquickendem erquickt[e]*pp*. 173c 1136c 1767d 4682e 4690e 5834e 7780b 8560b 11068e 11484a.

erquicklich 8536. → un∼.

Erquickung 568 1865.

Erquickungstrank 991.

erraten 6152. errät 10177. errate 10135. errat' 8526.

erregen 1567. errege 7382. erregest 9758. erregt 7894. → sturmerregte.

erreichen (14). erreichen[a] erreicht[b] erreicht[c]*pp* erreichten[d]*pp*. 203d 564b 3998a 5909a 6698a 6995c 7323a 7998a 8024a 8096a 9763c 9867b 10126a 10208d. → Unerreichlichen.

erreichbar 7219.

errichtet *pp* 11344.

erringen (7). erringen[a] errungen[b] errungene[c] Errungene[d]. 1804a 5617a 7437b 9733c 9781d 10661b 11560d. → Höchsterrungene.

ersätten → Unersättlichkeit.

Ersatz 6062.
ersaufen 10738.
ersäufen 1137. ersäuften 4932. ersäuft *pp* 10518.
erschaffen (7). erschaffen[a] erschaff'[b] erschafft[c] erschuf[d]. 66a 491d 685c 6794d 7846c 8865d 9473b.
erschallen. erschallt 5891 11374. erscholl 11012 11128.
erscheinen (23). erscheinen[a] Erscheinen[b] erscheint[c] erschien[d] erschiene[e] erschien'[f] erschienst[g] erscheinend[h] erschienen[j]*pp*. 72c 219c 336a 391g 648a 994c 1046d TT45a 6403c 6485c 6828c 7009c 7652a 8672d 8861d 8872g 8887h 9156a 9441e 9616b 9870j 10153f 10589c.
Erscheinung 348 612 1593. → Luft~.
erschlaffen 340. erschlaffte *pp* 8805.
erschlagen (6). erschlagen[a]*pp* erschlagne[b] Erschlagenen[c] Erschlagnen[d]. TT68c 4813a 7198a 7941a 9288b 10486d.
erschleiche 5498.
erschlossen *pp* 4686 11899. → un~.
erschöpft → un~.
erschranzt *pp* 4371.
erschrecken (*intransitiv*) 11081.
erschrecken (*trans.*) (6). erschrecken 8033 11654. erschreckte 4933. erschreckend 10782. erschreckt *pp* 5013 11003.
Erschrecklichstes 11653.
erschüttern (7). erschüttern[a] erschüttere[b] erschüttert[c] erschütterndem[d] Erschütterndes[e] erschüttert[f]*pp*. 7f 84a 8644e 8652c 9440b 10004d 10522f. → unerschüttert.
erschwoll 493.
ersah 5459. → aus~.
ersehnt *pp* 4744 7443 8606. → lang~.
ersetzen 1215. ersetzt 8431.
ersinnen. ersann 5192 5859 11504. ersonnen 10652.
erspähn 9297.
ersprießend 4721.
erspulen 5660.
erst (106). erst[a] erste[b] ersten[c] erster[d] Erste[e] Erst'[f] Ersten[g]. 12b 18c 20b 71a 250c 270c 282c 442a 581c 598c 707a 745b 816c 1136a 1144a 1230b 1271a 1412b 1423a 1661a 1665a 1868a 1930f 1932f 1937a 2029a 2086a 2190a 2205a 2297a 2441a 2649a 2855c 2878b 2891a 2965a 2992d 3036a 3307a 3555b 3700a 3738a 3740a 4119b 4376a TT18e TT27e TT30b 4443a 4476c 4628a 5049a

5051a 5053a 5073a 5296a 5369a 6067a 6081a 6121a 6191a 6249d 6260a 6299b 6462a 6492a 6523b 6644g 6765b 6799c 6843a 7426a 8224a 8261a 8301c 8331a 8462a 8489a 8960a 9216b 9277a 9284b 9285b 9359a 9371c 9432a 9565c 9998c 10062c 10399a 10408a 10581a 10783c 10933a 10962c 10990b 11005a 11012b 11104a 11120b 11181a 11205a 11228b 11266c 11439a 12091b. → jugend~es vor~ zu~.
erstarkt *pp* 10765.
erstarren (6). erstarren[a] Erstarren[b] erstarrt[c] erstarrt[d]*pp* erstarrten[e]*pp*. 639a 4192c 6111d 6271b 8107c 8930e. → krampferstarrten.
erstaunen (11). erstaunen[a] Erstaunen[b] erstaunet[b] erstaunt[d] erstaunt'[e] erstaunt[f]*pp* erstaunten[g]*pp*. 42a 1083g 1145f 3914b 4673c 6713b 8669e 9258f 9366b 9577a 10257d.
Erstaunenswürdiges 10183.
erstehen (6). erstehen[a] erstanden[x]. 737 757 797 7856 10480a 10469. → auf~+.
ersteigen 3842. ersteige 4093. erstiegen *pp* 10657 10682. → unersteiglich.
erstemal 3041. erstenmal 4353 10367.
erstirbt 1728. → halberstorbnen.
ersticken (7). ersticken[a] Ersticken[b] erstickt[c] erstickend[d] erstickt[e]*pp*. 2237a 2239a 3977c 4490a 8969b 11478d 11479e.
erstlich 5536.
erstreben 5436 5556.
erstrecken 10893 10997. erstreckt *pp* 2496.
erstritt 8860 9056.
erteilen → voll~.
ertönen 607. ertönt 21 4687.
ertötet *pp* 7664.
ertragen 8586 11237. ertrag' 485. ertrugen 8792. → unerträgliche.
ertränkt *pp* 4508.
erwachen. erwacht 1085 6516 6930. erwacht *pp* 3140.
erwachsen erwuchs 8863.
erwägen erwogen *pp* 6784. → wohl~.
erwählen 2098 7381. erwählt *pp* 8504. erwählte *pp* 12011.
erwähnen 7381.
erwarmen 3346 5376.
erwärmten *pp* 1082.
erwarten (11). erwarten[a] erwarte[b] erwart'[c] erwartet[d] erwartende[e]. 40d 1318b 1320b 5067d 5589e 6665d 8793c 10299a

10553e 10854a 11197d. → unerwartet.
Erwartung 6822.
erweicht *pp* 9690.
erweisen (8). erweisen^a erweise^b erweist^c erwies^d. 695b 3020c 5314a 5792c 7224a 8448a 9015d 10775a.
erweitern (6). erweitern^a erweitr'^{b} erweitert^c erweitert^d*pp*. 641c 1774a 6049d 6282d 10938b 11009c. → Brust–Erweiternde.
erwerben (10). erwerben^a erwirb^b erwarb^c erworben^d erworbne^e erworbnen^f erworbnes^g. 562a 683b 7014c 8867f 9272c 9333e 9981c 10617d 11232c 11833g. → wohlerworben.
erwidern (6). erwidern^a erwidert^b erwidr'^{c} erwidernd^d. 992c 5391b 6338a 7716a 10003d 12079a.
erwühlen 479.
erwünschen. erwünscht *pp* 1571 5058. Erwünschtes 5373. Erwünschterem 5374. erwünschteste 5130.
Erz 1731 8307 9854.
erzähle (10). erzählen^a Erzählen^b erzähle^c erzähle^d erzählte^e. 2924e 2951e 6921a 7205a 7411d 8514a 8983a 9582c 9582d 9641b.
erzeigen. Erzeigen 9387. erzeigt 4622.
erzeugen 7624 8076. Erzeugte 9630. → kriegerzeugte Schwanerzeugten.
Erzgetöne 10030.
erziehen. erzieht 10159. erzog 3132 7338. erzogen *pp* 7344. → schlachterzogne.
Erzkämmerer 10884.
Erzmarschall 10876.
Erzschenke 10911.
Erztruchseß 10899.
erzwingen 1029. erzwungenem 9795. Erzwungene 9783.
es ihm (1351). (→ §9). es (728). 's (616). ihm (7) 1295 1353 2295 4191 9332 10118 10849. → sein.
Eselsfuße 7737.
Eselskopf 7751.
Eselsköpfchen *sg* 7747.
essen 2967. Essen 1920. ißt 3549. gessen 4415. → über∼ vor∼.
Essen (=Speise) 3148.
Essenzen 5027. → Quintessenz.
Estrich 4891 6624.
etwa (9) 1916 2488 3344 4109 9116 9137 9159 9160 9202.
etwas (22). etwas^x Etwas^b. 97 217 1364b 1762 2087 2440 2610 2612 2659 3298

3422 3677 4345 5034 5368 6243 6775 8225 9591 10237 10344 10794.
etymologisch 7097.
euer (*Adj.*) (90). euer^a euern^b eure^c eurem^d eurene^e eurer^f eures^g Euren^h. *Zu Ihr als Anrede im Singular:* Euer^j Eure^k Eurem^m Euren^n Eurer^p Eures^q. 8e 121f 175d 177d 210c 287j 541e 554c 671a 990n 998j 1395p 1508f 1792n 1872k 2030k 2042p 2046k 2246c 2491k 2514p 2663p 2740p 2989m 3027j 3041m 3159m 3176m 3343q 3706m 3764k 3834j 4015d 5088e 5131c 5159a 5171d 5238c 5412a 5521c 5742f 5807e 6035c 6049c 6077c 6136a 6138g 6324c 6361j 6427d 6429a 6642j 6768j 6768k 6945e 7165a 7196h 7313a 7554c 7733c 7768a 7857f 7985e 7990c 8054c 8138a 8503a 8639e 8919g 8998c 9019c 9465a 9580c 9681f 9696a 10395c 10493a 10663c 10672a 10946b 10958c 11041j 11071c 11072g 11200e 11636e 11665c 11715d 11717d 11908b.
Eule 3969. Eulen 3942.
euresgleichen 5394 7992. Euresgleichen 3151.
eurigen 9070.
Europens 9513.
Euros' 8493.
Eurotas 8538 8544 8997. Eurotas' 9092 9518.
ewig (86). ewig^a ewige^b ew'ge^c ewigem^d ewigen^e ew'gen^f ewiger^g ew'ger^h ewiges^j ew'ges^k Ewige^m Ewigen^n. 142c 258a 295a 346a 505j 567a 615h 641n 1076e 1086k 1379a 1550b 1719a 1782f 1973c 2024a 2928a 3056g 3065a 3065a 3192a 3193a 3445b 3449d 3651f 3843a 3944a 3989a 4003a TT32a 4540b 4697e 4707e 4925b 4986a 5946a 6023f 6246a 6288e 6288b 6428a 6432a 6615a 7013m 7336a 7440b 7470b 7675b 7902a 8292g 8316b 8324e 8362e 8407g 8418b 8437j 9121a 9515a 9567g 9626e 9665a 9989a 10021b 10078a 10150e 10435e 10773e 10882d 10932b 11025a 11297b 11429a 11455j 11598c 11647g 11697c 11733e 11791j 11854c 11865g 11883a 11920a 11924e 11964b 12033e 12051a.
Ewigkeit 11447. Ewigkeiten 12064.
Ewig–Leere 11603.
Ewig–Unselige 8747.
Ewig–Weibliche 12110.
exerzieren 4167.

F

Fabel Fabeln 9680.
Fabelbuch 2507.
fabelhaft 7030. fabelhaftes 10627.
fabeln fabelte 2962.
Fabelreich 7055.
Fabler *sg* 8225.
Fabrik → Gedanken∼.
–fach → drei∼ ein∼ hundert∼ tausend∼.
Fach Fächern 657.
fächeln → an∼.
fachen → an∼ ent∼.
Fackel 4709. Fackeln 5407 9035.
Fackelscheine *sg* 5428.
Faden (8). Faden[a] Fäden[b] Fadens[c]. 142c
1748a 1924b 1926b 3922a 5315c 5337b
5337b. → Lebens∼ Seiden∼.
fadenweis 5899.
Fahnen → Lügen∼.
Fahnenfetzen 10567.
fahren (15). fahren[a] fahre[b] fährt[c] führe[d]
führen[e] fahrender[f]. 229a 1324f 3970b
4097a 4123a 7500e 7601a 7767a
10152d 10326a 10332a 10648c 11032c
11435a. → ab∼ auseinander∼ aus∼
+er∼ + fort∼ heraus∼ herum∼
hinan∼ hin∼ ver∼ zu∼.
Fahrt 1850 6948 8864. → Ge∼en
Heim∼ Irr∼ Kummer∼ Muschel∼
Schif∼.
Fahrzeug 2974.
Fakultät 1897 1968.
Fall (13). Fall[a] Falle[b] Fällen[c]. 3231a
3948b 5059a 5370c 6522a 6698a 7901a
8012a 9125b 9163a 9820b 10736a
11358a. → allen∼s An∼ Bei∼ eben∼s
+Ge∼e gleich∼s Wasser∼ Un∼ Zu∼.
fallen (26). fallen[a] Fallen[b] fällst[c] fallt[d]
fällte[e] fiel[f] fielen[g] gefallen[h]. 1143e 1705a
2144f 2403e 4759f 6159a 6501d 6781c
7939h 8119f 8701f 8790f 8925a 9047c
9285f 9996e 10272f 10295a 10751b
10842f 10844f 10860e 10863f 11363g
11594e 11594e. → an∼ ein∼ +ge∼+
heraus∼ hinein∼ miß∼ über∼ zer∼
zu∼+.
fällen 5201 10945.
falsch (11). falsch[a] falschen[b] falscher[c]
Falscher[d]. 1985h 2313a 2502c 3042a
4975a 7148d 8230b 10245b 10248a
10375b 10767c.

fälschte 6064.
–falt → Ein∼ mannig∼ige.
Falte Falten 2222. → tausendfältig.
falten faltet 9647. → ein∼ ent∼ los∼.
Faltenhemd 11798.
Faltenkleid 5566.
faltige 6050.
Famulus 518.
Fang Fanges 8408. → An∼ +Emp∼
Rauch∼ Um∼ Vogel∼.
fangen (18). fangen[a] fange[b] fängt[c] fing[d]
gefangen[e] gefangenen[f] Gefangene[g] Gefangner[h]. 1259e 1404h 1429a 2974d
3325b 3897a TT6e TT12e 6527e 8530e
8611f 8625g 9125e 9126e 9389g 9773a
11180c 11180c. an∼ be∼ Ge∼schaft
emp∼+ um∼ unter∼ ver∼+.
Fänger → Ratten∼.
Farbe 4692. Farb' 4692. Farben 913 1046.
→ tausendfärbig.
färben gefärbten 5100.
Farbenglanz 9038.
Farbenspiel 8144.
Farb–[gestein] 5045.
farbig 5516 6017. farbige 936. farbigen
4727. → tausend∼.
farzt 3961.
faseln. faselt 4979. faselnd 10018.
Faser → Polypen∼n.
Faß (6). Faß[a] Fasse[b] Fässer[c]. 2258c 2330b
4760a 4862a 4862a 5026a. → +Ge∼e
Kerichts∼ Wein∼.
Fäßchen *sg* 4094.
fassen (50). fassen[a] faß[b] fasse[c] fass'[d]
fasset[e] faßt[f] faßte[g] faßt'[h] fassend[j] gefaßt[k]. 29f 228a 455d 490f 697c 1418a
1677k 1950f 2011a 2034e 2209k 2709f
3358g 3408a 3440f 3800f 3912c 4024c
4248f 4316c TT28a 4405f 4498c 4559b
4567f 4589a 4919f 5914a 6117a 6281j
6291b 6372f 6435f 6501f 6553d 6685k
6893a 7409g 7776d 7798g 8016a 8725a
8805c 8916a 9716f 10113a 10227h
10334d 11120k 11673f. → an∼ be∼
ein∼ er∼ +um∼+.
Fassung 5051.
fast (11). 56 1982 2457 2645 2874 3520
4193 5591 5990 7082 8606.
Fasten *sg* 1025 10903.
Fastenpredigt 4924.
faul faulen 11561.
Faulbett 1692.
faulen fault 1686. → halbgefaultem ver∼.
Faun 5827 10018. Faunen *pl* 9397.

faunenartig 9603.

Faunenschar 5819.

Faust 1610 10332 10472. → Räuber~ Teufels~.

Faust (14). Faust^a Fauste^b Fausten^c Faustens^d Faustus'^{e}. 299a 494a 500a 1525b 2720a 6366c 6560b 6560b 6577a 6629d 6654e 6663e 10239b 11498b.

fechten (8). fechten^a Fechten^b ficht^c fechten^d gefochten^e. 54c 3709c 3717c 6518e 9251d 10642b 10858e 11365a. → an~ +Ge~.

Feder 1231 1728 1732 6576. → Gefieder Hahnen~.

Federzügen 6070.

Fegefeuer 2301.

fegen 3111.

Fehde 5610 10265. → be~ten.

Fehl 5586 7188 11003. → Be~+ ~er.

fehlen (30). fehlen^a fehle^b fehlt^c fehlte^d. 238c 660c 765c 914c 1020c 1939c 1995a 2020a 2056c 2097a 2449c 3578a 4861c 4889c 4890c 4919c 4926c 5557d 5579c 5858b 6124c 6168c 7202a 7368d 8249c 8577b 10073c 10412d 11252c 12067b. → be~ emp~ ver~.

Fehler *pl* 2939. → Fehl.

Feier → Frühlings~ Sommer~tagen.

feierlich 8668. feierlichste 4696. feierlichsten 9192.

feiern 858 921 5059 5804. → hochgefeiert.

Feierstunde 745.

Feiertag 531. Feiertage *sg* 2793. Feiertagen 860. → Sommer~.

Feigen 9832.

feil 1125 10246. → wohl~.

feilschet 5116.

feiltragen trugen feil 10819.

fein (16). fein^a feine^b feinem^c feinen^d feines^e Feine^f feinsten^g. 694d 2243a 2373b 2817d 2830a 3015d 4965a 5190d 5209f 5310g 5400c 5823e 6455a 6457a 6524a 8333a. → lust~.

Feind (19). Feind^a Feinde^b*sg* Feinde^c*pl* Feinden^d Feindes^e Feinds^f. 199c 944a 5415a 7941a 8590e 10267c 10354a 10366c 10499a 10504e 10517a 10520a 10608c 10641c 10659a 10758d 10850f 10860b 10862e. → Menschen~.

Feindeskräfte 10373.

Feindeszelten 10821.

feindlich 8986 11761.

Feindschaft 7675.

Feindseliges 4880.

feist 11657.

Feld (15). Feld^x Felder^b Feldern^c. 930b 1102c 1137 1178 2006 2353 4615b 5738 5894 6149 8547 8705 9860 10162 10850. → Alpen~ +Gefild Schlacht~.

Feldersaat 8780.

Feldmarschall 10314.

Fell 818. Felle *sg* 3648. → Löwen~.

Fels (33). Fels^a Felsen^b Fels–[en]^c Felsens^d. 256b 257a 3350a 3350b 3358b 3842b 3854b 3895a 3909a 3938d 4677b 5390b 7105c 7579a 7579a 7854b 7855a 7939a 9528a 9584b 9612d 10100a 10100a 10109a 10109b 10114a 10166a 10166a 10370a 10575a 10657b 11845b 11910b.

Felschirurgen *pl* 5849.

felsenab 10384.

Felsenabgrund 11866.

Felsenbreite 10728.

Felsengedränge 9811.

Felsengrund 5991 11875.

Felsenhöh' 11966.

Felsenhöhlen 10861.

Felsenlast 6407.

Felsennasen 3879.

Felsennest 4816.

Felsenrand 10681.

Felsenriff 4716.

Felsenritze 7612. Felsenritzen 3272.

Felsenschlunde 10548.

Felsenschrift 10426.

Felsensee 3986.

Felsenspalte 3995. Felsenspalten 7874.

Felsensteige *pl* 7813.

Felsenstelle 10720.

Felsentore *pl* 4669.

Felsentreppen 7951.

Felsenwand 3931 9537. Felsenwände 9999. Felsenwänden 237 3237.

Felsgebirg 10428.

Felsgefecht 10669.

Felswegs 10540.

Fenster (12). Fenster^a*sg* Fenster^b*pl*. 864a 1391a 1409a 2118b 3316a 3391a 3608a 3650a 5500b 6622b 7044a 9149a.

fern (34). fern^a ferne^b fernen^c Fern^d Ferne^e ferner^f^{k} ferneres^g fernsten^h fernster^j Fernsten^k. 202a 935c 2271a 3332a 4184b 4332b 4645a 4962a 5454a 5997c 6141j 6370b 6556a 6664a 8083a 8420f 8445a 8455a 8568g 8575f 8860a 9101a 9411a 9817a 9866a 9866a 10053c

10234a 10674h 10906e 10907d 11099k 11396b 11396b. → ent~en meilen~.

Ferne (12) 302 306 1503 3953 4762 5516 6246 9893 10006 10110 10750 11292.

Fernglas 532.

fernhalten hält fern 7854.

Ferse 11394.

fertig 182 6318 8201 11466. fertigen 9657. → übel~.

Fessel Fesseln 1701 4502.

fesseln fesselt 8425. → ent~.

fest (31). fest^x feste^b festem^c festen^d festes^e Festes^f festerem^g. 1026 2036 3443 4020 4087 4354 5293 5373 6248f 6281 6552d 6626 6881 8406 8617g 9001b 9203d 9295c 9566b 9604d 9857b 10348 10498 10646b 10695e 10739c 10774 10952 11445 11625 11723. → be~igen.

Fest (18). Fest^x Feste^{b}sg Feste^c. 40 2161 2889 3932 5067 5192 5408 7510b 8179 8211 8345 10411 10893 10909c 10917b 11216 11216 11285. → Flotten~ Freuden~ Masken~ Meeres~ Oster~ Schauder~ Teufels~.

festbannen. bannt fest 5410. festgebannt 8116.

Feste 9082.

Festesdrang 10879.

Festgebrauch 8572.

festgemäß 8448.

festhalten (13). festhalten^a festhalte^b (halte fest)^c (fest halten)^d (halten fest)^e (haltet fest)^f (hielt fest)^g festgehalten^h. 3a 1509a 4818e 6833f 6895d 8906b 9325g 9806c 9945c 9948c 10063h 11590a 11698f.

festkrallen krallt fest 9064.

festlich 736 8061 8284.

Festlichkeit 10897.

Festvergnügen 6069.

fett. fetten 10141. fetter 10998.

Fett 2127.

Fettbauch–Krummbein–Schelme 7669.

Fette 4873.

Fettgewicht 4734.

Fetzen → Fahnen~.

feucht (17). feucht^a feuchte^b feuchten^c feuchtes^d Feuchten^e. 1376e 3237c 4225d 4407c 4512a 5781c 5982c 6953c 7284c 7423b 7856e 8327b 8545c 9539a 10230c 10754c 11313a. → be~et.

Feuchte 8458. → Lebens~.

feuchten feuchtend 10023. → be~.

Feuer (30). Feuer^{x}sg Feuer^{b}pl Feuers^c. 237 649 2299 3026 3219 3247 3536 4057b 4070 4070 4710 5248 6005 7029b 7033b 7064b 7690 7865 7917 8478 8481 8482 9674 10078 10442 10748 11071c 11317 11379 11785. → Fege~ Flammen~ Höllen~ Wach~.

Feuerbacken pl 11656.

Feuerblasen sg 6680.

Feuerchen pl 7080.

Feuerdunst 7855.

Feuerfunken pl 3993.

Feuergluten 11129.

Feuerleitern 3656.

Feuerluft 2069.

Feuermeer 4710.

Feuerpein 2473.

Feuerquelle sg 5921.

Feuerreich 10418.

Feuersäulen 5997.

Feuerscheine sg 4380.

Feuerschlund 8651.

feuerspeiende 5681.

Feuerstrom 11645.

Feuerstrudel sg 1154.

feuerumleuchteten 8718.

Feuerwagen sg 702.

Feuerwirbelsturm 11663.

Feuerzungen 6483.

feurig 1795 2034. feurigem 8294. feurigen 1255. feuriges 8474.

Fibel → Liebes~n.

Fichte 3846. → Riesen~.

Fichtenhöhen 1096.

Fichtenstamm 5868.

Fieber 2553 6785.

fieberhaft 4780.

Fieberwut 999.

Fiedel 1017.

Fiedelbogen sg 956 980.

fiedeln Fiedeln 945.

fiedern gefiedert 9263.

finden (79). finden^a finde^b find'^{c} findest^d findet^e find't^f fand^g fände^h fanden^j gefunden^k. 213e 296c 605e 660a 755a 814e 821a 961c 1172b 1414c 1576e 1782e 1797a 2386d 2440e 2875c 2954g 2993c 3026c 3061b 3153k 3216f 3372c 3376b 3388b 3404b 3580a 3769a 4073h 4221b 4222c 4706e 4894a 5006a 5012e 5176a 5440a 6248a 6256a 6376a 6388k 6466c 6661a 6689c 6725c 6765g 6773b 6774c 6971c 6975a 7078c 7081c 7087c

7212a 7435k 7618a 7625a 7679e 7741b
7974a 8555d 8557b 8764c 8980c 9234a
9693a 9703k 9969a 10079j 10142d
10189a 10614g 10635e 10886b 10981c
11002a 11357j 11430k 11451c. → ab~
auf~ aus~ be~ +emp~+ er~
statt~ wieder~.

Finger *sg* 3697 5312 10433. Finger *pl*
2243.

Fingerzeig 2007.

finster 5924. finstern 11307. finstre 3760.
finstren 918. Finstern 5032.

Finsternis (9). Finsternis[a] Finsternisse[b].
1350a 1783a 3653a 4884a 6806a 6823b
7824a 10758b 11458b.

Firlefanze 11670.

Fisch (7). Fisch[a] Fische[b]*pl*. 5260b 6024b
8059b 8063b 8069b 8232a 11180a. →
Hai~.

Fischbach 6169.

fischen 4324.

fischreichen 10999.

Fittich 1103. Fittiche 8342. Fittichen 8623.
Fittichs 7789. → befittigt.

flach (10). flach[a] fache[b] flachen[c]. 1861b
7282a 7867c 8573b 10085b 10201c
10359c 10427c 10728b 10850c.

Fläche 6952 9532. Flächen 1098 10162. →
Ober~.

Flachs 5310.

Flackerleben 3865.

flackern flackernd 11326. → zusammen~.

Flämmchn (6). Flämmchen[a]*sg* Flämmchen[b]*pl*. 4359b 5588b 5633a 5992b
10596b 11125b.

Flamme (29). Flamme[a] Flamm'[b] Flammen[c]. 540c 1283c 1377a 2586a 4034c
5939c 5962c 5984a 5993c 7025c 7059b
7059a 7079c 7642c 8093a 8104a 8234c
8576c 8714a 9624a 9956a 10108c
11071c 11320a 11332c 11722c 11727c
11802c 11815c. → [Höllen]−~ Le-
bens~.

flammen (9). Flammen[a] flammet[b] flammt[c]
flammend[d] flammendes[e]. 717c 5941a
5978e 7691c 8466c 8473c 10078d 11320b
11879d. → empor~ ent~ vor~.

Flammenbildung 499.

Flammenfeuer 1044.

Flammengaukelspiel 5987.

Flammenglut 8708.

Flamm−[(en) grauen] 7041.

Flammenqualen 3805.

Flammenstadt 11647.

Flammenübermaß 4708.

flämmert 3651.

Flanke 10351 10577.

Fläschchen *sg* 687 3511 3834.

Flasche 2522 6147.

flattern (6). flattern[a] flatterst[b] flatternde[c].
1464c 9619a 10567a 11673c 11701c
11743b. → davon~ durch~ Flügelflatterschlagen hinaus~.

Flatterhaare 9995.

Flaum 9647. → be~t.

Flaus 6606.

flechten. flicht 154 7174. geflochten 5621
10857. → um~ ver~ Wellengeflechte.

Flecken 6321.

Fledermaus 5479. Fledermäuse 7789.

fledermausgleich 9979.

Fledermaus−Vampyren 7981.

Flederwisch 3706.

Flegelei 6466.

flehen (7). flehen 4439. flehn 8132.
Flehen 4574 12034. Flehn 7911. flehst
486. fleht 7452. → er~ Seelen~.

Fleisch 2115.

Fleischbänke 10140.

Fleischer *sg* 6091.

Fleiß (6). Fleiß[a] Fleiße[b] Fleißes[c]. 7614b
8781c 10014c 10184a 11231a 11507a.
→ be~en.

fletschen → entgegen~.

flicken geflickte 11514.

Fliege Fliegen 1517.

fliegen (15). fliegen[a] flieget[b] fliegt[c]
flog[d] flogen[e] fliegend[f]. 289c 289f 967e
1019a 1487b 3903a 3942a 4011b 4011d
TT39a 4464a 5481c 9608a 10656a
10784c. → auf~ ent~ entgegen~
fort~ über~ ver~ zurück~.

Fliegengott 1334.

Fliegenschnauz' 4251 4291 4365.

fliehen (16). fliehen[a] fliehn[b] Fliehen[c]
flieh[d] fliehte[e] floh[f] flohen[g] fliehend[h].
418d 908h 1762c 1819e 3990e 4545b
5376e 5682c 6632a 6913b 7468e 7708a
7816f 7899e 10333e 11948g. → ent~
hinaus~.

fließen (17). fließen[a] Fließen[b] fließet[c]
fließt[d] flossen[e] fließend[f] geflossen[g]. 146f
430d 619a 1079a 1926a 2276a 2291d
2332a 4104g 5546d 6952d 7504d 7861b
11129e 11868a 12039a 12052c. → da-
hin~ hin~ über~ zer~ zusammen~.

flimmern 3665. flimmert' 10838. flim-
mernd 10361.

flink 5189. flinker 3571.
Flitter Flittern 7582.
Flitterschau 5815.
Flocken 11985. → Seiden∼.
Floh 2208 2209 2210 2212 2242.
Flor (Blühendes) 3622 5637 6153 9523.
→ Blumen∼ Jugend∼ Wunder∼.
Flor (Verschleierndes) 3921 4807 6449
10845. → Nebel∼.
Flora Florens 5156.
Florentinerinnen 5090.
flöten → Röhrig∼.
flott flottes 11285.
Flotte 11215.
Flottenfest 11283.
Fluch (8) 1603 1604 1605 1605 1606
TT51 8750 11735.
fluchen (6). fluchen[a] fluch'[b] fluchend[c].
1587b 2806a 9062c 11373b 11764a
11816b. → ver∼+ weg∼.
Flucht 10350 10850.
flüchten 7507. flüchtetest 9571. flüch-
tend 8713.
flüchtig. flüchtige 11673. flüchtigen 8909
8979. flücht'ger 10054. Flüchtigen 6086.
flüchtig–leise 8648.
Flüchtling 1299 3348.
Flug (7). Flug[a] Flugs[b]. 640a 6115a 7786b
9608a 9900a 11678b 11717a. → Wun-
der∼.
Flügel (17). Flügel[a]sg Flügel[b]pl Flügeln[c].
1074a 1090c 1091a 2431b 4392b 5451c
5521b 5756b 6911b 8502b 8639c 9040b
9603b 9659b 10503a 10543a 11660c.
→ +be∼t Doppel–∼paar Ge∼+.
Flügelchen 4260.
Flügelflatterschlagen sg 7661.
flügelmännische 11670.
flügeln geflügelten 8371.
flügeloffen 4706.
Flügelpaar 5461 9897.
Flügelschlag 7214.
Flur (6). Flur[x] Fluren[b]. 910 5125 5433b
8837 10404 11414.
Fluß 865 931 7335. Flüsse 8440. Flüssen
255. → über∼ig Zauber∼.
Flüstern 6402. → +Geflüster zu∼.
Flüsterzittern 9992.
Flut (10). Flut[x] Fluten[b]. 733 2778 4629
6721b 7495 9092 10713b 11070 11570
11869. → Lebens∼ Menschen∼.
flutend 10222.
Flutstrom 698.
fodern 3857. gefodert 11314. → fordern.

Folge 6369 7733.
folgen (25). folgen[a] folg[b] folge[c] folg'[d]
folgete folgt[f] folgte[g] folgt'[h] folgten[j] folgenden[k]. 17k 29f 1260d 2049b 3527f
3967f 4393e 4498c 4500c 5091j 5704f
5934f 6294f 8119g 9074a 9261a 9302h
9808c 9809c 9903f 10406a 10519c
10523c 11401g 11676e. → +er∼ hin-
ab∼ hinüber∼ nach∼ ver∼.
Folger sg 10958.
folgerecht 10672.
Folgezeit 10966.
förderlich 2664.
fordern (7). fordern[a] forderst[b] fordert[c].
304c 1716b 4776a 5609b 9684a 11203a
11420c. → auf∼ fodern.
fördern (7). fördern[a] fördert[b] fördr'[c] för-
derten[d]. 1073b 3025a 10477d 10889a
10898b 11020c 11179b. → be∼.
fördersamst 10016.
Form 10064. Formen 8325. → Wel-
len∼igen.
Formalität 11020.
formen geformter 8849.
formiert pp 10316.
förmlich 10929 11021.
formlos 10052.
forschen forscht 5030. → durch∼ uner-
forscht+.
fort (27) 876 1881 2730 2730 2745 2752
3146 3195 3342 3502 3573 3712 4411
4544 4553 5411 5790 5863 6936 7509
7949 8070 9042 9874 11354 11663
11741. → immer∼ +so∼.
fortan (9) 1914 4936 5285 6301 6426
8046 8377 10887 10899.
fortgeben begebt fort 7231.
fortblühen blühen fort 5099.
fortbuhlen buhlt fort 11588.
fortdrängen drängten fort 9289.
forteilen. eile fort 1086 7517. eilet fort
8760.
forterben erben fort 1972.
fortfahren fahre fort 5541.
fortfliegen fliege fort 4420 4420.
fortgehen. gehen fort 1834. gehst fort
4542. geht fort 1373. ging fort 10847
11173.
forthelfen hilft fort 1225.
fortklingen klingt fort 9838.
fortkriechen fort kriecht 5480.
fortlassen laß fort 11917.
fortliebeln liebelt fort 9421.
fortmachen. mach fort 10831. mach' fort

3004.
fortnehmen nehm' fort 10800.
fortpochen pochten fort 11354.
fortrasen rast fort 1720.
fortreisen reist fort 3085.
fortreißen. reißt fort 10524. fortgerissen 257.
fortschicken schicke fort 4602.
fortschreiten schreiten fort 9453.
fortschwärmen schwärmt fort (und) fort 5332.
fortsegeln segelnd fort 7303.
fortsetzen fortgesetzt 7869.
fortstudieren studiert fort 6639.
fortstürmen stürmten fort 9289.
fortstürzen stürzen fort 10737.
forttollen tollten fort 7562.
forttönen tönet fort 783.
forttragen. trägt fort 11278. trug fort 1003 6767.
fortträumen träume fort 1525.
forttreiben treiben fort 7343 11629.
Fortuna 7103.
fortwachen fortgewacht 596.
fortwerfen wirf fort 4661.
fortziehen zieht fort 10066.
Frage (11). Frage^x Frag'^{b} Fragen^c. 599 1327 1979 2001c 5611b 6658 7414 9556 9931 11420 11631.
fragen (34). fragen^a frag^b frage^c frag'^{d} fragte^e fragst^f fragt^g fragte^h gefragt^j. 272f 410f 1016g 1049h 1388f 1425a 1711d 2283j 2738g 2899a 3428a 4160g 4182g 4338g 4895g 4946g 4948g 6309g 6897a 6967g 6980j 7333a 7608e 7982c 8152g 8246g 8794g 9366a 9380g 10096c 10338b 10450g 10554a 11185g. → be~ er~ nach~.
Frager *sg* 3430.
frank 5264 5690.
Franken *pl* 9470.
Franzen (=Franzosen) *sg* 2272.
Franzos 2645.
Fratze 1739 5672. Fratzen 4241. → Lebens~.
Fratzengeisterspiel 6546.
fratzenhaft 4739 5692 7456.
Frau (63). Frau^a Frauen^b*sg* Frauen^c*pl* Fraun^d*pl*. 852c 2101a 2231d 2380a 2467a 2601c 2817a 2839c 2873a 2898c 2899a 2919a 2972a 3008d 3013a 3160c 3570a 3965a 3983a 4078c 4110a 4119a 4247a 4957a 5106c 5399a 5403c 5460a 5537c 5648a 5769c 5826c 6185c 6898a

6904d 7092d 7374c 7390d 7398a 7428a 7680a 7920c 8384d 8516a 8660a 8661a 8784a 9187d 9196a 9221b 9267a 9294a 9360a 9393d 9444c 9588b 9599b 9861c 9921bc 10170c 10174d 10534a 11991d → Edel~ Haus~ Jung~ Meeres~ Menschen~ Zauber~.
Frauenbild 2600. Frauenbilder 7195.
Frauenglieder 7283.
Frauenschönheit 7399.
Frauenzimmer *pl* 7730.
Fräulein *sg* 2605 2607 2906 2981. Fräuleins *pl* 3020.
Fraungebild 10049.
Fraungeleit 9431.
frech (15). frech^a frechen^b frecher^c Frechen^d Freches^e. 1055b 3046c 3172e 3244a 4913b 6127a 7236b 8118d 8749a 8761a 8764d 8823b 8919a 10029a 10834b.
Frechheit 3167.
frei (54). frei^a freie^b freiem^c freien^d freier^e freies^f Freie^g Freien^h freisten^j. 336a 618b 780f 1246d 1495h 1542a 1704a 1733a 1920a 2035a 2295a 2897a 3090a 3492a TT64a 4463a 4538g 4564a 5264a 5331d 5405a 5433a 5690a 5939a 6417a 6533a 6803a 6926a 6952a 6973c 7109d 9095a 9124c 9270a 9573a 9608e 9680a 9845a 9872h 9924a 9995a 10092e 10203d 10453a 10739a 10765d 10967a 11177b 11368a 11403g 11580c 11580c 11923j 11989a. → be~en sorgen~ schulden~ tätig-~ vogel~.
freibewegtes 7515.
freien → umfreit.
Freier *sg* 1042 3534 4071 7764.
freigebornen 8864.
Freigeschenken 9009.
Freiheit (7) 1906 2244 2245 2903 3166 7020 11575.
Freiheitsluft 5834.
Freiheitsrechte 6962.
freiherzige 10620.
freilassen laß frei 9256.
freilich (15) 49 668 1362 1820 1905 2493 4082 4313 5703 6090 6754 9956 9970 10555 10617.
freisprechen sprach frei 2622.
freistehen steht frei 1412 1434.
freistellen stell' frei 2262.
fremd (22). fremd^a fremde^b fremdem^c fremden^d fremder^e fremdes^f Fremde^g Fremden^h Fremder^j Fremdes^k frem-

der$^m k$ fremdestes^n. 635a 635m 1123b
2173h 2270g 2896e 2982a 2996b 2996d
6195n 6843k 7446e 7677d 7960d 8111f
8673h 8781d 10111d 11160c 11364j
11725b 11762k. → ent~et.
Fremde 4548 8764.
Fresse 10332.
fressen 334. frißt 1636. → auf~ gefräßigen hinein~ menschenfresserisch. .
Freude (35). Freude^a Freud'^{b} Freuden^c.
64a 370b 436a 738a 790a 825c 893a
948a 1663c 1673c 1765b 1819a 1859c
1894c 2053a 2648b 2670c 2696b 2888a
2923b 2923a 3543a 3666a 4134c 4712c
5054a 5959a 7167c 8635c 8870c 9132b
9408c 9903a 11010a 11022c. → Geistes~
Himmels~ Liebes~ Vater~nstunde.
Freudebeben 492.
Freudenfeste *sg* 723.
Freudenspiel 5049.
Freudenstunde → Vater~.
Freudentag 10455.
freudig (6) 800 8600 8618 10856 11927
11981.
freudumgebnen 8638.
freuen (24). freuen^a freue^b freuet^c freust^d
freut^e freut'^{f} freuten^g. 2150a 2912e
3252a 4238a 4356b 4572g 5927e 6164d
6604e 6727e 6764e 6936a 7489a 7845b
8225e 8262e 8408a 8433b 8494c 8566c
10148f 10156e 10457e 10904e. →
+er~.
Freund (35). Freund^x Freunde^b*pl* Freun-
des^b Freunds^d. 58 198 391 575 594
1436 1690 1910 2038 2061 2347 2516
2528 2559 2580 3011 3098b 3207 3224d
3336 3857 4055 4435 4461c 4485 4505
5366 5415 5765 5855 6634 6770 6899
7941 8229. → Schönheits~.
freundlich (17). freundlich^x freundliche^b
freundliches^c. 19b 1195 1450 2300
3135 3444 4048 4627 5330 5350 6080
8181 8673 8895 9368 9387c 11682b.
→ Gast~ stumm-~.
Freundschaft 12 65.
Frevel 2726 4795 6063 7890.
frevelhaft 6196 8036 10422.
frevelnd 7565. frevlend 7921.
Frevelwort 11409.
freventlich 137 1309 1709 8979 9209.
frevle 5603. frevlem 7895. frevlen 10991.
Friede (13). Friede^a Fried'^{b} Frieden^c.
867b 2634c 2967c 3360c 4638c 7247c
7630a 8554c 9839c 10236c 10284b

10677c 10875c. → +be~n+ um~t
+zu~n+.
Friedenstag 9835.
Friedensweiher *sg* 7891.
Friedenszeichen *sg* 5125.
Friedenszeiten 867.
friedlich 8179 9828 10960.
frieren → er~.
frisch (48). frisch^a frische^b frischem^c
frischen^d frischer^e frisches^f frischeste^g.
47a 320d 960b 986c 1372f 1522a 1822a
1828a 1877c 2583a 2587a 3704a 3838a
4679a 4690a 5151a 5265b 5292a 5484a
5674a 5690a 6047f 6454a 6720a 6778e
7001a 7069a 7076a 7189d 7494a 7645a
7809d 8231a 8443g 8444g 8936a 9045b
9340b 9689a 9770a 9814a 10283a
10480a 10486a 10568e 11164c 11636a
12086b. → an~en er~en.
Frische 6023 7277. → Meeres~.
Frist 1650 6774.
froh (24). froh^a frohe^b frohen^c froher^d
frohere^e. 9d 122a 605a 857a 866a
994c 1138a 1586d 2914e 4447a 5404a
6636a 6804a 7402a 7509c 7566a 10289a
10619c 10855b 10980c 11163a 11349a
11414a 11806a.
fröhlich (7). fröhlich^a fröhliche^b fröhli-
chen^c. 5879a 7286a 7573b 8500a 11147a
11533a 11727c.
Fröhlichkeit 5057.
frohmütiges 10898.
fromm (14). fromm^a fromme^b from-
men^c Frommen^d. 2701a 3526a 4325c
4327d 4535a 4942c 5472c 5848c 6753c
7134c 10867c· 10996a 11017c 11055b.
frömmelnder 11688.
frommen (8). frommen^a frommt^b. 4945b
5033a 5247a 6305b 7038b 7192a 7508b
8315b.
frönet 11540.
Frosch 4253 4293 4363. Frösche 1517.
Froschlaich 6325.
Frost 3850 5376 6786.
Frucht (7). Frucht^a Früchte^b Früchten^c.
311a 1686a 5160b 5166c 5177a 8054a
9996a.
fruchtbar 8547 11565. → un~.
Fruchtbarkeit 6033. → un~.
fruchtbegabtem 8544.
früh (25). früh^a frühem^b früher^c Früh^d
früher$^e k$ frühste^f. 2a 2107a 2672a
3112a 3144a 3610b 3613a 3685b 4431a
4697a 4958a 5383e 6029a 7022c 8636c

8848a 8878e 9156a 9517a 9917a 10060f
10907d 11416a 12073a 12080a.
Frühling 3845 6328 11706. Frühlings
904.
Frühlingsblüten 152.
Frühlingsfeier 780.
Frühlingsregen 4613.
Fuchs 1261 6704.
Fug Fugen 9024. → Un~.
fügen 7827. füge 6193 6991. gefügt
9968. → heran~ ver~ zusammen~.
fühlen (74). fühlen[a] fühle[b] fühl'[c] fühlet[d]
fühlst[e] fühlt[g] fühlte[h] fühlt'[j] fühlten[k]
fühlend[m] gefühlt[n]. 4c 7g 30g 104d
161g 432b 462c 464b 475c 480b 511c
534g 547c 627h 652n 703b 778j 1210c
1545a 1637a 1810c 2008a 2059c 2086g
2702c 2718c 2723b 3073c 3192a 3221a
3287a 3347c 3418e 3540g 3596d 3838b
3846g 4092 4134c 4425b 4536e 4985g
5246d 5264b 5405g 5486e 5522d 5645g
5700g 6047g 6274g 6281c 6351g 7075h
7189c 7993b 8837b 8959a 9275g 9411b
9423g 9564b 9689a 9987a 10184b
10408c 10417j 10897c 11019b 11252m
11786b 11819g 11903g 11950k. →
+Gefühl+ vor~.
Fuhren 11031.
führen (42). führen[a] Führen[b] führ[c]
führe[d] führ'[e] führst[f] führt[g] führte[h]
führten[j] geführt[k]. 63d 309a 314a 844g
1729a 1836a 1983a 2023a 2389d 2432d
2513d 2593a 2660c 2666a 2975h 3232f
3251k 3267k 3554b 3705d 3873e 4030a
4249g TT75d 4802g 5050g 5446e 6190a
6264g 6672g 6938d 7392g 7490g 7872g
8082h 8179a 9030h 9037g 9253j 9750d
10042k 12046a. → an~ ausführlich
durch~ ein~ ent~ heim~ her~
herab~ heran~ herauf~ herum~
herein~ hin~ hinaus~ nas~ um~
ver~+ voll~ vorbei~ weg~.
Fülle (9). Fülle[x] Füll'[b]. 520 773 2693
2703b 5173 5699 7293 10028 11462.
→ Beeren–Füllhorn Erfahrungs~ Gei-
ster~ Jugend~ Wasser~.
füllen (8). füllen[a] fülle[b] füllet[c] füllt[d]
füllten[e] gefüllt[f]. 191e 436a 986f 2578b
4634a 5716d 5975b 8941c. → an~
aus~ er~+ über~.
Füllhorn → Beeren–~.
Fund 4978.
fünf 1956. fünfen 10953. Fünf 2546.
fünfhundert 2294.

fünftausend 6161.
fünften 11183.
Fünfzahl 10936.
funfzig 4228. Funfzig 6075.
Fünkchen *sg* 171.
funkeln 1454. funkelt 6652 7925 10572.
funkelnd 8475.
Funken 3928 4644 5743 10746. →
Feuer~ Irr~blick.
Funkenblicke *pl* 11308. → Irr~.
Funkenwürmer 3903.
für (149) 73 112 220 321 331 608 822
848 859 1149 1150 1257 1328 1348
1378 1421 1436 1508 1697 1706 1781
1835 1836 1897 1952 2095 2116 2142
2173 2301 2358 2444 2492 2558 2558
2573 2625 2629 2656 2673 2673 2699
2709 2726 2813 2906 2931 2942 2965
2972 3060 3060 3278 3314 3419 3481
3519 3787 3975 4026 4077 4284 4297
4327 TT30 4522 4544 4667 4751
4848 4921 4939 5014 5102 5145 5210
5585 5617 5618 5652 5731 5799 5844
5947 6041 6083 6143 6202 6206 6317
6359 6481 6549 6615 6839 6862 6981
7113 7121 7230 7336 7364 7629 7680
7683 7728 8189 8528 8529 8559 8912
9134 9178 9183 9300 9482 9547 9568
10174 10206 10210 10276 10294 10368
10450 10458 10466 10533 10539 10564
10665 10872 10903 10932 10966 11025
11040 11041 11065 11201 11218 11370
11503 11510 11527 11544 11655 11900
11901. → da~ fürs.
Furche 5009.
Furcht (6) 1741 5442 5491 8647 8727
8962. → Ehr~+.
furchtbar (6). furchtbar[a] furchtbare[b]
furchtbarem[c] furchtbaren[d] furchtbarer[e].
4458c 6514b 7546a 7916a 8886d 10002e.
fürchten (15). fürchten[a] fürcht[b] fürchte[c]
fürcht'[d] fürchtest[e] fürchtet[f]. 369c 2248c
3476b 4410e 4755d 5500c 5793c 7000c
7759d 8193f 9052a 9073c 9266d 9735c
10666c.
fürchterlich 3948 6628 8704. fürchterliche
6819. fürchterliches 9687.
furchtsam 498 1160 2758 7287.
Furien 5349.
fürlieb 3076.
fürs 1467 2094 4814 8355.
Fürst (14). Fürst[a] Fürsten[b]*sg* Fürsten[c]*pl*.
6002a 6916b 7358b 8528b 8556b 9191b
9491b 10351a 10502a 10869a 10873a

10915a 10933c 10962c. → Lügen∼.
Fürstenhaus 8549.
fürstenreich 9276.
Fürstin 9385. Fürstinnen 6504.
fürstlicher 9147.
fürwahr (17) 300 993 3848 4195 4276
4349 4940 6475 6902 7828 8531 8964
9188 11719 11771 11789 11842.
Fuß (53). Fuß[a] Fuße[b] Füße[c] Füßen[d]
Fußes[e]. 700d 1077d 1159c 1315d 1808a
1820c 2184a 2331d 2499a 2706d 2728d
4146d 4186d 4236a 4354d 4369d TT23c
TT27d 4451d 4682d 4993a 5489a 5687d
5779a 6330a 6333a 6337a 6337a 6503a
6505b 6553a 6908a 7491a 7704b 8240d
8466c 8608c 8618b 9079e 9270d 9315d
9464d 9480d 9759a 10039a 10485a
10557a 10829a 11120a 11534c 11866d
12028a 12037d. → Bocks∼ Drei∼
Druden∼ Esels∼ Gänse∼ leicht∼ig
pantoffel∼ig Pferde∼ Spinnen∼ zap-
pel∼ig Ziegen∼+.
füßle 6342. → Ziegen∼r+.
Fußtritt 6335.
Futteral 5328. Futterale *sg* 721.
füttern füttert 3549. → auf∼.

G

Gäa 7391.
Gabe (12). Gabe[a] Gaben[x]. 1013 2265
3104 3246 4943 5128 5597a 5630 6846
6901a 9506 11038. → +begabt Him-
mels∼ Zu∼.
Gabel 3976 4001.
gaffen 92 2964 3200 5770. gaffend 5227.
→ ver∼.
Gage 120.
gähnen. Gähnen 3947. gähnenden 10070.
Galan 2946.
galant 5105. galante 7693. Galanten 4378.
Galatag 4063.
Galatee 8145. Galateas 8450. Galateen
8386. Galatees 8466.
Galerien 6370 9029 9149.
Galle 5386. → ver∼n.
Gallert–Quark 11742.
Galopp 2114.
Gang (16). Gang[a] Gange[b] Gänge[c] Gän-
gen[d]. 633a 1356b 1842b 3202a 3394a
3566a 5015d 5112d 6173c 6370c 7490a
8669c 9158a 9967a 10448a 11450a. →

Aus∼ Donner∼ Durch∼ Müßig∼
Schreckens∼ Um∼ Unter∼ unzu∼lich
Ver∼liche vorüber∼lich.
gänglich 10353.
Gans. Gänse 8809. Gäns' 4858.
Gänsefuß 7222.
ganz (142). ganz[a] ganze[b] ganzen[c] gan-
zer[d] ganzes[e] Ganze[f] Ganzen[g] Ganzes[h].
102h 240c 276b 447g 480a 615a 717b
735d 1109b 1176a 1203b 1294a
1312c 1345a 1348f 1523a 1552e 1572a
1740a 1742c 1770c 1780f 1942a 1990c
2136b 2157a 2293a 2305a 2356a 2555b
2569c 2575e 2669a 2684a 2757c 2784a
2797a 2837b 2877a 3132a 3191a 3261c
3290a 3380b 3452a 3531a 3540a 3631c
3636c 3658a 3739b 3924b 3930c 3954c
3967b 3988a 4027a 4105a 4116b 4206a
4226b 4281c 4406d 4442a 4444b 4489d
4822a 4919a 4996b 5058a 5097a 5099b
5103b 5431a 5469a 5492a 5538a 5913c
5943d 6046b 6074b 6237a 6314a 6368b
6448b 6469a 6510a 6735a 6740a 6813a
7046a 7081a 7410a 7428a 7474a 7529b
7550a 7934a 8011a 8086b 8101a 8105a
8135a 8231a 8349a 8431b 9003a 9048a
9061a 9241a 9332c 9350b 9594b 9694b
9792c 10128a 10246b 10322c 10347b
10449a 10576b 10659c 10670a 10694b
10737c 10768a 10787b 10840c 10935g
10950a 11042b 11113b 11226b 11393a
11394a 11405a 11497c 11573a 11717b
11785b 11810b 11811a.
gänzlich 8992.
gar (*Adv.*) (106) 116 331 352 360 812
837 946 997 1003 1108 1176 1370 1884
2006 2138 2201 2213 2253 2298 2309
2364 2375 2397 2522 2600 2618 2624
2760 2817 2871 2877 2902 2908 3015
3084 3137 3197 3305 3336 3541 3545
3562 3581 3727 3988 4099 4147 4309
4312 4318 4330 4348 4527 4738 4822
4919 4939 5097 5364 5580 5636 5653
5791 6448 6457 6544 6673 7016 7043
7081 7400 7410 7678 7826 8105 8121
8248 8250 8265 8725 8874 8981 9015
9116 9188 9311 9378 9438 9583 9754
9882 9954 10085 10561 10597 10626
10666 10790 10795 11405 11517 11622
11768 11795 11800 11938. → so∼.
Garn 1427. → um∼t.
garstig (11). garstig[a] garstige[b] garstigen[c]
garstiger[d] garstiges[e] Garstige[f]. 2092a
3082a 7139f 7163c 7752f 7947b 8967c

10701c 11490c 11661d 11685e.
Gärtchen *sg* 3118 11080.
Garten (12). Garten[a] Gärten[b]. 930b 3023a
3164a 4135a 4477a 4968b 5113a 10008a
10163a 10591b 11085a 11096a.
Gärtner *sg* 310.
Gärtnerinnen 5105.
Gärung 302 2373 10392.
Gas 10084 10430.
Gäßchen *pl* 10138.
Gassen 2883 4588.
Gast (19). Gast[a] Gaste[b] Gäste[c] Gästen[d]
Gastes[e]. 724c 1193a 1572a 2210a 2249d
2279d 3935c 5348c 5437c 6686a 7091a
7140e 7509c 8656b 8861a 9209e 10455c
10832a 11606a. → Wunder~.
Gastempfang 9151.
gastfreundlich 11057.
gastlich 8127 8503.
Gastrecht 1245.
Gatte (6). Gatten[a]*sg* Gatten[b]*pl*. 4243b
8392b 8524a 8680a 11060a 11066a.
Gattin 8507 8527 8801.
Gauch 4976 11712.
Gauen 7207 11001.
Gaukelei 9753 10857.
gaukeln. Gaukeln 10695. gaukelnd 7693.
gauklend 1490. → aus~ um~.
Gaukelspiel → Flammen~.
Gaukeltanz 5877.
Gaukelwerk 1588.
Gaul 2828.
Gaumen *sg* 543 1443 5164.
Gebälke 8115.
gebändigt → un~.
gebannt → fest~.
Gebärde (7). Gebärde[a] Gebärden[b]. 2533b
5779a 7170a 7230b 7538a 8140a 10961a.
→ Schwimm~.
gebärden 5791 6874. gebärdet 6813. ge-
bärdend 9625.
gebaren 5377.
gebären (15). gebar[a] geboren[b] geborene[c]
geborner[d]. 73b 187a 1350a 1978b 3126b
3740b 4596b 4668b 5216b 7387d 8010b
9646c 9843a 9915b 11288b. → ebenbürtig eingeboren Erdgeborenen freige-
boren Geburt graugeboren Mitternachts–
Geborne neugeboren reingeboren.
Gebäu 6414. → Berg~.
Gebäude 6408 11009.
Gebein 2474 3598 8914 11513.
geben (121). geben[a] Geben[b] gebe[c] geb'[d]
gebe[e] gebt[f] gib[g] gibt[h] gab[j] gäbe[k] gäb'[m]

gaben[n] gabst[p] gegeben[q]. 99f 99f 119a
129f 166a 220f 247h 267h 284q
313f 638n 857a 898a 1053q 1118h
1189h 1263f 1469a 1670h 1674c 1675a
1733c 1846g 1856q 2061a 2100h 2123a
2124f 2180g 2203f 2249m 2253f 2275f
2287a 2297g 2322h 2348h 2415h 2525a
2531g 2678m 2762j 2889h 2889h 2950h
3045q 3127n 3217p 3217p 3220p 3241p
3474q 3483a 3773p 4008h 4059h 4214h
4216a 4261h 4262h 4340m 4346m
4391j 4392j TT60q 4428q 4511g 4524a
5190p 5204h 5251m 5300b 5308h
5412h 5558a 5730d 5770h 5796g 5908a
6038a 6211h 6338f 6615a 6682h 6754h
6814h 6835h 6842j 6877f 6900h 6901h
6930h 7131g 7331h 7356m 7724k
7982f 8008g 8128h 8251h 8858j 8858j
8938h 8939e 8941h 9044h 9068d 9384h
9878q 9928j 10084j 10112h 10623g
10626g 10833p 10953a 11215h 11236h
11283h 11502h 11557j. → anheim~
auf~ +be~+ bloß~ er~+ gottge~
heim~ herbei~ her~ hin~ nach~
über~ +um~ ver~+ wieder~ zu~
zurück~.
Geber *sg* 5591.
Gebet 7774. Gebete 3780.
Gebetbuch 2818.
Gebiet 10215.
gebieten (7). gebeut 4879. gebietest 12006.
gebietet 9463. gebieten 11282. gebot
8920. gebietend 9118. geboten *pp* 11382.
Gebieter *sg* 5611.
Gebietrin 8785.
gebietrisch 8688.
Gebild (13). Gebild[a] Gebilde[b]*sg* Gebil-
de[c]*pl* Gebilden[d]. 2313a 5692a 6277c
7030a 7817a 8096c 8139a 8171b 8299b
8664b 8872a 9037b 9120c. → Fraun~
Pracht~ Weibs~.
Gebirg 7808 7811. Gebirge *sg* 11559.
Gebirge *pl* 8442. Gebirgen 3283. →
Eis~ Fels~ Harz~ Tal~ Ur~.
Gebirgsmasse 10095.
Gebirgestrümmer 10110.
Gebirgtal 8999.
Gebiß 1255.
Geblüte 10518.
Gebot 9889 9892. Gebot' 5860. → Eil~.
Gebrauch → Fest~.
gebrauchen. gebrauchst 6158. gebraucht
235 1908.
Gebraus → Meer~.

gebricht 9479.
gebühren (6). gebührt^x gebührte^b. 2977b
3964 4800 5896 6355 8786. → Standsgebühr.
Geburt 504. → Nacht〜 Spott〜.
Gebüsche 7825. → Wald〜.
Gedächtnis 8838.
Gedanke (9). Gedanke^a Gedanken^{b}pl.
349b 1468b 1790b 2460b 3795b 6113a
6802b 9025a 11888b. → Kriegs〜.
Gedankenbahn 1915.
Gedankenfabrik 1922.
gedankenvoll 1024.
gedeihen 2528 2539. Gedeihn 9995. ge-
deihe 6073.
gedenken (6). gedenken^a gedenke^b ge-
denkst^c gedenkt^d gedenkende^e. 8637a
8668e 8843d 8862c 8870b 10495a. →
An〜 und gedacht sv denken.
Gedicht 4953.
Gedichtchen sg 4262.
Gedränge (8). Gedränge^a Gedräng'^{b}. 19a
61a 4025b 5515a 5591a 6020b 8454a
9804a. → Felsen〜 Hof〜 Volks〜.
Geduld (8) 1606 2371 5765 5863 8971
8973 10689 11040. → Un〜.
geduldig 7872. → un〜.
Gefahr (14). Gefahr^x Gefahren^b. 719
1128 1655 TT66 6291 7379 9436b 9440
9441 9844 9844 9895 10412 11577. →
un〜 Volks〜.
gefährdet pp 6811.
gefährlich 4899. Gefährlichen 8726.
Gefährten sg 3243.
Gefälle 11038. → Lands〜.
gefallen (27). gefallen^a gefall'^{b} gefällst^c
gefällt^d gefiele^e gefallen^{f}pp. 846d 1532c
1695a 1883a 2014d 2051d 3262d 4139e
TT22e 5139a 5425f 5695d 6538f 6540d
7099d 7302a 8296a 8356d 8935d 9010d
9360a 9372d 10129e 11196d 11291d
11298f 11299b. → wohl〜.
Gefallen 1270 2589 5629.
gefällig 48 1435 3513 8384 10883. →
selbst〜.
Gefangenschaft 8865.
Gefäße sg 12041. Gefäße pl 5717 8571.
Gefäßen 10020. → Pracht〜.
Gefechte sg 10651. → Fels〜.
Gefieder 7304 7308. → 〜t sv fiedern.
Gefild 2432. Gefilde sg 11565. Gefilden
1117. → Blach〜.
Geflechte → Wellen〜.
Geflügel 1484.

Geflügelhof 10900.
Geflüster 9980. → Schilf〜.
gefräßigen TT43.
Gefühl (18). Gefühl^a Gefühle^{b}sg Ge-
fühle^{c}pl Gefühlen^d Gefühls^e. 478d 592a
638c 781c 1011a 1093a 1221a 1444a
1585b 2691a 3060a 3420a 3452b 3456a
6273a 10205e 11348a 11929c. → Vor〜.
gefühllosen TT14.
gegen (13) 5122 5164 6963 7437 8537
8567 8878 9018 10264 10264 10265
10380 10469. → begegnen da〜 ent〜+
hin〜 zu〜.
Gegend 11909.
gegeneinander 8475.
Gegengruß 2183.
Gegenmann 4109.
Gegenkaiser 10407. Gegenkaisers 10528.
Gegenwart (15) 79 3477 3493 3538 3793
TT12 6040 6468 6535 8534 8900 9184
9382 11016 11921.
gegenwärt'gen 7126.
gegenwarts 8784.
gegenwirkend 9604.
Gegner sg 10844. → begegnen entgegnen.
Gegnerin 8759.
geheim 7492. geheime 645 3234. geheimes
4985. → ins〜.
Geheimnis (8) 379 1797 3449 6212 6876
8464 10093 12000.
geheimnisvoll (8). geheimnisvoll^a geheim-
nisvolle^b geheimnisvollem^b Geheimnis-
volles^d. 419b 437c 672a 2558a 5398a
6397a 6857d 9076a.
geheimnisreichen 8485.
gehen (117). gehen^a gehn^b geh^c gehe^d
geh'^{e} gehst^f geht^g ging^h gingst^j gingt^k
gegangen^m. 98 322g 393a 545g 811b
813d 823a 840a 870b 877a 956h 965h
984g 1002k 1018f 1142a 1340g 1358b
1409f 1427m 1702b 1845b 1867b 1908g
1943a 1952g 1952g 2013b 2044b 2051b
2174b 2295b 2305b 2324h 2328g 2434b
2542b 2608b 2625h 2639b 2656g 2763h
2793b 2998b 3025b 3047a 3058b
3143b 3168b 3180g 3209b 3318g 3365b
3392e 3425m 3574b 3602d 3675e 3735b
3735b 3746g 3774d 3862g 3864e 3960g
3980g 4062b 4070a 4127g 4186a 4266g
4320g 4359b 4369g 4370b 4409a 4755h
4811g 4886g 5074h 5403b 5774b 6012f
6091g 6286b 6401b 6528m 6816a 7059a
7684g 7857b 8770g 9113a 9137j 9337c
9378b 9685a 10084h 10271h 10272h

10349g 10666g 10690g 10815f 10847h 10894f 11183g 11275g 11398b 11440g 11440g 11450e 11471a 11533h 11620g 11797a 11835g. → ab~ an~ auf~ aus~ be~ ein~ ent~ fort~ +Gang+ heran~ herüber~ herum~ hinauf~ hinaus~ hinein~ hin~ hinüber~ hinweg~ los~ mit~ nieder~ um~ unter~ ver~+ voran~ vorbei~ vorwärts~ Wider~ weg~ weiter~ wohl~ zu~ zurück~ zusammen~.

geheuer → Un~.

Gehör 6877 11357.

gehorchen (7). gehorchen[a] gehorche[b] gehorchet[c] gehorcht[d] gehorchende[e]. 631a 850a 1139a 2119c 9267d 9494e 11375b.

gehören (12). gehören[a] gehör'[b] gehörest[c] gehöret[d] gehörte[e] gehörte[f]. 1745b 2374e 2795a 5464b 5839e 6486f 7139d 8931e 9502e 9730c 10944e 11816e. → an~ hin~.

gehörig 1945 6853.

gehorsam 6005.

Geier *sg* 1636.

Geierschnabel 7222.

Geist (110). Geist[a] Geiste[b] Geister[c] Geistern[d] Geistes[e]. 43a 60a 324a 338d 378e 394d 425a 425a 428c 461a 475a 493d 511a 512a 571a 577a 578a 586a 634a 674a 698e 947a 1090e 1118c 1173a 1228b 1236a 1282c 1338a 1399a 1439c 1577e 1592a 1676a 1730a 1746a 1772a 1832a 1856a 1912a 1937a 2011a 2345a 2372a 2702a 3217a 4030a 4146a 4165d 4167a 4175d 4175a 4231c 4358c 4385c 4385c 4392a TT9a TT13d TT21a TT44a TT68c 4897a 4900a 4909c 5623a 5623b 5985c 6117c 6376c 6378c 6390c 6413a 6554a 6554d 6641a 6759a 6803b 7076a 7189b 7326a 7447d 7677d 7994a 8113b 8349c 8690a 8720a 9381a 9801e 9873b 9990c 10203a 10220a 10227b 10381a 10427c 10994c 11007a 11177a 11450c 11510a 11612a 11780c 11824a 11885a 11899a 11922c 11950c 11990a. → be~ern Fratzen~erspiel Katzen~ Heilig' ~ kraftbe~et Lügen~ Menschen~ Warne~.

Geisterchor 12084.

Geisterfülle 607.

Geistergröße 4617.

geisterhaft 10597.

Geisterleben 11969.

Geister–Meisterstück 6443.

Geisternacht 7200.

Geisterreich 26.

geisterreiche 1527.

Geisterschar 11893. Geisterscharen 8337.

Geisterschritt 8274.

Geisterspiel → Fratzen~.

Geisterstunden 6387.

Geisterszene 6307.

Geistertöne 7114.

Geisterwelt 443 11935.

Geisterzahn 1130.

Geistesdespotismus 4166.

Geistesfreuden *pl* 1104.

Geisteskraft 4896 9624 11958. → Geist–[kraft].

Geistesohren 4667.

Geisteszwang 9963.

geistig (6). geistige 1458 1939. geistigen 8249. geistig 8327. geistiger 10433 10599.

geistig–strenge 11492.

Geist–[kraft] 7348. → Geisteskraft.

Geiz 5665 5686.

geizen 5666.

geizig 2743.

Gejauchze → Lust~.

gejahrt → An~en.

Geklimper 11685. Geklimpers 9964.

Geklingel 11262.

Geklipp → Stein~.

Geklirr 6682 11539.

Gekose 9600. Gekos' 3560.

Gelächter 9598.

Gelag 3620.

gelahrt → hoch~.

gelangen 636 1063 7251 8546. gelange 332. → hin~ vorwärts~.

Gelasse → Raum~.

gelassen 42 TT33 6295 6914 8842.

geläufig 3097.

gelb 3957. gelben 6745. → vergilbt.

Geld (8). Geld[x] Geldes[b]. 374 1877 2351 2398 2938 4890 4926 6165b.

gelegen 10614. gelegene 10346.

Gelegenheit (8). Gelegenheit[x] Gelegenheiten[b]. 2641 3341 4097 6176 9398 10239 10914 10941b.

gelegentlich 3298 6531.

Gelehrsamkeit → Rechts~.

Geleier 7763.

Geleit 421 2606 10947. Geleite *sg* 3905 10882. → Fraun~.

geleiten 3208. → ungeleitet.

gelenk 4630 5309.

gelind 762 11897.

gelingen (19). gelingen[a] Gelingen[b] gelingt[c] gelang[d] gelungen[e]. 69e 1353c 1405e 1757b 3860a 4168a 4532a 4701e 5465c 6742e 7024d 7111a 9186a 9562e 9930d 9931c 10014b 10385e 11953e.

gellt 10030.

gelt! 3325.

gelten (17). gelten[a] gelte[b] gilt[c] galt[d] galten[e] gegolten[f]. 4082e 4922b 5236a 5550a 6083c 6085a 6202a 6524a 8106f 8259c 10275a 10276d 10368c 10424f 10946b 11517c 11523c.

Geltung 10489.

Gelüst 8111 10133 11434 11838. Gelüste pl 12027. → Diebs~.

gelüsten 1893. Gelüsten 6586 8008. gelüstet 7858 11131.

Gemach Gemächern 923. → Braut~ Schatz~.

gemächlich 6851 8415. gemächlichen 11678.

Gemahl 8535. → vermählen.

gemäß 7017 8511 8949 10497. → amts~ erd~ fest~ natur~ welt-[~].

Gemäuer 6668 11007.

gemein 6525 10259 11838. gemeine 8647. Gemeine 9952. → all~ treu-~e.

Gemeinde 5443 10266.

Gemeindrang 11572.

Gemeinschaft TT38.

Gemenge 9681.

Gemsen 9819.

gemsenartig 5832.

Gemüte 176 6475 7077 11257. → wohlgemut.

genäschig 9529.

genau (12). genau[x] genauer[b]k genauste[c]. 2220c 3084 3870 3982 4118 4180 4726b 5035 5400 5561 6963 11212.

General → Ober~.

Generalstab 10313.

genesen 2338 6967. genas 1049. genesen pp 9689.

Genick 10486.

Genie 3540 11675. → Genius.

genieren 11273. geniert pp 842.

genießen (28). genießen[a] Genießen[b] genieße[c] genieß'[d] genießt[e] genoß[f] genössest[g] genossen[h]pp. 616f 620a 1416a 1771a 1822c 2290e 2647a 2722a 3221a 3288a 3677a 4198f 4697a 4768a 5161a 7267g 7290a 9478a 10228b 10251a 10259b 10260f 10456a 10490h 11058e

11097c 11349e 11586d. → lust~d mit~.

Genius 9603. → Genie.

Genossen 7670. → Bunds~ Haus~.

genug (50). genug[x] g'nug[b]. 89 192 214 421 591b 642 1057 1718 2535 2577 2577 2901 3107 3251b 3281b 3303 3357 3580b 3582b 4075 4181 TT30 5007 5669 5970 6029 6054 6116 6130 6174 6404 6406 7407 7433b 7690 7713 7960 8126 8272 8524 8936 8973 9902 9958 10813 10892 11019 11441 11716 11716. → begnügen vergnügen~ und genung.

G'nüge 1738 7181 10812.

genügen (11). genügen[a] Genügen[b] genügt[c] g'nügt[d] genügte[e]. 1482b 3839c 6084d 6407a 6853c 7368a 8014d 8014d 11435e 11510c 11587d. → begnügen vergnügen+ ungenügsam.

genung 2139 3572 3727 4265 4431.

Genuß (8). Genuß[x] Genusse[b]. 774 1696 1756 1766 3249 3250 9795b 11553.

Geprassel 7926.

gerade → grad+.

Geräte sg 676.

geraten (6). geraten[a] gerät[b] geraten[e]pp. 4835c 6204b 9439a 10183a 11506a 11607c.

geräumig 5974. geräumiger 10880.

gerecht 11272. → kunst~ un~.

Gerechtigkeit 4775 10284.

Gerechtsamen 10944.

Gered' 3201.

gereuen 1725.

Gericht (zu Richter) 4605. → Hoch~.

Gericht (=Speise) → Wohl~.

Gerichtstag 8116.

gering (8). gering[a] geringe[b] Geringes[e]. 4964a 6260a 6728a 8132c 10225b 10226b 10270a 11842a.

Gerippe 2481. → Tier~.

Germane 9466.

gern (79). gern[x] gerne[b]. 42 49 273b 319 342 350 596 711 842 920 1061 1138 1139 1139 1434 1644 1702 1723 1879 1899 2043 2245 2273 2522 2525 2529 2861b 3009 3123 3257b 3506 3744 3867 3987b 3991 3999 4312 4323 4340 44480 4748 4854 4944 5329 5419 5623 5841 6219 7016 7093 7112 7223 7621 7799b 7831 7853 8082 8246 8252 8514 8514b 8654 8854 8914 9068b 9078 9162 9412 9438 9818 9869 9947 9970

10235 10570 10792 11110b 11668
11763b. → un∼ *und* lieber *sv* lieb.
Geröll 7804.
Geruch 1442 2817. → Wohl∼.
geruhig 1368.
Gerüste *pl* 11244. → Stein∼.
gesamt 5232 10380. gesamte 11024.
Gesang (12). Gesang[a] Gesange[b] Gesänge[c]
Gesanges[d]. 17c 746a 948a 1550a 2199a
2206c 3318a 3811a 4178b 8638d 9373a
9922a. → Brüll∼ Wett∼ Zauber∼.
Gesäufte 4864.
Geschäft 6377. Geschäfte *sg* 10374 10451.
Geschäfte *pl* 159. → Hof∼.
geschäftig (6). geschäftig[a] geschäftiger[b]
Geschäftigen[c]. 511b 2372a 3248a 8370c
10580a 11067a. → rasch∼.
Geschaukel 8491.
geschehen (57). geschehen[a] geschehn[b] ge-
schehe[c] geschicht[d] geschieht[e] geschah[f]
geschäh'[g] geschehen[h]*pp* geschehn[j]*pp*.
89b 217b 225e 868b 1248a 1524j 1666b
2043b 2257b 2326j 2453j 3169j 3363b
3363b 3734j 3734j 4111j 4111j 4152j
4584j 4771h 5288b 5688f 5812b 5915e
5915a 6036e 6163e 6183b 6334e 6518e
6547f 6862b 7263g 7607f 7931f 7996b
8022b 8504f 8513h 8591a 8770b 9113e
9637e 10196c 10497j 10583e 10706c
10706a 10752b 10848f 10868f 10892e
11286e 11286f 11358d 11521f.
gescheit 3727. gescheites 2443. gescheiter
k 366 1818.
Geschenk 2673. Geschenke *pl* 3559 3675.
→ Frei∼.
Geschicht' 2652 2920. Geschichten 8972.
geschichtlich 8984.
Geschick (=Schicksal) (15). Geschick[x]
Geschicks[b]. 3364 5811 6031 6887 7183
7322 7437 7710 8878b 9247 9417 9461
9571 10607 12098. → Miß∼ Un∼.
geschickt 7357. → un∼.
Geschlecht (15). Geschlecht[a] Geschlechte[b]
Geschlechter[c] Geschlechts[d]. 1974a 1974b
2378a 3636a 4904c 5665d 8086a 8368b
8731b 8775a 8999a 9746a 11488a
11690a 11770a. → Weibs∼.
Geschleck 3560.
Geschmack 831 5167 10922 11688.
Geschmeide (6). Geschmeide[a]*sg* Geschmeide[b]*pl* Geschmeid'[c]. 2851a 2854c
2909a 2933c 3670a 8967b.
geschmeidig 7659. geschmeidigen 9652.
Geschmeiß → Diebs∼.

Geschmuck 8562.
Geschnarr 4051.
Geschöpf TT8 TT29. Geschöpfen 4368.
Geschöpfchen *sg* 2644.
Geschosse → Mord∼.
Geschrei 980 3713 7288 9789. → Kriegs∼
Mord∼ Scherz∼.
geschwätzig 7699.
geschwind (22). geschwind[x] geschwinde[b]
geschwinder[c]*k* geschwindeste[d]. 836 843
2281 2462 2593 2656 2729 2745 3008
4551 4551 6187 7462 7589 7596d 7696
7696c 8066 10805b 10810b 10811b
11495.
Geschwister *sg* 9520. Geschwister *pl* 2229
7419 11392. → Rohr∼.
Geschwisterkind 8813.
geschwisterlich 8025.
gesegn' 11739.
Gesell (10). Gesell[a] Geselle[b] Gesellen[c]*sg*
Gesellen[d]*pl*. 342c 817a 1241c 1298b
1646b 3015c 3259c 3622d 6189b
11429b. → Jung∼ Klein∼ Schand∼.
gesellen (12). gesellen[a] geselle[b] gesellt[c]
gesellte[d] gesellt[e]*pp*. 1091a 1166b 4806c
4965c 8600e 8877d 9370e 9872e 9972e
10510e 11974e 11980e. → zu∼.
gesellig (6). gesellig 5432 6429 7286 7298
7379. gesell'ger 9097. → allerliebst–
geselliger.
Gesellschaft (9) 834 1038 1431 1637 2159
2187 3470 4295 7560.
Gesetz 1410 2634 5800 9926.   Gesetz'
1972. → Un∼.
gesetzlich 4785.
Gesicht (=Sehvermögen) 5609.
Gesicht (24). Gesicht[x] Gesichte[b]*pl* Ge-
sichter[c] Gesichts[d]. 482 520b 2074c 2277
2808 3475 3748 3909c 4067 4165 5162c
5180 5825 6050 6319 7180 7234 7248
7771 9354d 10511 10589 11194 11389.
→ +An∼ Mond∼ Nach∼ Trug∼.
Gesinde 274 7240. → Haus∼.
gesinnt 2834 8761 8951. → wohl∼.
gesittet 3294.
Gespann → Vier∼.
Gespenst (16). Gespenst[a] Gespenster[b].
1163a 1253a 1410b 1727a 5501b 6515a
6946b 6947a 7046b 7793b 7843b 8930b
8932b 10469a 10561a 11487b. → Pa-
pier∼.
gespensterhaft 10836 11402.
Gespenst–Gespinsten 6199.
gespenstig 9980.

gespenstisch 7043. gespenstische 5487.
Gespinste *pl* 5321. → Gespenst–~n
Traum~.
Gespräch 861 3078.
Gestade *sg* 9094. Gestad' *pl* 8986. →
Bucht~.
Gestalt (27). Gestalt[a] Gestalten[b] 1b 72a
1252a 3238b 3395a 5506b 6186b 6561a
6873a 7190b 7272b 7363b 7431a 7439a
7812a 7863a 8174a 8244a 8692b 8907a
8907b 9183a 9324a 9352a 10434b
11426a 11588b. → Bräutigams~ Dop-
pelzwerg ~ Hundes ~ Menschen ~
Miß~ Schön~ Schreck~ Traum~
Un~ Wohl~ Wunder~.
gestaltet *pp* 5146 8233. → Dreinamig–
Drei~e miß~ ungestalt viel~ zu~
wohl~.
Gestaltung 6287. → Um~.
Geständnis 7108.
Gestank 10143 11192.
gestehen (17). gestehen[a] gestehn[b] gesteh'[c]
gesteht[d]. 1393c 2120d 2274b 3048a
3175c 5535b 6144c 6482c 6533c 6760d
6768d 7359b 7574a 7933a 7970b 8854c
9388d. → zu~.
Gestein 3274 6928 10070. Gesteine *pl*
1478. → Edel~ Farb–[~] Glanz~.
Gestelle → Moos~.
gestern 4936 5424 6345 7991. → ehe~.
Gestöhn 7662.
Gesträuche *sg* 3892.
gestrengen 6170.
Gestümper 11687.
gesund (11). gesund[a] gesunde[b] gesunden[c] gesunder[d] gesundes[e]. 397a 1004a
4105c 5469a 5563b 5886d 6997e 7149a
7283b 7716e 9553a.
gesunden 4652. gesundet 10480.
Gesundheit 1007.
Getändel 9600.
Getön 8463 8767. → Schreck~.
Getöse 4459 4671 6911.
Getränke *sg* 223.
Getreibe 6279.
getreu (6). Getreuen 4728 4761 5378. Ge-
treusten 9265. getreuer 9968 10440.
getrost (8) 1237 1967 5438 5774 5853
5915 6422 9480.
Getrümmer → Gebirgs~.
Getüm → Drei~ Un~ Wind~.
Getümmel 937 5895 8040.
geuden → ver~.
gewahr 5489 12085.

gewahren. gewahret 10483 10680. ge-
wahrt 6098 7154. gewahrten 10399.
gewähren (9). gewähren[a] Gewähren[b]
gewähre[c] gewährt[d] gewährt[e]*pp*. 1548a
4777a 5155b 6069c 6558a 7414a 8411a
10182d 10192e.
Gewalt (24). Gewalt[x] Gewalten[b]. 70
200 743 1251 1380 2626 3397 4576
5890 5972 6560 6871 7019 7438 7864
8175 8559 9323 10127 10433b 11184
11280 11375 11427. → Götter~
Sturm~.
gewaltig 51 11749. gewalt'gen 9501.
Gewaltigerem 7019. → all~.
gewaltsam 1116 4437 9925 11571 11718.
Gewaltsam–Innige 7907.
Gewand (6). Gewand 5545 11606. Gewande *sg* 12090. Gewande *pl* 9617. Ge-
wänder 1124 1463.
gewandt 6717 6890 7960. gewandter *k*
6458. gewandteste 9667. → Viel~em
welt~.
gewärtig 8200 9495 11465.
Gewässer *sg* 6903 8316. Gewässer *pl* 7277.
Kies~.
Gewebe 7722.
Gewehre 10574.
Geweid' → Ein~.
Gewerb 2956 3086.
Gewerbesbanden 924.
Gewicht (8). Gewicht[x] Gewichte[b]*sg*. 4921
4964b 5752 8251 9928 10803 10936
11502. → Blei~ Fett~ Volks~.
Gewimmel 919 11579. → Glanz~.
Gewinden 5174.
Gewinn (12). Gewinn[x] Gewinne[b]*sg*. 548
942 2095 5451b 5700 6489 8125 9465
9850 10407 11270 11901. → Doppel~
Hoch~ Ruhmes~ Voll~ Wohn~.
gewinnen (31). gewinnen[a] Gewinnen[b]
gewinn[c] gewinne[d] gewinn'[e] gewinnst[f]
gewinnt[g] gewann[h] gewonnen[j] gewon-
nenen[k]. 93j 568j 888a 1437a 1681g
1909a 2396a 2736a 2835g 5071j 5088a
5678k 6757j 6782j 7485a 8154j 8855h
9363d 9485h 9516j 9929a 10187e
10301a 10308c 10309f 10339j 10540a
10653j 10849j 11944a 12063b.
Gewinste 5323.
gewiß (34). gewiß[a] gewisses[b] gewisser[c]*k*.
84c 277 523 814 821 1256 1392 2050
2179 2199 2680 2784 2942 2962 3070
3136 3137 3177 3546 3570 3681c 3709
4501 5426 5641 6059b 6785 7728 8724

9373 9447 10143 10178 11213. →
un~.
Gewissen 4547.
gewissenhaft 1059.
Gewißheit 748 1992.
Gewitter → Un~.
Gewoge Gewoges 8490.
gewogen 839 1175 3203 10428. gewognen
10864 → mild~.
gewöhnen (11). gewöhnen[a] gewöhne[b]
gewöhnte[c] gewöhnt[d]pp. 45d 769d 2362d
4051a 5375c 6128d 6917a 6934a 7112b
7879a 9393d. → ab~ zurück~.
Gewohnheit 1888 11621.
gewöhnlich (7) 273 1332 1348 2565 3862
5134 10690.
gewohnt (11). gewohnt[x] gewohnten[b] ge-
wohnter[c]. 1205 3075 4062 5522b 5655
6270 7241 7417 7964 8206 11949c. →
allzu~.
Gewölb (12). Gewölb[a] Gewölbe[b]sg Gewölbe[c]pl Gewölben[d]. 404a 473a 2085b
3819b 5014c 5994a 6434a 7530b 9136d
9339c 10931b 11644a. → Hoch~
Schatz~.
Gewühl 3060 4794 5978. Gewühle 639
1583.
geziemen 7036. geziemet 7160 8647. ge-
ziemt 8604.
Gezücht 5487.
Gezwergvolk 10745.
Ghibellinen 4845 10772.
Gicht 4994.
Giebel 8928. Giebeln 925 10138.
gierig 8848. gier'gen 1864. gier'ger 604.
→ Begier+ +Begehr+ Neugier+.
gießen. gegossen 3309 8307. gegoßnen
1308. → er~ ver~ zusammen~.
Gift (Fem. = Gabe) 10927.
Gift (9). (Mask.)[a] (Neut.)[b] (?)[c]. 649b
1053a 1986b 2130c 2152c 4106b 5381c
6355c 11881c. → Ver~erin.
giftig 11722.
gilben → vergilbt.
Gilde → Sibyllen~.
Gild-[neid] 9959.
Gipfel (7). Gipfel[a]sg Gipfel[b]pl. 3998a
4012a 4318a 10040b 10088a 10099a
11333b. → Mittel~.
Gipfelriesen pl 4695.
Gipfelwald 10637.
Girren 3945.
Gischt 5386.
Glanz (18). Glanz[x] Glanze[b]sg. 1782b

4659b 4700 4877 5402 5453 6431 6453
7032 8900 8910b 9122 9239 9345 9691
9757 10190 11996b. → Ab~ Farben~
Himmels~ Monden~ Sieges~ Son-
nen~ Wunder~.
glänzen (20). glänzen[a] glänze[b] glänzt[c]
glänzt'[d] glänzten[e] glänztest[f] glänzend[g]
glänzendem[h] glänzenden[j]. 73c 723f
2408c 4130e 4378j 4645a 4647a 5098g
5583c 5898g 6906g 7308h 8452c 8472j
8823a 9865b 10411g 10416d 10937a
11864b. → ent~ er~ sonnebeglänzten
über~.
Glanzgestein 5045.
Glanzgewimmel 8039.
Glas (19). Glas[x] Glase[b] Gläsern[c]. 406c
743 1047 2174b 2245 2252 2275 2405
2477 2519 3624 3629 6871 6881 7832
8093 8236 8251 10921. → Fern~
Spiegel~.
Gläschen sg 864 2525.
glatt (9). glatt[a] glatte[b] glattem[c] glatten[d]
glattes[e]. 5311a 5932b 6912d 7686e
7775b 7803d 8059a 9999c 12029c. →
spiegel~.
Glatze 6768.
Glaube (6). Glaube 765. Glaubens 766.
Glauben 1026 1605 3530 5056. →
Aber~.
glauben (47). glauben[a] glaub'n[b] glaub[c]
glaube[d] glaub'e[e] glaubet[f] glaubst[g]
glaubt[h] glaubt'[j] glaubten[k]. 1776d 1780c
1999a 2289f 2336a 2360c 2565h 3100d
3417e 3421a 3426g 3427e 3430g 3434e
3437e 3709e 4117g 4327f 4360b 4510c
4920h 4947h 5024a 5349a 5730h 5758e
6158e 6448d 6459e 6469h 6523h 6709k
6923e 6982d 7117h 7140g 7228a 7257a
8267e 8570g 8596a 9327j 9583a 9804g
9908a 10437d 11082h.
Glaubenskrücke 10120.
glaubenswert 6420.
glaubhafter 9579.
glaubhafter k 9643.
Gläubigen pl 11010.
Gläubiger pl 11611.
gleich (Adj.: → §13) (39). gleich[a]
gleiche[b] gleichem[c] gleichen[d] gleicher[e]
gleichesf Gleichem[g] Gleiches[h]. 11a 28a
146b 281c 493a 1659g 1680a 2543a
2558a 4147a 5311a 5577a 6132a 6336g
6336h 6405a 7616e 8005c 8387a 8656a
8765a 8772a 8793h 8930a 8932a 8948a
9060b 9132d 9400f 9657a 9802a

10053a 10321a 10631c 10647a 10650b 10829c 10970c 11204d. → deines~en der~en eures~en fledermaus~ götter~ meines~en ihres~en ohne~en schwan~ seines~en un~ unver~lich.

gleich (*Adv.* : → §13) (89) 93 99 180 290 644 1693 1712 1735 1753 1842 1890 2238 2240 2266 2317 2353 2394 2418 2574 2584 2674 2797 2809 2816 2854 2880 2943 3164 3173 3176 3244 3340 3363 3369 3509 3648 3712 4020 4172 4214 4302 4377 4523 4559 4732 4991 5001 5047 5047 5183 5708 5723 5734 5746 5917 6073 6074 6146 6200 6391 6472 6834 6931 6939 7075 7744 7846 7940 8093 8095 8155 8235 8328 8684 9375 9433 9442 9696 10008 10316 10332 10479 10513 10938 10992 11567 11675 11878 11900. → ob~ so~ +zu~.

gleichen (14). gleichen^a gleich'^{b} gleichst^c gleicht^d gliche. 512c 623a 652b 653b 3124e 3632d 4101d 4188d 6033c 8025a 8097a 9559e 9819a 12087d. → aus~ +ver~+.

gleicherweise 7097.

gleichfalls 1541.

gleichgültig 143 4844. gleichgültige 11489.

Gleichmut 9130.

Gleichnis 12105.

gleisnerisch 11693.

gleißt 5605 11659.

gleiten → ab~ durch~ ent~ hinab~ sanfthin~d.

Glied (24). Glied^a Glieder^b Gliedern^c. 1107b 2324b 3034b 3660b 3847b 4386b 4630b 4989c 6337c 7266b 7717c 9399b 9627b 9653b 9762a 9762b 10398b 10477b 10819b 11634b 11788b 11934a 12044b 12077c. → Frauen~.

Gliederchen *pl* 8960.

glimmen → verglommner.

glimmert 3916.

glitzern 4645 4646. glitzert 5516 5583.

Glitzertand 5547.

Glöckchens 11072 11253.

Glocke 4590 6819. Glocken 744 5148. → Toten~.

Glockenruf 11012.

Glockenschlag 1957.

Glockentones 773.

Glöcklein *sg* 11258.

Glorie 5453.

Glück (58). Glück^x Glücke^b Glücks^c. 16

163 195 465 519 546 643 643 780 796 822 3136 3281 3454 3934 4531 4648 4651 4764 5061 5154 5371 5375 5559 5707 5853 5853 6038 6295 6361 6581 6684 7436 7448b 7761 8424 8518 8613 8614 8843c 9129c 9382 9573 9940 10296 10485 10695 10700 10972 10991 11058 11150 11220 11451 11461 11585 11587 12072. → Erden~ Hoffnungs~ Lebens~ Un~+.

glückan 11169.

glücken (11). glücken^a glückt^b geglückt^c. 100a 2057a 2458b 5126a 5619c 5777a 7457b 8257a 8318a 10348b 10384c. → +be~ miß~.

glücklich (19). glücklich^a glückliche^b glücklichen^c Glückliche^d Glücklichen^e Glücklicher^f Glückliches^g. 663f 1013a 1064a 1981a 2400a 4573b 5151a 5614a 6426g 8603e 8620a 8752e 9057a 9955a 10385a 11300c 11504a 11896a 11905d. → un~.

glücksel'ge 2882. → un~.

Glückzu 7092.

glühen (33). glühen^a glühn^b Glühen^c Glühn^d glüh'^{e} glüht^f glühend^g glühende^h glühenden^j glühendes^k glühnde^m glühnden^n glühnder^p. 151b 463e 507g 1273a 1319h 1751h 3366f 3678f 3915f 4624g 4711g 5632f 5752j 5989p 5992g 6283p 6439m 6652f 7025a 7826f 8115g 8477a 8651h 10077g 10364f 10446h 10744n 11310c 11327a 11334b 11335d 11657f 11855k. → an~ durch~ er~ neu~d.

Glut (17). Glut^x Gluten^b. 1135 1135 3064 3852 3921 4038 4499 5254 5741 5925 6254b 8660 8713 11320b 11647 11817b 12007. → Abendsonne~ Feuer~ Flammen~ Himmels~ Lebens~ Liebes~.

glutend 10023.

Gnade (10). Gnade^a Gnaden^b. 287b 3764b 6034b 6155b 8192b 8200b 10889b 10990b 11002a 12019a. → begnadigen.

Gnadenpforte 52.

gnadenreich Gnadenreiche 12036.

gnädig (9). gnädig^x gnäd'ger^b Gnädigste^c. 2861b 3589 3619 5905 6309c 8043 8079 12072 12103.

gnug *sv* genug.

Gnüge *sv* Genüge.

gnügt *sv* genügen.

Gold (30). Gold^x Golde^b Goldes^c. 1679

2802b 2803b 3156 4894 4955 4966
5028 5664c 5686 5730 5781 5785 5856
6083 6090 6119 6130 6997 7102 7104
7582 7582 7600 7602 8567 9305c
10802 10809 11028. → Apfel∼.
gold 9041.
goldbeschuppte 6017.
golden (24). golden^a goldene^b goldenen^c
goldne^d goldnem^e goldnen^f goldner^g.
450f 1079d 1120f 2039g 2762f 3756d
3929g 4083d 4227a 4230a 5019f 5041g
5148d 5585d 5605a 5712e 5717d 8051c
8215d 8217d 8958b 9117d 9620d
10894d. → gülden verborgen–∼.
golden–goldne 5012.
Goldespforten 4849.
goldgehörnten 8939.
goldgelockte 9045.
goldgesäumt 10793.
Goldgewicht 5037.
goldgewirkte 4941.
goldlockigen 9396.
Goldschmuck 9624.
Goldtopf 5010.
goldverbrämten 1536.
gönnen (17). gönnen^a gönn^b gönn'e gön-
net^d gönnst^e gönnt^f gönnt'^{g} gegönnt^h.
2046c 2529c 2769g 3281a 3297c 5707e
6155f 7013f 7014f 8405e 8437b 9386d
9502h 9503h 9900f 11777f 12065b. →
sterngegönnt ver∼.
Gönner *pl* 123. **Gönners** 5262.
Gote 9469.
Gott (85). Gott^a Gotte^b Götter^c Göttern^d
Gottes^e. 156c 281a 415a 434a 439a
558a 652d 1185e 1566a 1652e 1781a
2006a 2014a 2093a 2441a 2790a 2825e
2865a 2870a 2895a 2908a 2960a 2992a
3043a 3211a 3242d 3339a 3426a 3427a
3454a 3482a 3586a 3732a 3733a 3762a
3764a 3775a 3782a 4269a 4273c 4372a
4515a 4605e 5569a 6302c 6830a 6838a
7440d 7988c 8075c 8096c 8172c 8177c
8190a 8190a 8296b 8387d 8419c 8540a
8583d 8590e 8621c 8628a 8703c 8715c
8753d 8969c 9182c 9252c 9557c 9564a
9681c 9998d 10016d 10022c 10075a
10445a 10864a 10866a 10984a 11018a
11142a 11888a 11921e 12012d. → Flie-
gen∼ Halb∼+ Meer∼ Sonnen∼.
Gottähnlichkeit 2050.
gottbeglückten 8801.
Gottbetörten 9257.
Götterausspruch 3185.

Götterbild 2716. Götterbilder 8310.
Göttergewalt 8301.
göttergleich 2707. göttergleichen 1080. göt-
tergleiches 10049.
Göttergunst 8844.
Götterhand 66.
Götterhöhe 713.
Götterleben 620.
Götterlust 1684.
Göttersöhne 344.
Götterstamme 6907.
Götterwonne 706.
Gotteslust 11857.
gottgegebnen 9221.
Gottheit 509 516 614 3285.
Göttin (13). Göttin^x Göttinnen^b. 1084
5450 5456 6213b 6218b 6510 7915 8147
8289 9035 9237 9949 12103.
göttlich (6). göttlich^a göttlichem^b Gött-
liche^c. 7386a 8098a 9345c 9701b 9950a
11930a. → halb∼.
göttlich–heldenhaften 9636.
gottlos 2829 11131.
Gottverhaßte 3356.
gottverklärten 12038.
Grab (14). Grab^a Gräber^b Grabes^c Grabs^d.
504a 747c 2760a 2961d 3092a 3379a
3802b 4521b 4538a 4595a 7096b 11537c
11558a 11698a.
Gräbchen *sg* 11229.
Graben 11556 11558. Gräben 11092.
graben (7). graben^a grabe^b grabt^c gräbt^d
gruben^e. 604d 2354a 4991c 5039b 6124d
6136d 11092e. → be∼ + unter∼
+ver∼.
Grad Graden 2581.
grad (17). grad^a grade^b Grade^c graden^d.
1743b 1829a 2281a 2389b 2647b 2722b
2897a 3048a 3153a 3864a 5468a 5468c
6292a 6382b 8020a 8071b 11637d.
gradehin 3174.
Graien 8735.
Gram 1635. → Gries∼+.
grämlig 7096.
grandios 10160.
Gras (8). Gras^x Grase^b. 290 291b 4253
4293 4363 4381b 9300 9330. → Wie-
sen∼.
Grasaff' 3521.
Gräschen *pl* 4384.
graß 10514.
gräßlich (10). gräßlich^a gräßlichen^b Gräß-
liche^c gräßlichsten^d. TT51d 8715a
8723c 8863a 8884b 8926a 9164a 10035a

10070a 10419a.

gratuliere 2072.

grau (9). grau[a] graue[b] grauen[c] grauer[d].
2038a 2750 4181a 4284b 5036a 7010d
7096a 10343c 11392b.

Graubärten 6538.

grauen (=dämmern) graut 4579. → er∼.

grauen (=grausen) (15). grauen[a] graun[b]
Grauen[c] Graun[d] graut[e]. 489c 819e
1180c 2816a 3480c 4610e 6242e 7147c
8034c 9820b 9891c 10687e 11343d
11810e 11916c. → Flamm−[(en)∼]
Schauder∼.

grauenvoll 8653. grauenvollsten 7011
7977.

graugebornen 8732.

gräulich → dunkel∼.

Graus (9) 3302 4625 5029 5422 6551
7045 7802 8123 10779. → Bürger−
Nahrungs−∼ Wonne∼.

graus (7). grausen[x] grauser[b]. 7463b 7908
8047 8695 8966 11073 11869.

grausam 628 9014 9053.

grausam−blut'gen 7893.

Grausen 3094.

grausenhaftes 7524.

grauslich 7254.

grautagenden 9119.

Grazien 8137.

Grei (*Wortteil*) 7099.

Greif (6). Greife 7083. Greifen 7093
7099 (*Wortspiel*). Greif 10625 10627
10634.

greifen (19). greifen[a] Greifen[b] greife[c]
greifst[d] greifte[e] griff[f] griffe[g] Greifenden[h].
1772a 3063c TT59d 4867e 4867e 5590e
5595g 6195d 7102c 7103h 7718a 7797f
8512f 9294f 9295f 9997b 10534e 10788a
11671e. → +be∼ ein∼ er∼ Greif
+Griff hinein∼ ungreifbar vergriffen
.zu∼.

greiflich 8250.

Greis (8). Greis[a] Greise[b]*sg* Greisen[c]. 6765a
7092c 7093c 7094a 8102a 11061b
11578a 11592a.

grell 10033 10781.

Grenze (8). Grenze[a] Grenzen[b]. TT36a
5065b 5315b 10230b 10878a 10938b
11004a 11542a. → unbegrenzten.

grenzenlos (11). grenzenlos[a] grenzenlose[b]
grenzenlosem[c] grenzenlosen[d] Grenzenlose[e] Grenzenlosen[f]. 6118f 6118a 6240e
6412a 6428f 6688a 9043d 10147a
10172b 10306c 11076b.

grenzunbewußten 9363.

Gretchen (13) 2813 2849 3027 3053 3726
3776 3783 4188 4197 4460 4460 4466
4582.

Gretel 3632.

Gretelchen 2873.

Greuel *sg* 9058. Greuel *pl* 10069.

Greuelschlund 8886.

greuelvolle 8942.

greulich 7096 10441. greulichen 8278.
greuliches 11306. Greulichstes 5917.

Griechen *pl* 7955 8529 9012.

Griechenland 7074 7465. Griechenlands
4273.

Griechenvolk 6972.

griechisch 523. griechischen 8112.

Griesgram 7096 8087.

Grieß 7540.

Griff 11179. → An∼ +Be∼.

Griffel *sg* 1732.

Grille (8). Grille[a] Grill'[b] Grillen[c]. 1534c
4253b 4293b 4363b 5371a 6615c 10197c
11461a.

grillen grillt 4247.

grillenhaft 4959. grillenhafte 1100. gril-
lenhafter 1037 6786.

Grimm 3800. Grimme 4458. → Wolfes∼.

grimm. grimmem 8396. grimmen 4623
5677.

grimmen grimmt 8095. → er∼ in∼d.

grimmig (12). grimmig[a] grimmige[b]
grimmigem[c] grimmigen[d] grimmiger[e].
4468d 4793c 7096a 7865a 8108a 9036a
9904b 10534a 11083a 11271e 11427b
11835a.

Grinsen 5412. → an∼ her∼ hin∼.

grob 2309 6770. Grobe 5207.

groß (134). groß[a] große[b] groß'[c] großen[d]
großer[e] großes[f] Große[g] Großem[h] Großen[j] Großes[k] größer[m] Größres[n] größte[p]
größten[q] Größten[r]. 83d 235c 352d 570a
627a 822f 939a 1011e 1360j 1641j
1746b 2012c 2052b 2068d 2202a 2208d
2212d 2228d 2230b 2393a 2648a 2727b
2930a 2947q 2975d 3045e 3135a 3312d
3342e 3451a 3583a 3745a 3958b 4042b
4045d 4049a 4139a 4143b TT44e 4644b
4962a 4995d 5040a 5087e 5441q 5559m
5630q 5804d 5807d 5875d 5920d 5926h
5934f 6067e 6282d 6291a 6335n 6343a
6365a 6384d 6408a 6411a 6502a 6555b
6581q 6641p 6675d 6846d 6867e 6922a
6952a 6995b 7018f 7182b 7190a 7190a
7337b 7353b 7360r 7441a 7467p 7605p

7749k 7765a 7864j 7877h 7883j 7883a
7914m 7914m 8175a 8300d 8310a 8518p
8642b 8676f 8800f 9026e 9473a 9508a
9914a 9916e 10027d 10054d 10126k
10134k 10182d 10243d 10252e 10262a
10302d 10340f 10364b 10420a 10452a
10471j 10473g 10712d 10889d 10917d
10927a 10975d 11017f 11033a 11145e
11175b 11439a 11493a 11509p 11547d
11829e 11837e 11987a 12061d. →
aller⁀ten allzu∼ riesen∼.
Größe 7022 8689. → Geister∼.
Großheit 8917 9016.
Großmut 1798.
großmütiger 11348.
Grotten 9586.
Grube 9124.
grübeln. Grübeln 9421. grübelt 9420. →
durch∼.
Gruft (11). Gruft^a Grüfte^b Grüften^c.
3939a 5324a 5902c 6423a 8485c 9809b
10021b 10091a 10764c 11254a 11828a.
→ Höhle∼.
Grün 11707.
grün (20). grün^a grüne^b grünen^c grüner^d
Grünen^e Grünes^f. 154c 1833b 1885f
2039a 2318c 3944d 3957a 4615d 5148b
5627c 7208b 7293c 7314b 8756c 8780b
9531a 10164c 10998a 11121e 11565a.
→ licht∼.
Grund (25). Grund^a Grunde^b Gründe^c
Gründen^d. 256a 578a 2042a 2934a
2955a 3916c 4692b 4707d 5854a 5923a
6007a 6284a 6379d 7042b 7458a 7505a
7714b 8048d 9374b 9570a 10072a
10088a 10718a 11001d 11580a. →
+ Ab∼ Felsen∼ Hinter∼ Mauer∼
Meeres∼ zu∼(e).
Grundbesitz 6171.
gründen 10089. gegründet 6492 10097.
→ er∼.
Grundgewalt 2086.
Grundtext 1220.
Grüne 6243.
grunelt 8266.
grünen (10). grünen^a grünet^b grünt^c
grünte^d grünende^e grünende^f grünender^g.
310c 905b 910f 1483g 4654a 6798d
9308c 10012c 10103c 11095e. → an∼
be∼.
grüngesenkten 4699.
grünumgebnen 1071.
grünumschränkten 4635.
Gruß (18). Gruß^x Gruße^b Grüße^c Gru-

Bes^d. 736 2103 2104 2117b 2194c
2489 4140 5853 6332 7492 7739 8287
8643 9192d 10723 11189 11190 12030.
→ Gegen∼ Handwerks∼ Krächze∼
Scheide∼.
grüßen (12). grüßen^a grüß^b grüße^c
grüßt^d gegrüßte^e gegrüßt^f. 690c 2102b
2183f 2916a 4728c 5423f 7091a 8502e
10455a 10712d 11056f 11150d. →
+be∼+.
gucken → hinein∼.
Guelfen 4845 10772.
Gulden *pl* 6198.
gülden 10919.
gültig 3033 4774.
Gunst (19). Gunst^x Gunsten^b*pl*. 695
1176 2046 2153 2631 4956 5555 6399
6514 7845 7954 8127 8241b 8492 8854
9444 9951 10388 10617. → Götter∼
hochbe⁀igt Liebes∼.
günstig (10). günstig^a günstige^b günsti-
gem^c günstiger^d günstiges^e. 2973a 4763c
7183e 7322e 8072c 8401a 9665d 10238b
10500a 10626a.
Gürtel *sg* 6108 9678.
Gürtelschmuck 8053.
Gut (=Bauerngut) 11136.
Gut (=Besitz) (10). Gut^x Gutes^b Guts^c.
374 1068 2823 2840 5575 6060c 8517b
9348 10059 10340. → Königs∼
Schmeichel∼.
gut besser best (201). gut^a gute^b gutem^c
guten^d guter^e gutes^f guts^g Gute^h Guten^j
Guter^k Gutes^m Guts^n besser^p bessern^q
beßre^r Besseres^s Bessert^t Bessers^u Beßre^v
beste^w besten^y bester^z bestes^{xa} Beste^{xb}
Besten^{xc}. 5a 15j 45xb 110w 119y 172w
198e 283p 323a 328e 330a 632a 636j 637v
680p 815w 845y 852d 860u 874a 996a
1174a 1181r 1189xa 1207j 1210y 1258a
1335a 1336h 1341p 1400a 1403a 1414a
1423b 1540a 1690e 1691n 1736a 1816e
1840xb 1876d 1943p 1955y 1960p
1988y 1994a 2037p 2061e 2114b 2116a
2123d 2123y 2186d 2246p 2250y 2252f
2264a 2271h 2278y 2343u 2351a 2360w
2446b 2450a 2508p 2510a 2519f 2528e
2529xb 2582d 2635a 2799a 2836d
2908a 2952p 2959b 3007g 3013b 3039u
3055a 3077a 3100xb 3152t 3206z 3207a
3253a 3256d 3297a 3312a 3416e 3418a
3459a 3478a 3517z 3586a 3692b 3859a
3873a 4009a 4010f 4059u 4081d 4140y
4152a 4156a 4188d 4191a 4222a 4310b

4358b 4408e 4524y 4535a 4863y 4881e
4926a 5053m 5053a 5439xb 5650a
5662p 5695m 5809a 5811a 5855d 5878a
5898h 6031a 6048a 6083f 6145e 6147r
6163a 6272xa 6305y 6531xb 6704e
6741d 6788a 6789y 6816d 6831a 6887a
6905p 6942xb 7063s 7141a 7211d 7263y
7494p 7604y 7618y 7762w 7772p 7831y
7849e 7870a 7948a 8009p 8020xb
8099xc 8129b 8238a 8315p 8355xb
8422a 8423p 8585a 8593d 8594m 8898m
8951a 9036d 9045y 9073m 9084a 9256j
9921y 10066xb 10241a 10243b 10277xc
10291a 10297a 10342a 10342p 10497xc
10699q 10778y 10890xc 10912c 11218y
11316d 11322j 11601a 11607a 11820j
11895k 11917k 12065d 12100r. → allerbeste be~et verbessern zu~.
Gütchen *sg* 11276.
Gütchen (=Wichtelmänner) 5848.
Güte 4779.
gütig 3162.
Gütigkeit 3076.
gütlich 11351.

H

ha! 430 477 2147 2514 2514.
Haar (12). Haar[a] Haaren[b]. 1303b 1814a
3638a 4120b 5141a 5488a 5822a 7409a
9757a 10334b 11434b 11891a. → Flat-
ter~ Lock~.
haben (517). (→ §9). haben (71). habe
(23). hab' (75). habet 111. habt (37).
hast (77). hat (166). hatte (10) 192
1100 2128 2139 2225 2832 2964 3122
3357 7383. hatt' (10) 625 2130 2208
2212 2226 2228 4128 4136 4138 10794.
hätte (10) 596 1378 2132 2133 2148
2149 2182 2296 2954 3198. hätt' (20)
680 1377 1827 1866 2140 2141 2642
2872 2914 4446 5756 6479 6483 7552
7556 7807 8101 10792 11618 11774.
hatten (5) 750 752 7104 7415 9004.
hätten (4) 4310 5063 7576 10684. hät-
test 3255 6239 7191. hättst 278 284
3266. hättet 10415. gehabt 8422. →
an~ wieder~.
Habichtskrallen 7163.
Hacke 10015. Hack' 5039 11124.
hacken 2354. hackt 4991.
Häckerling 3576.

Haders 8919.
Hades 9121 9966 9971 9988.
Hafen 11102.
hafenein 11144.
haften → ver~.
Hagestolz 3092 3150.
hagrer 8689.
Häher *sg* 3890.
Hahn Hahns 7818.
Hahnenfeder 1538 2486.
Haifisch 6018.
Hain 11132. Haine *sg* 6904. Haine *pl*
9779.
hakeln → bei~.
Haken *sg* 6582.
halb 9147. → des~ wes~.
halb (29). halb[a] halbe[b] halbem[c] halben[d]
halber[e]. 124a 124a 303a 564d 1257b
1954b 2801a 2963a 3319b 3329a 3331a
3331a 3487a 3781a 3782a 4828b 6077a
6092b 6461a 6782b 8248a 8862d 10019c
10350b 10355a 11474b 11484e 11516a
11899a.
halberstorbnen 11068.
halbgefaultem 2953.
Halbgott 1612. Halbgötter 7473 9252.
halbgöttlich 7362.
Halbnaturen 11514.
halbverklungnen 11.
halbverkohlter 11343.
halbweg 2027.
halbwüchsiger 5537.
Halle 4791 8683. Hallen 1882 8643.
hallen → wider~.
Hals (11). Hals[a] Halse[b] Hälse[c] Halses[d].
56c 200a 1894a 4203a 4464a 4487b
5585a 8968c 10514a 10633c 11758d.
→ Lang–Schön–Weiß~ig Wende~.
Halstuch 2661.
Halt → Aufent~ In~.
halt 2828.
halten (58). halten[a] halt[b] hält[c] halte[d]
halt'[e] haltet[f] hältst[g] hielt[h] hielte[j] gehalten[k] gehaltnem[m]. 110a 625a 1114c
1149g 1348c 1428d 1428c 1721a 1990f
2095e 2449e 2686c 2906c 3005j 3370c
3409a 3417g 3481e 3533a 3702a 3994d
3994d 4142e 4836c 5096a 5150a 5165c
5327a 5422c 5520b 5635c 5675k 5841c
6280d 6359c 6532j 6536d 6545b 7330b
7330b 7364k 7566c 7720b 8355d 8358c
8406a 8576d 8906d 8958d 9190m
10206h 10546d 10577c 10881e 10895e
11376g 11625h 11655a. → ab~ an~

+auf~ aus~ +be~+ davon~ ein~
+er~+ fern~ fest~ nach~ stand~
unter~ + ver~ vor~ zurück(e)~
zusammen~.
Hammer 10109.
Hand (62). Hand[a] Hände[b] Händ'[c]
Händen[d]. 420a 604a 844a 1680a
1820c 1938a 2317a 2323a 2363a 2701a
2707a 2744d 3261b 3629a 3710a 3830b
4196a TT67a 4511a 4512a 4779a 4882a
5003e 5013a 5599a 5621a 5630a 5779a
5786e 5868a 5912d 5933a 6026a
6261a 6381a 6393a 6528a 6550a 7613a
7774e 7842a 7848a 8168d 8572a
8725e 8755a 8755a 9286a 9360a 9384a
9404a 9404a 9620a 9725b 10245b
10464a 10502d 10896a 11510b 11515a
11926b 11942d. → Götter~ Men-
schen~ Schreckens~ vor~en zu~en.
Händedruck 3189 3400.
Handel 11187.
Händel 816 10335.
Handeln (=Feilschen) 5387.
handeln 3174 5434 7744. handelst 5624.
handelt 10909. → be~ miß~.
Händeringen 1027.
Handwerk 104.
Handwerks–[banden] 924.
Handwerksbursch 2934.
Handwerksgruß 10830.
Handwerksneid 9959.
hänfnen 7186 11606.
Hang. Hange 8497. Hänge 9531. →
Über~ Um~ Vor~.
hangen (10). hangen[a] hängt[b] gehangen[c].
457b 1894a 2698c 2788b 2803b 3552c
5198a 6582b 9042b 10791b.
hängen 201 3503 TT25 5368. häng 2858.
hängt *sv* hangen. → +ab~+ be~
verhängnis+.
Hans 2190 2727 10579. Hansen *pl* 7711.
Hans Liederlich 2628.
hänseltet 6741.
Hanswurst 5642.
Harfe → Äols~.
härmen → ab~.
harmlosen TT23.
harmonisch 453. → un~.
Harnisch (7) 5466 6462 7632 9853 10328
10409 10551.
Harpyen 8819.
harren (7). harren[a] harre[b] harrt[c] harr-
ten[d] harrende[e]. 5008e 6112c 7481b
9222e 9578c 10499a 10568d. → be~

ver~.
hart (13). hart[a] harte[b] harten[c] harter[d]
härtsten[e]. 1005b 1777c 2623a 3705a
4746a 6339d 6363d 8084c 8107c 8222b
9194a 11034c 11251e.
hartnäckig 5918. hartnäckigster 8522.
Harz 7743 7953.
Harzgebirge 5865.
harzig 5955. harzige 7953.
haschen. hasche 9810. hascht 5590 5593.
haschte 8848. gehascht 11742. → er~.
Hasen 4857.
Haß (6). Hasses 196. Haß 1767 4711
4844 8151 8757. → Partei~.
hassen (7). hassen[a] Hassen[b] hasse[c] haßt[d]
gehaßt[e]. 337c 1668d 2955a 4339h
7166b 11628a 11767c. → +ver~.
häßlich (8). häßlich[a] Häßliche[b] häßli-
cher[c]k Häßlichste[d]. 3748c 6507a 7524a
7974a 8741b 8810a 8912a 9438d.
häßlichen häßlicht 9437.
Häßlichkeit 8810.
Häßlich–Wunderbaren 7157.
hastig 957.
Häubchen *sg* 5179.
Hauch 496 6475 6511 11715. Hauchs
9439. → Wort~ Zauber~.
hauchen 7114. hauche 7250. haucht 7026.
→ ent~.
Hauf (6). Hauf' 3958 5755. Haufen *sg*
5225 9792. Haufen *pl* 9305 10737. →
Ameis–Wimmel~ Aschen~+ Bücher~
Hexen~ Scheiter~ zu~.
häufeln Häufeln 10015.
häufen 1135 1773 1792. häufte 4862.
→ an~ auf~.
häufig 3098.
Haupt (29). Haupt[x] Haupten[b] Häupten[c]
Haupts[d]. 472 3448 4207 4621 4628
4773 5109c 5127 5159 5397 5936 6429
6465 6722 7021 7300 7821 8766 8871
8945d 9159d 9174 9623b 10474 10476
10477 10488 10982 10990. → Ober~
über~ Zacken~.
Haupt–[aktion] 583.
Hauptmacht 10645.
Hauptmoment 10874.
Hauptstadt 10136.
Hauptverdruß 11259.
Haus (58). Haus[a] Hause[b] Häuser[c] Häu-
sern[d] Hauses[e]. 98a 122a 321a 648a 866a
871b 923c 1144a 1253a 1408a 1655a
1967b 2063a 2136a 2177a 2380b 2382a
2608b 2681a 2756a 3023a 3393a 3866a

3978a 3980a 4006b 4065a 4075a 4836a
4949a 5032a 5540a 5650a 5903a 6167a
6736a 6927b 6988b 7047a 8496a 8501d
8557b 8643e 8654a 8773e 8796a 8921b
8974b 8991a 10008a 10872a 10934a
11377a 11529a 11604a 11627a 11668a
11674a. → Bretter~ Fürsten~ Jäger~
Karten~ Königs~ Kranken~ Schnek-
ken~ Tempel~ Urväter–~rat Unbe~te
Vater~.

Hausbewahrer *sg* 8857.
Hausbrand 10396.
Häuschen *sg* 3118.
hausen 4043 4827 10140. haust 6210.
Hausfrau 8797 8804.
Hausgenossen 8800.
Hausgesinde 10885.
Häuslein *pl* 10171.
häuslich 9474. häusliche 1289. häusliches
3354.
Hausrat → Urväter–~.
Hausrecht 4022 8785.
haußen 1260.
Haut 4790 6322 6747 11814.
he! 955 963 971 979 3857.
Hebe 7392.
Hebeln 675.
heben (22). heben^a hebe^b heb'^c hebt^d
gehobene^e. 493a 671d 1074d 1116d 1251d
2070d 3326b 4002a 4560a 5010d 6062e
6315a 7520e 7539d 8041d 8143a 8519d
9361d 10482d 10804c 11822d 12094b.
→ auf~ empor~ er~+ heraus~.
Heer (23). Heer^a Heere^b*sg* Heere^c*pl*
Heeres^d Heers^e. 4367a 5663a 5801a
5894a 6046a 6084a 7500b 7633a 7670d
7899a 9266a 9350a 9457a 9470c 9505a
9886a 9886b 10347a 10368a 10471d
10801e 10873e 10877a. → Hexen~
ver~en.
Heereszug 9205.
heftet 686 11485.
heftig 9131. heftige 9740. heftigen 8641.
heft'gen 204. heftiger *k* 8760.
hegen (8). hegen^a hegt^b hegte^c. 492c
989b 4901a 4915b 8526a 10749b
10935b 11873a.
hehr 6213 7441 12006. hehrem 8933.
hehren 7365. → herrlich–~.
Heide 1831 3902 4014.
Heidenriegel *pl* 6971.
Heidenvolk 6209.
Heil (23) 992 4764 5897 6070 6271
6345 6662 7063 7347 7371 7461 7499

8432 8432 8480 8480 8482 8482 8483
8484 8485 8958 9104. → Un~.
heil heiler 4790.
Heiland 12047.
heilen 7458. heile 11804. heilet 6337. ge-
heilt 1768 7459.
heilig (62). heilig^a heilige^b heil'ge^c heili-
gem^d heil'gem^e heiligen^f heil'gen^g heili-
ger^h heil'ger^j heil'ges^k Heiligen^m Heil'-
gen^n Heiliges^p. 427g 432k 566c 1035g
1180e 1202f 1222b 1317h 2090c 2699g
2715a 2777f 2820a 2926f 3035j 3040j
3103g 3423g 3532a 4453n 4609f 4608f
4619a 4633f 4643a 4906m 5072f 5972g
7306f 7378c 7472b 7514e 7581f 7962f
8180a 8304f 8358p 8481f 8511h 8543f
8572f 8574f 8619f 8742a 8949h 8978b
9092j 9848f 9863b 10028b 10817f
10959d 10974h 10986d 10996d 11817b
11853f 11929c 11988d 12003h 12044g
12087f. → hochge~t liebend–~ un~.
Heilig' Geist 1963.
heiligen geheiligt 10288.
Heiligenschein 4772.
Heiligtum 2688 10992.
heilsam 1380. heilsam' 760.
Heilung 6340.
Heim → ein~isch +ge~+ ver~lichen
un~lich.
Heimat 1099 7961.
Heimfahrt 8989.
heimführen 2447. heimführenden 8621.
heimgeben geb' heim 8578. → an~.
heimlich (12). heimlich^x heimliche^b heim-
licher^c. 2816 2886 3480 3736 3741 6378
7105 7255 7642b 8829 9408c 11702.
→ un~ ver~en.
heimlich–kätzchenhaft 11775.
heimstellen heimgestellt 8583.
heimsuchen heimgesucht 9007.
Heinrich (7) 3414 3500 4542 4610 4612
4612 7681.
heisa! 955 963 971 979. → juch~.
heischend 9118.
heiser 1553. heiseren 9101. → laut–~.
heiß (12). heiß^a heiße^b heißem^c heißen^d
heiße^e. 357c 777d 999d 4106e 5751a
8399d 9983a 10669d 10840a 11651b
11714d 11739b. → knechtisch–~.
heißen (39). heißen^a heiße^b heiß'^c heißet^d
heiße^e hieß^f hieß'^g hießen^h. 360b 360b
409e 577e 588e 637e 1334e 1836e
2305h 2705e 3186e 3645a 4115c 4156g
4319e 4367e 4450e 4841a 5649f 6410a

6634d 6749e 6962e 7384a 7399a 7809c
7837f 8496b 9135b 10067c 10271f
10828d 11178e 11384b 11384b 11385b
11385b 11400fg 11766e. → ver∼.

heiter (29). heitera heitereb heiternc heiterer^d heitree heitremf heitresg Heitresh
heitrer^jǩ heiterstek Heiterstenm. 718a
4477b 4768h 4966e 5067g 5071g 5093c
5116c 5265e 5430c 5542g 5876m 6044j
6145a 6753a 6974c 7170k 7510c 7700a
7949c 8286c 8346e 9090d 9331c 9571k
9878f 10456a 10456a 11264c.

Heiterkeiten 10913.

heitern heitert 9551. → er∼.

Hekate 7905.

Held (17). Helda Heldenb*sg* Heldenc*pl*.
5895a 6298a 7349a 7726b 8007a 8212c
8520b 8652b 9015a 9035a 9252c 9443c
9862a 10370c 10507a 10681c 10910a.
→ göttlich–∼enhaft Masken∼.

Heldenherrn 9137.

Heldenmann 6541.

heldenmäßiges 10731.

Heldenmut 10525.

Heldenschar 8853 9037.

Helden–[stamme] 6907.

Heldentaten 10416.

Heldenvolk 7338.

Heldin 6298.

Helena (12). Helenaa Helenenb Helenensc.
2604b 6184a 6197b 6548a 6568a 7196a
7405a 7484b 7485b 8488a 8614c
10050b.

helfen (29). helfena helfetb helftc hilfd
hilfte halff halfeng hülf'h. 102e 218e
1006f 1008a 1010a 1236e 2299c 2299c
2647e 2798e 3362d 3616d 3840e 4382e
4545e 4574e 4574f 4618a 4778e 4847a
5357e 5510b 6618e 7897c 8009h 9070a
9279e 10731e 11944g. → aus∼ Behelf
fort∼.

Helfer *sg* 1006 1006.

Helfershelfer *pl* 11619.

Helios 8285 10022.

hell (23). hella helleb hellemc hellend
hellere hellesf Helleg. 53c 688b 742e
1196b 1487d 1624c 2142d 3612a 5842a
6806g 6828f 6908g 7031a 7127b 7281d
7500c 8164a 8296b 8456a 9575a 10737d
11500f 12051b. → dunkel–∼.

Hellas 7743. Hellas' 9634.

Helle → Paradieses∼.

Hellebarden 4741.

hellen 6823. → er∼ hinan∼.

hellenischer 7028.

Hellung 10079.

Helm 7653 7896 10475 10551. Helme *sg*
7668.

Hemd → be∼et Falten∼ Sünder∼chen.

hemmen 633. hemmet 5521. hemmt 413
1356. hemmte 1080.

Hengste *pl* 1824.

Henker 1820 4427.

Hephästos 9672.

her (26). 438 1129 1153 1917 2084
2251 2772 4133 4611 4694 6983
7095 7241 7711 8491 8657 8764 8832
9038 9150 9251 9253 9998 10387
10855 11874. → bis∼ da∼kommen
dort∼ ein∼+ hie∼+ hier∼+ hinter∼ je∼ nach∼ +um∼+ vor∼
wo∼.

herab 362 4701 7462.

herab bewegt 9153.

herabführen führ' herab 325.

herabkommen komm herab 720.

herablassen herab läßt 3074.

herab rollt 8997.

herab/schickt 8767/68.

herabsingen herabgesungen 7922.

herabsinken 6510.

herabsteigen 7161. steigt herab 11906.

herabstürzen 8780. stürzte herab 771.

herabtreten tritt herab 5683.

herabwehen weht herab 472.

herabziehen herabgezogen 8036.

Herakles 8849.

heran (7) 6068 6338 6417 6634 8398
11636 11698.

heranbringen. bringen heran 8378. bringt
heran 6672 11381.

herandrängen. drängt heran 6329 7579.
drängten heran 5999. herangedrängt
5395 5745.

heran drücken 6348. drückte heran 957.

heranfügen füg' heran 5340.

heranführen führen heran 5920 8366.

herangegangen 6720.

herankommen (11). (komm heran)a
(kommst heran)b (kommt heran)c
kömmt heran)d (kam heran)e (kamen
heran)f. 164c 1690c 2216e 3091d 3646c
4210a 5269a 7755c 9207b 9281f 11014c.

herankriechen herangekrochen 4066.

herannaht 8618.

heranraffen herangerafft 11960.

heranschleichen schleicht heran 10212.

heranschnauben schnaubt heran 5519.

heranschwanken schwankt heran 11844.
heranschweben. schwebet heran 11383.
schwebt heran 702 11722.
heransegeln segelt heran 11163.
heransenken senkt heran 4637.
heransingen herangesungen 8056.
heransteigen steigt heran 3851.
herantraben herangetrabt 7325.
herantragen herangetragen 5686.
herantreten. tret' heran 4053. treten heran
7473. tretet heran 6051 9177. tritt
heran 6781.
heranwachen herangewacht 389.
heranwachsen wächst heran 8263.
heranwagen wagt heran 10356.
heranziehn. ziehn heran 1132. zieht
heran 5976 8049. herangezogen 9427.
heranzögern zögert heran 4411.
herauf 362 2649 7811 8876.
heraufdringen. dringt herauf 7663. drang
herauf 7571.
heraufführen führt' herauf 6795.
heraufkommen. herauf komm 9356.
kommt herauf 12 814.
heraufscheinen schien herauf 3612.
heraufschmiegen schmiegt herauf 4988.
heraufsteigen. steigen herauf 3444. steigt
herauf 4601.
herauf wälzt 8652.
heraus 2281 3706 3716 3716.
herausblasen blast 'raus 540.
herausfahren fuhr heraus 2134.
herausfallen fällt heraus 5478.
herausheben 3667.
herauskommen kamt heraus 1004.
heraustreiben 1937.
herauswischen wischt heraus 11669.
herausziehen. herauszieht 4336. zieht
heraus 9651.
herb herbem 9428. → allzu~.
herbannen hergebannt 8835.
herbei 3716 8937 11511 11511.
herbeiberufen 4747.
herbeibringen bringst herbei 2077.
herbeidringen dringt herbei 1130.
herbeigeben gib herbei 2578.
herbeiholen holt' herbei 5266.
herbeilaufen läuft herbei 5938.
herbeiraffen herbeigerafft 1811.
herbeischaffen schaff herbei 2860.
herbeischleichen schleicht herbei 3646.
herbeischleppen schleppt herbei 9792.
herbeschieden 8136.
herblicken blickst her 9141.

herbringen. bring' her 3017. hergebracht
4044.
Herbst 10533.
herbstlich 557.
Herd (8). Herd^a Herde^{b}sg Herdes^c. 2144a
3145b 3155a 5648a 8615a 8660c 8674c
8683a.
Herde (6). Herde^a Herden^b. 4787b 5041a
9204b 9996b 11565a 12046a. → Wol-
len~.
Herdesbreite 5253.
herein (14) 1530 1531 1532 2684 2684
2896 5084 5651 6016 7600 7602 7602
11511 11511.
hereindringen 11499. dringt herein 4580
7824.
hereinführen. führe herein 4053. führet
herein 11752. führt herein 6887.
hereinkommen. kommt herein 2783 3485
11419. kamst herein 1398. kamt herein
6670.
hereinschauen schaue herein 1449.
hereinsinken hereingesunken 4642.
hereinspringen hereingesprungen 1406.
hereinschlüpfen hereingeschlüpft 1411.
hereintreten 2897. trete herein 11015. tritt
herein 1928. träte herein 2725.
hereinwagen 6666.
herführen. führe her 5378. führt her 4279.
führte her 6551. hergeführt 2717 5897.
hergeben gib her 10830.
hergrinsen grinsest her 664.
herkehren → wieder~.
herkollern kollern her 5722.
herkommen. kommst her 3968. kommt
her 3725 4758.
herkömmliche 11621.
Herkules 7198 7381.
herläuten hergeläutet 6727.
herlocken hergelockt 8234.
Hermaphroditen sg 8029.
hermaphroditisch 8256.
Hermes 7384 9117.
Hermione 8859.
hernach 2596 10338. → nachher.
hernehmen hergenommen 2732.
herniedertropfen tropfte hernieder 12042.
herniederwendet 4698.
Heroinen 6202 10186.
heroisch 10874. heroischen 7363.
Herold 5528 11117. Herolds 5608 5710.
Heroldspflichten 5495.
Herr (137). Herr^a Herren^{b}sg Herren^{c}pl
Herrn^{d}sg Herrn^{e}pl. 106c 210e 265a

271a 296a 352d 578c 829a 842a 852e
868a 921d 941a 981a 1029d 1151b
1161d 1322d 1325d 1331e 1415c 1516a
1790d 1801b 1802d 1816a 1838d 2120e
2183e 2190d 2230e 2231e 2277c 2306a
2482d 2489a 2510a 2518 2633a 2679a
2856d 2861a 2896a 2900a 2906a 2908a
3003d 3007a 3021b 3024e 3049d 3073a
3085a 3095a 3147a 3153a 3208a 3263d
3312b 3334d 3523a 3704a 3733a 3866a
3933a 3959a 4072e 4096c 4219e 4305d
4325d 4753e 4834a 4865e 4917d 5048a
5068a 5911a 5987a 6003a 6030a 6170d
6308a 6319a 6385a 6392a 6467c 6635a
6638a 6656a 6665a 6721a 6737a 6885a
7002a 7739a 8568b 8660d 8694a 8794a
9005a 9006a 9068a 9147d 9290e 9346a
9358d 9386d 9588d 10075a 10279a
10321d 10470a 10541a 10558e 10598a
10866a 10888d 10889b 10892a 10967c
10974a 10984d 11018d 11035a 11091c
11094e 11169b 11181a 11192d 11282a
11284a 11502b 11592a 11637e 11637e
12054d. → Ahn∼+ Eh∼ Helden∼
Herrscher∼ Landes∼ Lehns∼.

Herrin 8378 8613 9271.
herrisch 4348 9291. herrische 10229. her-
rischen 8470.
herrlich (42). herrlich[a] herrliche[b] herrli-
chem[c] herrlichen[d] herrlicher[e] herrlichef[f]
Herrliches[g] Herrlichers[h] herrlichst[j] herr-
lichste[k] herrlichsten[m] herrlichster[n] Herrlichsten[p]. 149d 250a 270a 573a 634p
638b 788a 890a 900a 2298a 2877a
3220b 3661b 3669b TT44e 4721a
5323n 5700m 5763a 6008a 6098a 6418b
6826k 6834a 7388j 7396a 8463c 8501a
8516b 8560d 8849a 9157b 9176d 9306m
9352d 9508a 9640e 9929g 10048a
10652h 11270m 11993f.
herrlich-hehr 5401.
Herrlichkeit 375 2795 9406. Herrlich-
keiten 10131.
Herrschaft 1729 7879 10092 10187.
herrschen (9). herrsche[a] herrschet[b]
herrscht[c] herrschte[d] herrschend[e]. 1119e
4649c 7015c 7374d 8479a 8805a 8910c
9348c 10216b. → be∼.
Herrscher sg 5568 9498. Herrschers 7021
8801.
Herrscherherrn sg 8828.
Herrscherin 9133 9198 9214 11997.
Herrscherwort 8568. Herrscherworten
8678.

herrufen hergerufen 7929.
herschaffen 4892.
herschauen schaut her 5711.
herschießen schoß her 4379.
herschiffen hergeschifft 8524.
herschleppen schlepp' her 9317 9794.
herschwanken [schwanket] her 11787.
herschwebt 8272.
herschwimmen hergeschwommen 7296.
hersehen. seht her 6165. sieh her 2513.
hersenden hergesendet 8343.
herstellenden 8620.
hertoben toben her 5956.
hertrotten TT23.
herüber–[gehen] 3796.
herüberkommen komm herüber 2885.
herüber–[schießen] 1925.
herübersteigen steigt herüber 3235.
herum 2649. → rings∼.
herumfahren fuhr herum 2134.
herumführen herumgeführt 1832.
herumgehen. ging herum 3634. ging'
herum 1947.
herumkehren kehrt herum 6520.
herumquirlen quirlt herum 2391.
herumschlagen 466.
herumschleichen schleichen herum 11850.
herumsprengen sprengt herum 7200.
herumwälzen wälze herum TT10.
herumzielen ziehe herum 362.
herunterhole 691.
herunterklimmen 8166.
heruntersteigen steigt herunter 11455.
herverlieren 943.
hervor 9580 9580.
hervorblicken blickt hervor 5149.
hervorbrechen bricht hervor 3923 8892.
hervorbringen. bringt hervor 5135. her-
vorgebracht 7623 7860.
hervor drängen 10549.
hervordringen dringt hervor 919 5824.
hervorgehupft 1521.
hervorkommen. [komm] hervor 721.
kommt hervor 10032.
hervorrufen 6197. ruft hervor 9376.
hervorschieben hervorgeschoben 7556.
hervorschlagen schlägt hervor 11648.
hervorspringen springt hervor 5584.
hervorsprühen sprüht hervor 3992.
hervorsteigen steigt hervor 8292.
hervortreten (9). hervortreten[a] hervor-
tritt[b] (tritt hervor)[x]. 1291 4702 6450
8740 8909 9136 9237 11075a 12091b.
hervorwagen 1518. wagt hervor 8693.

herweben [webe] her 503.
herwenden her wendetest 8440.
herwuseln [wuselt] her 5846.
Herz (94). Herz[a] Herzen[b]*sg* Herzen[c]*pl*
Herzens[d]. 4a 22b 30a 65d 138c 141a
179b 365a 410a 436a 444a 477b 480a
537c 544a 544bc 545b 586a 591a 644b
1197b 1722a 2584a 2616a 2689a 2719a
2747d 2861b 2917a 3006b 3044b 3055b
3058b 3154a 3159b 3206b 3296c 3309a
3375a 3387a 3403a 3448b 3451a 3454a
3463c 3474a 3499a 3590b 3599a 3607a
3754a 3782b 3785b 3790b 3803a 3811a
4310c TT45a 4623d 4639a 4779b 4915b
5143b 5157a 6291a 6344b 6351b 6474a
6880a 6999a 7086b 7177b 7178b 7727b
8095b 8151b 9152a 9308b 9378b 9622a
9685b 9686c 9693b 9698a 9765c 9910a
10060d 10414a 10979a 11236b 11425b
11730a 11753a 11889a. → +barm∼ig
frei∼ig.
herzen. herze 4499. herzt' 4444. → be∼.
Herzensdrang 9920.
Herzensstoß 3773.
herziehn ziehn her 10375.
herziger *k* 2994.
herzlich (9). herzlich[x] herzliche[b] herzli-
chem[c]. 296 2870 2937 2970 3125 3161
3416 8428b 11941c.
Herzog 10471. Herzoge *pl* 9462.
heucheln 7357. heuchelt 1595.
heulen 3951. Heulen 1239 4467. heult
3724 9132. → entgegen∼.
heut (51). heut[a] heute[b]. 58b 225b 826a
920b 982b 1712b 2075a 2191a 2637a
2679a 3024a 3028a 3146a 3506a 3542b
3546b 3868b 4002b 4011a 4126b 4168a
4223b 4270b 4275a 4350b 4936a 5126b
5196b 5263b 5327b 5424a 5729a 5773b
6067b 6171a 6354b 6617a 6701a 6719b
6734a 7442a 8062b 8067a 8135b 8283b
8653b 9206b 9291a 11053a 11057b
11112a.
heutigen 5353 9638.
heutzutage 525 4842 6743.
Hexchen *pl* 4046.
Hexe (11). Hexe[a] Hex'[b] Hexen[c]. 877c
2365a 2517c 2547b 3956c 3961a 4008c
6977c 6979c 7676c 7724c.
Hexenberg 4093.
Hexen–Einmaleins 2552.
Hexenelement 4019.
Hexen–Fexen 6199.
Hexenhauf 3967.

Hexenheer 4281 4311.
Hexenheit 4015.
Hexenküche 6229.
Hexenmeister *pl* 4911 11781.
Hexenritt 7809.
Hexensohn 7787.
Hexenzunft 4402.
hie 663 2753 7082 9745 10572.
hiebei 5560.
hieher (7) 6031 8064 8509 8866 8938
9143 10290.
hieneben 5906.
hier (250). hier[x] Hier[b] (*nämlich 11233*).
426 606 660 677 681 712 732 756 794
856 938 940 940 997 1023 1024 1048
1166 1187 1225 1391 1391 1431 1515
1535 1656 1988 2121 2170 2199 2289
2307 2315 2318 2408 2409 2427 2448
2449 2469 2470 2504 2522 2591 2700
2709 2710 2711 2713 2715 2719 **2721**
2731 2733 2783 2886 3018 3176 3196
3511 3599 3604 3684 3698 3720 3778
3808 3913 3921 3924 3926 4007 4021
4024 4043 4060 4065 4069 4072 4104
4164 4211 4270 4280 4288 4329 4341
4353 4377 4407 4540 4574 4622 4646
4752 4890 4948 4997 5030 5095 5387
5387 5415 5497 5553 5582 5691 5692
5715 6058 6064 6105 6194 6229 6259
6375 6385 6393 6399 6406 6451 6470
6539 6553 6553 6554 6566 6576 6607
6611 6685 6702 6723 6772 6790 6885
6900 6901 6967 6968 7018 7022 7047
7057 7062 7074 7074 7078 7118 7121
7145 7158 7239 7290 7334 7348 7448
7465 7490 7493 7516 7575 7618 7684
7690 7740 7792 7793 7795 7811 7865
7955 7962 7978 8003 8055 8103 8227
8227 8259 8265 8329 8459 8499 8541
8599 8694 8710 8723 8793 8938 8943
8947 8982 8990 9025 9134 9196 9259
9314 9440 9506 9550 9811 9954 9958
10221 10351 10358 10359 10364 10373
10438 10463 10501 10569 10602 10676
10783 10785 10791 10817 10832 10851
10909 11146 11162 11225 11225 11228
11233 11233b 11256 11273 11286 11305
11339 11392 11420 11445 11523 11551
11569 11578 11592 11659 11697 11989
12107 12109. → all∼ da∼.
hierauf 10089.
hieraußen 1879.
hierher (8) 2830 6297 6934 7112 7139
7483 8631 10669.

hierherblicken [blick'] hierher 6570.
hier–[hin] 9591.
hierüber 6899.
hierunten 3443.
hieselbst 4033.
Himmel (31). Himmel^x$_{sg}$ Himmel^b$_{pl}$
Himmeln^c Himmels^d. 242 304 452
457 938 1029d 1088 1109 1119 1140
1308b 1900 2439c 2609 2790 2973
3284 3442 3678 TT76 4489 4950 5250
6044 6405 7168 8601d 9340b 10576
10860 11013. → Abend~.
himmelan 9023 9864.
himmelein 7392.
Himmelhohen 10624.
Himmelreich 2708.
Himmelsangesicht 3182.
Himmelsenge 63.
Himmelsfreud' 3345.
Himmelsgaben 2947.
Himmelsglanz 616.
Himmelsglut 3458.
Himmelsklarheit 4689.
Himmelskönigin 11995.
Himmelskräfte 449.
Himmelslicht 235 400. Himmelslichts 284.
Himmelsliebe 771.
Himmelslieder 783.
Himmelsmanna 2826.
Himmelsraum 9034 9200.
Himmelstage *pl* 3885.
Himmelstöne 763.
Himmelsverwandte 11677.
Himmelsweite 9228.
Himmelszelt 11999.
himmelwärts 11827.
himmlisch 2429 4240. himmlischen 2847
3463. himmlischer 1457.
hin (24) 819 1186 1917 2598 2672 3317
3374 3386 3402 5715 6282 7231 7307
8626 8712 8815 9150 9251 9253 9682
9761 10065 10387 11337. → da~+
dort~ grade~ hier–[~] immer~
künftig~ unten~ weiter~ +wo~.
hinab 7001 9966.
hinabbilden hinabgebildet 10101.
hinabfolgen folg hinab 6264.
hinab gleiten 865.
hinabrauschen rauscht hinab 10341.
hinabritzen hinabgeritzt 11229.
hinabschauen schaut hinab 4782.
hinabsinken sinkt hinab 5923.
hinabstürzen stürzt hinab 3939.
hinabzucken zuckt hinab 7690.

hinächzen ächzen hin 10026.
hinan 2579 11847.
hinangefahren 8539.
hinanhellen hellet hinan 8476.
hinanleuchten leuchtet [hinan] 8476.
hinanschreiten schreitet hinan 9534.
hinanschwanken schwanket [hinan] 8476.
hinansteigen. steige hinan 1314. steigt
hinan 11918. stieg hinan 4131.
hinanverbreiten verbreitet hinan 7578.
hinanziehen zieht hinan 12111.
hinauf 404 1022 4554 6608 7130.
hinauf/blicken 8768/69. blick' hinauf
6570. hinaufgeblickt 9517.
hinaufdringen 9714. hinauf [dringt] 1093.
hinaufgehen geht hinauf 2071.
hinauflaufen 3639.
hinaufleuchten leucht hinauf 3859.
hinaufreichen reicht hinauf 7197.
hinaufschauen hinaufgeschaut 4695.
hinaufschicken schickst hinauf 3594.
hinaufsehen seht hinauf 9851.
hinaufsteigen 8605.
hinaufstreben strebt hinauf 1169.
hinauf versteigen 7130.
hinaufzüngeln züngeln hinauf 5963.
hinaus (10) 418 808 1411 2081 2087
2329 2383 2587 5084 5651.
hinausbegeben begib hinaus 2353.
hinausblicken blickst hinaus 1145.
hinausflattern flattert hinaus 6607.
hinausfliehen flöh' hinaus 5420.
hinausführen führe hinaus TT78.
hinausgehen gehn hinaus 809.
hinauskehren hinausgekehrt 4162.
hinauslaufen läuft hinaus 11530 11550.
hinausschallen schallt hinaus 10780.
hinausschauen schau' hinaus 3390.
hinausspaziere 1393.
hinausweisen hinausgewiesen 699.
hinauswollen will hinaus 7779 7801.
hinbeten 8209.
hinbreiten breitet hin 8943.
hinbringen bringe hin TT64.
hinderen 9490. hindern 2987. hindert
1561 6393. hinderte 8589. → ver~.
Hindernis 1394. Hindernisse 6205.
hindrängen drängt hin 3406.
hindurchlassen laßt hindurch 6343.
hineilen eilt hin 1073.
hinein (8). hinein^x 'nein^b. 415 1829 2749
4556 10231 10811 11387b 11390.
hineinbeißen biss' hinein 9162.
hineindringen dringt hinein 5674.

hineinfallen fällt hinein 5931.
hineinfressen frißt hinein 3499.
hineingehen geht hinein 2867.
hineingreifen greift hinein 167.
hineingucken guckt' hinein 3969.
hineinlassen laßt hinein 8508.
hineinschaun 5930.
hineinschielen schielte hinein 3668.
hineinschlupfen schlupfen hinein 4029.
hineintun tat hinein 2735.
hineintreten treten hinein 5438
hineinwagen hinein wagen 7834.
hineinwittern wittert hinein 3919.
hinfahren. fahr hin 6807 11469. fahre hin 7850 7947. fahret hin 9982.
hinfließend 8998.
hinführen führe hin TT72.
hingeben 3191. hingegeben 480 3492 4839 9220.
hingegen 9021.
hingehen 776. Hin-[gehn] 6179. geh hin 134. gehen hin 9078. geht hin 7234.
hingehören gehört hin 4222.
hingelangen 1895.
hingleiten → sanft~d.
hingrinsen grinset hin TT33.
hinkauern hingekauert 7966.
hinken. hinke 5363. hinkt 2184 10120. hinkte 10272.
Hin-[laufen] 10150.
hinlegen. lege hin 11525. hingelegt 752.
hinleuchten → weit~d.
hinnehmen nimm hin 6160.
hinnen 1908 3326.
hinraffen hingerafft 12024.
hinräkeln 6468.
hinrauschen rauschet hin 5524.
hinreichen reicht hin 5779.
hinreihen hingereiht 8542.
hinreißen hingerissen 4021.
Hin-[rutschen] 10149.
hinschauen. schau' hin 9599. schaut hin 7936.
hinschleichen 3841. hinschleiche 1915.
hinschlotternd 10514.
hinschmelzen hingeschmolzen 2728
hinschreiten. schreitet hin 7048. schreitend hin 8716.
hinschütten schüttet hin 152.
hinschwanken. schwanken hin 10590. schwanket hin 11787.
hinschweben. schweben hin 9114. schwebet hin 1264.

hinschweifen 209.
hinschwinden. schwinde hin 8881. hingeschwunden 4651.
hinsehen. seht hin 112 10680. sieh hin 4056 7884. hinsieht 5659.
hinsehnen sehnt hin 1200.
hinstellen hingestellt 10904.
hinstreben 716. Hin-[streben] 7526. Hin-[strebens] 6014.
hinstrecken. hingestreckt 10048. hingestrecktem 2438.
hinstreichen streichet hin 4013.
hintappen tappte hin 10843.
hinten (10) 836 862 3665 5269 5505 6686 6711 7085 8999 11799. → da~.
hintendrauf 5642.
hintennach 10004.
hinter (15) 1087 1188 1310 1480 3876 4407 4732 4815 7258 7687 7758 8508 8995 9080 9563. → da~.
hinterdrein (6) 1155 3701 5829 6746 7418 7709.
Hintergrund. Hintergrunde 6386 9974 10547. Hintergrundes 11646.
hinterher 4237.
hinterlassen. hinterließ 3117 8553. hinterlassend 8680.
hinterm 3023.
Hintermann 5750.
Hintern 1821.
hinterrücks 4109.
hintragen. tragt hin 11708. trägt hin 9952.
hintun hingetan 6671.
hinüberblicken [blick'] hinüber 6570.
hinüberfolgen folget hinüber 1462.
hinübergehen 3796.
hinübernehmen nähmen hinüber 8429.
hinüberschießen 1925.
hinüberschlief 3788.
hinüberschwimmen schwamm hinüber 7421.
hinübertragen tragen hinüber 1613.
hinunter 2583.
hinuntereilen eilte hinunter 9966.
hinunterließ 3564.
hinunterwerfen warf hinunter 2777.
hinweben webe hin 503.
hinweg 6956 8150 8152 11162.
hinwegbannen hinweggebannt 4750.
hinwegdrängen drängt hinweg 8695.
hinweggehen ging hinweg 10977.
hinwegraffen 11599. hinweggerafft 622 2814 9803.
hinwegschwinden hinweggeschwunden 16.

hinwegtragen 4575. trug hinweg 4734.
hinwegweisen wiese hinweg 8683.
hinwelken welkten hin 1054.
hinwenden 5452. hin [wendetest] 8440.
hingewandt 5463.
hinwiegen hingewiegt 7153.
hinwuseln wuselt hin 5846.
hinziehen. zieht hin 11559. hingezogen 11825.
hiobsartig 11809.
Hirn 665 1951 6869.
hirnlos 8952.
Hirsch. Hirsche pl 4857. Hirsches 1794.
Hirten 9396 9558.
Hitze 7562.
hitzig 1735.
ho! 2083.
hoch (156). hoch^a hohe^b hohem^c hohen^d hohre^e hohes^f Hohe^g höher^h höherem^i höheren^j höheres^k höherm^m höhern^n höhrem^o höchst^p höchste^q höchstem^r höchsten^s höchstert^t höchstes^u Höchste^v Höchst'^{w} Höchsten^y Höchster^z. 41d 135q 249d 269d 275b 305q 462h 656b 699b 706b 736e 884d 1063o 1117e 1226a 1420a 1420p 1577d 1591b 1604s 1676d 1744a 1772w 1814h 2245a 2567b 2773c 2793s 3063s 3104s 3291b 3394e 4263e 4685s 4705s 4720a 4772q 4782d 4792c 4899p 4914d 4978d 5003d 5070d 5304p 5375s 5467a 5467g 5571b 5817c 5850d 5914d 5995s 6030t 6034s 6039a 6069b 6095a 6110b 6115s 6131b 6212k 6316s 6425b 6486a 6543a 6661d 6847n 6847n 6907r 7187q 7212d 7294b 7558s 7569a 7690a 7783c 7822e 8074d 8130a 8173b 8210s 8264i 8299g 8330j 8402a 8496f 8517s 8575d 8583d 8609d 8754a 8789b 8801b 8844q 8909b 8928d 8970b 8975e 9196s 9199d 9209d 9213b 9231r 9327a 9345t 9360b 9486v 9492h 9520d 9523s 9540n 9564s 9684n 9821h 9851a 9916e 9927q 9950d 10057a 10057h 10059u 10198b 10254c 10410m 10447a 10459p 10463d 10594d 10606d 10742d 10749d 10867s 10882s 10924z 10941b 10946s 10955e 10959a 10987s 11006y 11013d 11015d 11016q 11037d 11150s 11221b 11231e 11305a 11585d 11586s 11830b 11918m 11945b 11997q 12094n.
→ aller~ste ellen~ erhöhn Himmel-hohen höchstens sträubig–hohem.
Hochbegrüßung 9147.
hochbegünstigt 8845.

Hochbesitz 11156.
Hochentzücken 8050.
hochgeehrt 9590.
hochgefeiert 8486.
hochgeheiligt 10982.
hochgelahrt. hochgelahrte 4969. Hochgelahrter 984.
Hochgericht 7246.
hochgeschätzt 9189.
hochgetürmte 8549.
hochgeweihten 12053.
Hochgewinn 9383.
Hochgewölb 9606.
höchlichem 9499.
hochmütig 7649.
Hochpalast 8771.
hochsinnig 9134.
höchstens 583.
Höchsterrungene 11562.
Hochverehrung 8288.
hochwürdiger 6635 6656.
Hochzeit 4227.
Hochzeittag 4581.
Hof (19). Hof^a Hofe^b Höfe^c Höfen^d Hofes^e. 648a 2230a 2231b 4943a 5091e 6001a 6019a 6084b 6143b 6368a 6385a 9026c 9124a 9597a 9597d 10872a 10888a 10934a 11377a. → Geflügel~ Mond~ Wasser~.
hoffen (32). hoffen^a Hoffen^b hoffe^c hoff'^{d} hofft^e hoffte^f hofft'^{g} hoffend^h gehofft^j. 36e 125e 1064a 1357d 1533d 2743d 2915c 3524d 3768g 3860d 3886a 4170c 4289d 4544a 4704b 4975j 5011e 5056e 5126d 5138d 5777d 6151f 6256d 6399d 6690a 6848a 7950e 9786a 10292a 10348c 10423a 11649h.
hoffentlich 3515.
Hoffnung (9) 602 1026 1199 1605 2344 2670 2690 5323 5442.
Hoffnungsglück 905 9842.
Hoffnungslicht 8902.
hoffnungsvoll 641. hoffnungsvollsten 4298.
Hofgedränge 6175.
Hofgeschäft pl 5608.
höflich 3158 6470 6771. → un~.
Höflichkeit 1872 3020 3097.
Hofmanieren 6460.
Höhe (23). Höhe^a Höh'^{b} Höhen^c Höhn^d. 916c 1019b 1078d 1479c 1498c 3664b 3930a 3952a 3987b 4379a 7663d 7681b 7912d 8078d 8995a 9227d 9605a 10225a 10311a 10682c 10998c 11138a 12032c. → Berges~ Dichter~ er~n Felsen~

Fichten~ Götter~.
Hoheit 5960 5960.
hohl (15). hohl[a] hohle[b] hohlem[c] hohlen[d] hohler[e]. 664e 918d 2407a 3231a 6423e 6769d 7491c 8535d 8689d 8762b 8876c 10300e 10764d 11334d 11402a.
Hohlaug' 6613.
Höhle (12). Höhle[a] Höhlen[b]. 714a 733a 3232a 3272b 7105t 7965a 8083a 8696b 9537b 9586b 10018b 11849a. → Berges~ Felsen~ Trauer~ aus~n.
Höhlegrüften 8359.
Höhlenräumen 9598.
Höhlung 728.
Hohn 1030 4468 10984. → Pharisäer~.
höhnen höhnenden 887. → ver~.
Hokuspokus 2307 2538.
hold (40). hold[a] hoide[b] holdem[c] holden[d] holder[e] holdes[f] Holde[g] Holden[h]. 128d 209c 347d 693d 708d 768b 775f 904d 1106a 3182f 3431f 3884b TT7b 4531f 5129a 5693b 6351d 6435e 6452d 6471h 6841b 6909b 7020e 7103a 7797d 8049e 8079b 8148g 8389b 8401h 8416b 8458d 8911c 9555b 9833d 9834a 9883b 10064b 10770d 11788d. → jung~este un~.
holdmildesten 8896.
holen 5074 7640 10820 11619. holst 4429. → atem~d er~ herbei~ herunter~ wieder~.
holla! 2083.
Hölle (22). Hölle[x] Höllen[b]. 242 369 717 1299 1397 1413 2299 3361 3970 4302 4456 4467 5005 6210 7529 7977b 10072 10083 11323 11486 11640 11738.
Höllenbrauch 11710.
Höllenbrut 1257.
Höllenfeuer 11755.
[Höllen]-Flamme 7958.
Höllenluchs 1262.
Höllenpein 3770 6043.
Höllenpfuhl 8033.
Höllenqual 7958.
Höllenrachen 11639.
Höllenschwefel 11657.
Höllenstrafen 11949.
höllischen 1050 2805.
holpern geholpert 7705.
Holz (7). Holz[x] Hölzer[b]. 111 2286 5025 5673 7640b 8575 11030. → Eben~ Marter~.
hölzerne 2287.
holzverschränkten 5964.
Homunculus 7828 8469.

Honig 9549.
Honigtau 4264.
honoriert 6089.
horchen (7). horchen[a] horch[b] horchet[c] horcht[d] horchende[e]. 2209d 4666c 4666d 5391b 7158d 9133e 10001a. → ge~ zu~.
Horcher pl 6647.
horchsam 10995.
Hora Horen 4666.
hören (97). hören[a] Hören[b] hör[c] höre[d] hör'[e] hörest[f] höret[g] hörst[h] hört[j] hört'[k] hörten[m] gehört[n]. 17a 75a 88a 429j 487a 522e 526a 765e 937d 1138a 1296a 1492a 1515a 1629d 1667a 1765f 1785a 1842e 1887b 1988j 2042a 2103a 2197m 2247a 2455a 2565j 2575e 2619c 2920j 3067c 3466j 3544n 3679a 3883e 3883c 3884e 3941d 3943c 3952h 4050d 4194n 4257j 4332d TT75d 4422j 4462a 4587j 4674j 4748g 4754k 4797h 4971d 4975k 5298a 5541a 5944e 5949a 5950e 6055j 6247a 6266a 6268a 6268n 6347d 6360a 6545h 6764e 7093j 7257e 7315e 7354a 7930k 8290h 8514j 8703k 8704k 8749d 8750d 8751d 9067h 9100e 9217a 9424j 9583a 9627a 9633n 9679g 9695j 9817e 9868j 9884j 10234h 10235j 10565j 11359m 11468a 11685e → an~ auf~ +er~ Gehör+ +ge~+ miß~ zu~.
Hörer pl 537 6647.
Horizont 10571.
Horn 9243. Horne 11637. Hörner 2285 2498 9067. → Beeren–Füll~ Büffel~
hörnen gehörntes 9535. → goldgehörnten.
Hörnerblasen 9787.
Hörsaal 2749.
Hort 6135. → Liebes~.
Hosen 2218 2222.
hu! 5457 5457.
hübsch (9). hübsch[x] hübsche[b]. 352 3117 4073 5350 5358 6457 6480 7730b 11771.
hucke 10806.
Huf Hufe pl 7316 7471. → Pferde~.
Hüfte 2035. Hüft' 972.
Hügel (11). Hügel[a]sg Hügel[b]pl Hügeln[c] Hügels[d]. 1483b 3231a 4654b 8498a 9532c 10012a 10101b 10162ab 10223a 10353b 11567d. → Rosen~.
Hügelchen sg 4210.
Hügelkette 9512.
Hügelkreis 9203.
Hügelrand 9831.

Hügelraum 10993.
Hügelzüge 10006.
Hühner 4858. → Welsch~.
Huld 1505. → Liebes~.
huldigten 6000.
Huldigung 10389.
huldvoll 8603.
Hülfe (6). Hülfe 1010 1289 5676 5971
11314. Hülf' 7350. → unbehülflich.
hülflos TT16.
hülfreich 10890 11088.
hülfsbereit 11052.
Hülle 6587 7292 9800 12089. → Nebel~
Zauber~.
hüllen gehüllt 6716 9450. → ent~ um~
ver~.
Humor 5784 8134.
Humpen *pl* 4867 5019.
Hund (10). Hund, Hunde^b*sg* Hunde^c*pl*
Hundes^d. 376a 1147a 1163a 1174b
1209a 1252d TT20a 4980a 8774c 8890d.
→ Lumpen~.
Hundebrauch 1165.
hundert (13). hundert^x Hundert^b. 657
3925 4057b 4237 6075b 6321 6849 7280
8299 8338 9468 9532 9537. → drei~
fünf~ Jahr~.
hundertfach 9287.
hundertmal 5326.
hunderttausend 2576 5086 6608 10211.
Hunderttausenden 10154.
Hundsgestalt TT21.
Hunger 5643.
Hungerleider *pl* 8204.
Hungermann 5784.
hungern hungert 2936. → ver~.
Hungersnot 55.
hupfen hupft 4337. → hervor~.
hüpfen (7). hüpfen^a hüpft^b. 5232a 5634b
5719a 5829b 9612b 9698b 9711a. →
an~.
Hur' 3730 4412.
hurtig 965. hurt'ger *k* 6101.
husten 10081.
Hut 1538 2028.
Hut (=Wache) 5742 5911.
hüten. hüte 351 9608. hüt' 5610. hütet
2292 5316. → be~.
Hüttchen *sg* 3353.
Hütte (6). Hütte 2708 11048 11132
11312. Hütten 1071 11121.
Hyäne 11650.

I

i 6994.
ich mein(er) mir mich (2550). (→ §9).
ich (1518). mir (517). mich (513).
mein 668. meiner 1875. → mein (*Adj.*).
Idol 4190 8879 8879 8881.
idyllischem 9587.
ihm *sv* er *und* es.
ihn *sv* er.
ihnen *sv* sie.
ihr (*Dativ fem. sg.*) *sv* sie.
ihr euch (732). (→ §9). ihr (324). Ihr
(112). euch (196). Euch (100). →
euer (*Adj.*).
ihr (*Adj. fem. sg.*) (69). ihr^a ihre^b
ihrem^c ihren^d ihrer^e ihres^f Ihr^g Ihrem^h.
86d 245b 247a 290a 844d 1035b
1086a 1095a 1413b 1894c 2137a
2432a 2621c 2660d 2661e 2666a 2671c
2858e 2916g 2976a 3006h 3034f 3103d
3193a 3223b 3231c 3318a 3328c 3335b
3345d 3346e 3347b 3354a 3360d 3364a
3512d 3530c 3557b 3565c 3748a 3930e
4067c 4120d TT15d 4408a 5086d 5461c
5661d 5661d 6115c 6508e 6844e 6916c
7073b 7197d 7680c 7861a 7935c 8664a
8665e 9069d 9223d 9342d 9343c 9344c
9408d 9967e 10334d 12017b.
ihr (*Adj. pl.*) (49). ihr^a ihre^b ihrem^c
ihren^d ihrer^e ihres^f. 22a 119d 297d
591a 592a 592a 840d 1279b 1773a
1774c 1825b 2024a 2169e 2273b
3429b 3828a 4252d 4818b 4827a
4902a 5095b 5804d 6220e 6706c
7163b 7221a 7311d 7343e 7665c
7810d 8344b 8584c 8769d 10131b
10153b 10432a 10485c 10522d 10538b
10617b 10643e 10645e 10668b 10675f
10713e 11044f 11101a 11542b 11692e.
ihrer (*Gen.*) *sv* sie.
ihresgleichen 7625 9972.
Ikarus 9901 9901.
Ilios (11). Ilios^a Ilios'^b. 8119a 8630b
8700b 8707b 8789a 8868b 8873a 8988a
9014a 9085b 9391b.
Ilse 7680.
Ilsenstein 3968.
im (374) 31 151 157 179 185 290 383
446 501 578 585 643 644 654 689 831
880 905 914 1026 1043 1047 1076
1094 1127 1197 1213 1224 1229 1233
1237 1261 1360 1361 1376 1495 1566

1573 1724 1762 1832 1890 1947 1961
1990 2114 2126 2132 2133 2140 2141
2148 2149 2163 2435 2524 2553 2603
2696 2768 2790 2811 2818 2932 2934
2948 2966 3012 3219 3227 3228 3250
3258 3277 3287 3353 3566 3569 3590
3598 3604 3631 3729 3754 3782 3812
3841 3849 3915 3948 3978 3992 4036
4043 4154 4178 4211 4236 4253 4253
4293 4293 4294 4324 4333 4363 4363
4377 4380 4381 4397 4397 TT5 TT6
TT11 TT12 TT26 TT76 4558 4606
4621 4629 4646 4715 4780 4862 4874
4937 4964 4993 4994 5032 5179 5208
5325 5327 5328 5340 5363 5363 5399
5480 5566 5593 5678 5700 5701 5820
5822 5842 5875 5877 5894 5895 5914
5999 6044 6060 6077 6087 6104 6106
6112 6171 6175 6271 6284 6320 6324
6326 6344 6351 6367 6371 6385 6386
6421 6428 6450 6462 6477 6487 6563
6596 6611 6676 6691 6714 6716 6734
6771 6776 6777 6786 6803 6805 6806
6833 6854 6866 6867 6886 6904 6910
6912 6924 6925 6927 7008 7055 7085
7099 7122 7182 7265 7281 7365 7373
7432 7451 7465 7467 7470 7504 7547
7581 7617 7620 7620 7635 7761 7792
7831 7835 7856 7864 7906
7960 7974 7997 8024 8030
8033 8050 8070 8074 8095
8107 8113 8144 8197 8260 8261 8357
8535 8819 8823 8910 8913 8921 8929
8959 8960 8996 8999 9031 9065 9076
9143 9145 9187 9210 9225 9253 9269
9336 9374 9421 9546 9560 9605 9693
9697 9741 9757 9804 9839 9853 9873
9905 9971 9974 10051 10070 10117
10137 10175 10227 10253 10337 10341
10362 10374 10381 10418 10430 10435
10463 10494 10504 10514 10518 10536
10547 10586 10607 10609 10624 10644
10711 10749 10774 10846 10850 10874
10875 10877 10879 10951 10982 11007
11039 11080 11099 11118 11121 11136
11145 11154 11174 11236 11252 11335
11340 11348 11408 11425 11451 11497
11500 11569 11585 11592 11602 11606
11653 11663 11668 11674 11683 11732
11744 11786 11819 11876 11881 11892
11923 11974 11982 11994 11998 12009
12060.

Imagination 3268.

immer (91) 80 129 129 146 183 289
291 294 296 538 596 635 850 1075
1153 1372 1809 1857 2076 2251 2444
2515 2583 2632 2733 2818 3085 3146
3147 3201 3323 3347 3467 3486 3556
3582 3602 4158 4169 4209 4553 5223
5283 5332 5704 5772 5788 5996 5996
6255 6265 6784 6905 6975 7142 7216
7267 7291 7375 7478 7479 7697 7735
7743 7914 8097 8203 8314 8457 8490
8544 8740 8758 9556 9821 9822 9868
9955 10007 10007 10020 10153 10345
10377 10660 10812 11310 11353 11475
11919 11936.

immerfort (8) 603 4079 4685 4745 5769
6896 7012 8076.

immerhin 5288.

Imse 7898. **Imsen** 7585 7634 7875.

in (685). (→ §8). → dr∼+ +ein+
er∼nern im ins Lug∼sland mitten∼n
wor∼.

Inbegriff 693 2439 6499.

inbrünstig 8877.

indem 1234 6446 10282 10303 10739.

indes (8) 216 2369 3335 TT14 7480 8679
8973 10261.

indessen (8) 1089 1850 2669 3664 4793
5059 6782 6993.

ingrimmend TT10.

Inhalt 4089.

innig → Gewaltsam–Innige.

inkommodiert 3081.

Inkubus 1290 1290.

innen 9026 9504.

inner (27). innere^a innerm^b innern^c
innre^d innrer^e innres^f Inneren^g Innern^h
Innre^j Innres^k Inn–[res]^m innersten^n
Innern^p Innerstes^q. 383p 435d 1031h
1567q 1771c 2595m 3047j 3472e 3493j
4625k 6133e 6824n 6841h 7015f 8428d
9965c 10066h 10392a 10877g 10886b
11312d 11340h 11500h 11569h 11747j
11884k 11892h.

innerlich 1813. innerliches 6804.

innig (7). innig^a innigem^b innigen^c in-
nigst^d innigsten^e. 2597b 2718a 6474e
7133d 9973d 10509d 11963c.

ins (85) 167 206 418 629 699 719 1045
1171 1253 1427 1473 1614 1655 1722
1755 2277 2401 2474 2507 2780 2891
3047 3201 3309 3474 3499 3969 4165
TT56 4538 4540 4755 4783 4824 5141
5206 5299 5301 5591 5693 5751 6006
6109 6204 6220 6222 6251 6475 6535
6660 6751 6837 6899 7013 7346 7439

7722 7917 8007 8316 8612 8654 8833
9203 9571 9718 9860 9877 9924 10030
10084 10090 10092 10205 10331 10472
10486 10730 10759 10942 10956 11345
11403 11529 11643. → Luginsland.
Insekten 4303.
Insel 7533 8298 9824. Inseln 1488 8986.
→ Nicht~.
insgeheim 5705.
Instrument 3700. Instrumente 668. In-
strumenten 407 4050.
interessant 169.
interessiert *pp* 3525.
Intuition 3291.
inwendig 2407.
Ioniens 9633.
Iota *sv* Jota.
irden–schlechte 8220.
irdisch 301. irdische 7839. ird'sche 446.
irdischen 639. → über~ unter~.
irgend (7) 2346 4830 5557 7753 7754
8758 9234.
irgendwo 3154 4889 5440.
irre (6). irre 1983 4343. irren 14 3910
10400. Irren 9253.
irren (15). irren[a] Irren[b] irre[c] irr'[d] irrst[e]
irrt[f] irrte[g] irrend[h] geirrt[j]. 24f 209b
317f 667j 1154d 2197g 3647d 5326g
5517h 7145d 7328c 7847e 7987d 9145f
9460a. → +ver~.
Irrfahrt 8791 9140.
Irrfunkenblick 10760.
Irrlicht 3855 3869. Irrlichter 11741.
irrlichteliere 1917.
Irrtum (6). Irrtum 171 2320 2562 10252.
Irrtums 1065 4786.
isolieren 4033.
Italieners 1795.
italien'schen 4278.

J

ja (83). (→ §17).
(*Modaladverb*) (39) 1765 1955 1962
2075 2077 2080 2628 2855 2931 3017
4075 4159 4194 4331 4357 4578 5707
5728 5916 6160 6976 7226 7271 7460
7972 8223 8724 8880 9030 9130 9389
9728 9815 10244 10323 10673 10859
11276 11862.
(*Zustimmungspartikel*) (44) 528 554
588 708 868 1122 1176 2108 2856
2861 2930 2940 2988 3013 3051 3096
3109 3184 3195 3208 3214 3280 3334

3744 3954 4327 4580 4936 4965 6578
6826 7240 7406 8749 9025 9049 9122
9252 9669 9749 10047 11043 11420
11573. → bejahend.
Jacke 950. Jacken 5220.
Jagd 6169 10900.
jagen jagt 1153. → er~ nach~ ver~.
Jäger *sg* 7217 9771.
Jägerhaus 809.
jähen 9535.
Jahr (50). Jahr[a]*sg* Jahr[b]*pl* Jahre[c]*pl* Jahren[d]
Jahres[e]. 71c 311c 361b 722c 1438e
1776c 1954a 2005b 2032c 2342c 2361b
2372c 2502d 2521c 2627b 2990a 3089d
3997b 4228b 4789c 4872a 4872a 5099a
5185a 5343c 5350d 5654d 6530a 6702d
6746d 6787b 6812d 7242c 7426b 7449b
7683b 8098d 8338d 8431a 8802c 8843c
8988c 8994c 9004c 9707c 10211d
10324d 10618d 10870c 11578a. →
Ange~ten be~t ver~t vierzig~ig
Wander~ zehen~ig.
Jahresläufte 4863.
Jahreszeit 10906.
Jahrhunderten 11337.
Jahrtausende TT52. Jahrtausenden 8117.
Jammer (14). Jammer[x] Jammers[b]. 580
3342 3614 TT16 TT28 TT28 4406 4441
5966b 8700 8924 8925 9902 11128b.
Jammerecken 3760.
jämmerlich 667.
jammern jammert 4620 9615 10291 11340
11756. → be~.
Jammerknechtschaft 4452.
Jammertagen 297.
Jammerwort 8923.
Jason 7374.
jauchzen. jauchzet 939. Jauchzende 1492.
→ auf~ Lustgejauchze.
je (22) 593 851 1677 1692 1694 1725
3011 3748 3749 4935 6250 6494 6760
7859 8106 8226 9126 9129 9637 9938
10019 11301.
jed (151). jed[a] (*nämlich 11434*) jede[b]
jedem[c] jeden[d] jeder[e] jedes[f]. 96e 98e
118d 139f 155e 168e 176f 179e 232e
286f 292d 305b 711e 920e 1002f 1016e
1078f 1092c 1183c 1544c 1551c 1553b
1558e 1733b 1736f 1753f 1893c 1956d
2016e 2093c 2161e 2163e 2194d 2242c
2262d 2283c 2604c 2629b 2686f 2724c
2764d 2819d 2934e 3464f 3641e 3643c
3853c 4010e 4075e 4151d 4200c 4335e
4593c 4739e 4748e 4813e 4848e 4850e

4907c 4945c 5059d 5077e 5111e 5119e
5125e 5285e 5285c 5291e 5338d 5354e
5406b 5419e 5610e 5656e 5700e 5776c
5809e 5844f 5912e 6003f 6011c 6057c
6082e 6089f 6206f 6438e 6531e 6681c
6752e 6965e 7015e 7064e 7094c 7345b
7366e 7502b 7517e 7592f 7611f 7615f
7853c 8006d 8042c 8193d 8558f 8673d
8759b 8760b 8792e 8847e 9033e 9062c
9077c 9125c 9287e 9304e 9474e 9495f
9497e 9515c 9552e 9856e 9862f 9920c
10001c 10025c 10063d 10142e 10223c
10238f 10269e 10275e 10275e 10282d
10327f 10411c 10457e 10548c 10716e
10752b 10844c 10927b 11261c 11434a
11452d 11548e 11555c 11712e 11776c
12088c 12100e.
jedermann 40 8089 10976.
jederzeit 5619.
jedesmal 9185.
jedoch (8) 1036 4861 6320 6738 7101
7689 10867 10968.
jeglich. jegliche 7863. jeglichen 9507. jeg-
licher 587 8751. jegliches 11265.
jeher 6484.
jemals 8908.
jemand 1579 2387 2786 11420.
jen (72). jene[a] jenem[b] jenen[c] jener[d]
jenes[e]. 4b 26b 59d 114d 178e 194a
626b 631b 686a 687e 714d 716b 767c
821c 1009b 1022b 1028d 1335d 1580d
1604d 1669c 3248b 3885d 4028c 4707c
4931c 5362b 5417d 5450a 5632b 5992b
6029c 6253a 6292c 6299d 6583a 6613d
6769a 6799d 6956a 7232d 7292d 7415d
7532d 7646b 7892d 7912c 8840d 8862d
8864a 9050d 9059b 9060e 9205a 9226d
9261c 10006d 10449d 10478e 10480e
10606b 10722d 10729d 10893e 10917b
10939d 11048a 11050a 11054d 11073e
11347e 11759a 11942a.
Jesuiten 4322.
jetzo (7) 1420 4086 5345 5550 7192 8798
8875.
jetzt (59) 69 69 308 442 730 770 1203
1389 1407 1424 2654 2901 2945 2989
3119 3678 4080 4088 4699 4718 4791
4847 4924 5394 5747 6019 6163 6179
6303 6644 6940 7070 7116 7570 7746
7804 7937 8066 8251 8473 9250 9459
9500 10008 10327 10371 10416 10504
10560 10582 10659 10877 10938 10960
11102 11230 11586 11614 11619.
Jota 2000.

Journale 116.
jubeln jubelten 10612.
Jubelnacht 7109.
juchhe! (8) 954 954 962 962 970 970
978 978.
juchheisa! 955 963 971 979.
jucken 6148. juckt 818. weg~.
Jude 4870. Jud' 2842.
judizieren 2254.
Jugend (12) 174 197 198 769 779 4079
5958 5958 6744 6793 9046 10915.
Jugendblüte 9918.
Jugendbraus 4074.
Jugendbrust 8407.
jugenderstes 10059.
Jugendflor 5171 8392.
Jugendfüll' 7370.
Jugendkraft 6453 9567 10506 12091.
jugendlich 7 8698. jugendliche 9448. ju-
gendlicher 7562. jugendlichstem 4714.
Jugendnacht 729.
jugendreinem 6507.
Jugendtrieben 1799.
Jugendwalten 5325.
Jugendzeit 8636.
jung (45). jung[a] junge[b] jungen[c] junger[d]
junges[e] Jungen[f] jüngst[g] jüngsten[h] Jüng-
ste[j]. 432e 872b 1001d 1047b 1547a
2164b 2501b 2636b 2746b 2798e 2907e
3168g 3726a 4046b 4090b 4092h 4122c
4124f 4289a 4432a 4432a 5090b 5350a
5358a 5536a 6024h 6361j 6540a 6604b
6892a 6924a 7283b 7425a 7432a 8776b
8816a 9577b 9814a 10018h 10247a
10869d 10910d 11414d 11531a 11893b.
→ affen~ ver~en.
Junge (7). Junge 6461 8267. Jung' 3571.
Jungen _sg_ 6741. Jungen _pl_ 1506 11763.
Jungens 1837.
Jungfernsohn 8253.
Jungfrau 3018 12009 12102.
Junggesellen _pl_ 4297.
jungholdeste 9154.
Jüngling (11). Jüngling[x] Jünglings[b]. 1060
6450 6477 6562 6585 6777 7388 8300
8409 9871 11065b.
Jünglingsknaben _pl_ 9157.
Junker _sg_ 1535 2217 2504 4023.
Juno 7999. Junonen 10050.
Jupiter 4961. Jupitern 7568.
Juristerei 355.
just (6) 2366 2620 3115 3264 7677 11538.
Juwel 5587. Juwelen 5028.
juwelnem 5544.

K

Kabiren 8074 8178 8216 8218.
Käfer *pl* 5599.
kahl. kahle 6722. kahlen 2154 10720.
Kahn 934 11145 11163.
Kaiser (28). Kaiser^x*sg* Kaisers^b. 2096
4773b 4903b 4938b 4940b 5072 5571
5951 5953 6064b 6095 6183 6318 6382
6468b 10243 10280 10281 10289 10304
10402 10408 10470 10493 10559 10825
10927b 11115. → Gegen〜.
Kaiserland 6060. Kaiserlanden 6129.
kaiserlich 10854 10918.
Kaiserpracht 5969.
Kaiserscharen 10525.
Kaiserschatz 10818.
Kälber 5041. → Elefanten〜.
Kalenderei 4974.
Kalk 6625 11030.
kalt (12). kalt^a kalte^b kalten^c kaltes^d
Kalten^e. 124a 1376e 1381b 3222a
3244a 4493a 4567a 6785d 6815a 9353a
9527c 11885a.
Kamm 5586 10475.
Kämmen (=Zahnrad) 669.
Kammer 3143 3343 3612.
Kämmrer *sg* 6182. → Erz〜.
Kampf 8566 10857. Kampfes 11366.
kämpfen 10221. kämpft 8646. Kämpfen-
den 9849. gekämpft 11403. → be〜
durch〜 tot〜.
Kanal 11130. Kanäle 11146.
kannibalisch 2293.
Kante 1523 9612 9621.
Kanzlei 10973.
Kanzler *sg* 2096 6053 6068 10977 11020.
Kapellchen *sg* 11330.
Kapelle 11139.
Kapitel (=Abschnitt) 2350.
Kapitel (=Versammlung) 10266.
Kappe 5075. Kappen 5219. → verkappt.
karessieren 845.
Karfunkel *sg* 6826.
kargen 9529.
Karneval 5060.
Kartenhaus 6640.
Kartenspiel 125.
Karyatide 7545.
Kaskadensturz 10166.
Kastanien 6254.
Kasse 54. Kassen 4851.
Kästchen *sg* 2731 2783 2875 2893.

Kasten *pl* 11166.
Kastor 8500 8852.
Kasus 1324.
katechisiert *pp* 3523.
Katheder *sg* 6649.
Kathrinchen 3684.
Kätzchen → heimlich−〜haft Panther〜
Schmeichel〜.
Katze 322 6253. Katzen 2164 5036.
Katzengeister 2484.
Kätzlein *sg* 3655.
kauen kaut 1777.
kauern → hin〜.
Kauf 10942.
kaufen 6167. kauft 5164. → marktverkauft'.
Kauf−[mann] 10269.
kaum (37) 531 532 1878 1987 2832 2994
3139 3605 4056 4510 5676 5909 6007
6372 6439 6542 6666 6685 6883 6935
6958 7219 7279 7688 7956 8539 9321
9413 9585 9646 9877 9878 9911 10062
11786 12085 12086.
Kauz 3890. Käuze 3483.
kauzen gekauzt 5642.
Kavalier 2511. Kavaliere 2511.
kebste 9057.
keck 2683. kecker 9011.
Kegelschieben 945.
Kehle 7173. Kehlen 2089 10866.
Kehr → Rück〜.
kehren (10). kehren^a kehre^b kehrt^c ge-
kehret^d. 866c 2113c 2730b 7580a 7961a
8759c 9522d 9988a 10090a 10513c. →
ab〜 be〜 herum〜 hinaus〜 Rückkehr
um〜 ver〜 weg〜 wieder(her)〜
zu〜 zurück〜.
Kehrichtfaß 582.
Keile → Donner〜.
Keime 1375. → auf〜n.
kein (153). kein^a keine^b kein'^{c} keinem^d
keine^e keiner^f keines^g keins^h. 226e
248f 268f 368b 376a 549a 625b 730d
822a 911a 1074a 1091a 1163a 1260f
1281a 1292b 1564b 1641f 1674a 1717e
1725a 1741b 1760a 1769e 1779a 1813b
1885e 1935b 2000a 2068e 2073f 2073f
2078b 2103e 2117d 2222b 2272e 2336a
2490e 2551h 2626b 2630c 2665e 2808a
2810a 2933a 3022d 3061e 3093d 3111b
3194a 3194a 3368e 3455e 3468a 3488e
3510b 3545a 3567b 3695d 3756b 4006c
4055a 4101f 4104a 4105a 4107a 4108a
4126b 4160f 4271b 4271e TT28f 4511a

4541e 4574a 4574a 4576b 4830f 4842a
4856a 4921a 4970f 5117a 5120e 5339e
5387a 5387a 5389f 5490f 5799a 5805f
5939f 6016g 6141a 6214a 6222a 6355a
6375b 6519a 6653a 6653a 6700f 6791a
6879a 6960f 7013f 7014f 7248a 7433b
7434b 7499a 7674f 7724b 7995a 8008a
8297a 8536a 8672b 8672b 8962b 8993b
9129h 9257b 9422b 9479a 9786b 9855b
9855b 9910a 9981e 10133a 10146a
10255a 10543b 10546a 10656b 10695a
10784a 11107e 11186b 11198e 11315b
11357a 11371e 11423a 11424a 11523a
11558d 11587b 11587a 11905b 11961a.

keineswegs 1883 4877 6745 8984.

Kelch 4105 4788.

Keller *sg* 2250 4862. Kellern 5018 6095.

Kellerei 10911.

Kellernest 2126.

Kellertüre 2329.

Kelter 1474.

keltre 5055.

Keltrer *pl* 10027.

kennen (53). kennen[a] kenne[b] kenn'[c]
kennest[d] kennst[e] kennt[f] kanntest[g]
kennte[h] gekannt[j]. 299e 518c 1111a
1197f 1277h 1359c 1389a 1717j 1801a
1870a 2303f 2424f 2425f 2555c 2675b
2720b 2901b 3163g 3227a TT45d 4949f
5035f 5345a 5416c 5532a 5807c 6135f
6152f 6258e 6401e 6452a 6595a 6636f
6643f 6946f 7116a 7328c 7346f 7839a
8117j 8912c 8963e 9908a 10071c
10211c 10244e 10714a 10827f 11101a
11186a 11276e 11432j 11720f. →
+be~+ +er~ ungekannt ver~.

Kenner *sg* 2963.

Kennerblick 8738.

Kennerinnen 9395.

Kerker *sg* 398 2694 TT7. Kerkers 4472
8626.

Kerl (10) 1830 2084 2115 2184 2312
2327 3552 10343 10834 11810.

Kern 1323 11865. Kerne *sg* 10137.

Kessel *sg* 2425 2467. Kessel *pl* 8573. Kesseln 5711.

Kesselchen *sg* 3667.

Kettchen *sg* 2891.

Kette (18). Kette[a] Kett'[b] Ketten[c]. 261a
2794a 2843b 3756a 4422c 4472c 5410a
5713c 6125a 6146b 7656c 8051c 8562a
9194c 10446c 10955a 11520a 12027c.
→ Hügel~.

ketten gekettet 5403. → an~ ver~.

Kettenkreisen 8447.

Kettenschmerz 11887.

Ketzer *pl* 4911.

Keulen 11860.

keusch. keusche 3296 4959. keuschen
3295.

Kiebitz 3890.

kielkröpfigen 6200.

Kies 7506 7540.

Kiesgewässer 7464.

Kind (44). Kind[x] Kinder[b] Kindern[c]. 213b
542c 589 648 766 1598 1889 2609
2655 2698c 2713 2737 2737 2746 2823
2905 2944 2965b 2972b 2985c 3007
3122 3124 3184 3215 3418 3469 3977
4184 4443 4508 4552 5835 6335 6753c
6816c 9547 9555 9585b 9764 9862
9870 10327 11769b. → Geschwister~
Zwitter~.

Kinderspiel 2856. Kinderspiele *pl* 3781.

Kinderwangen 2700.

Kinderzahn 2175.

Kindeslieder 9695.

Kindesruh 4639.

Kindheit 11578.

Kindisch 212 8609.

kindisch–tollen 11840.

kindlich 3352. kindlichem 781 1585. kindliches 6732.

Kinn 5932.

Kirchbuß' 3569.

Kirche (11). Kirche[a] Kirch'[b] Kirchen[c].
927c 2836a 2839b 2884a 3420a 3757a
4908b 10268c 11021a 11032a 11254b.

Kirchenstelle 11037.

Kirchlein *sg* 11158.

Kirschen 5163.

Kissen *sg* 1189.

Kistchen *pl* 10800.

Kiste 5685 5716. Kist' 5652. Kisten 9317
11166. → Eisen~.

kitten → aus~.

kitzelt 4983.

klaffen 11644. klafft 6018.

Klage 13. → Liebes~ Sterbe~n.

klagen 1615 2165 9911. klag' 5390. klagt
3724. → an~ be~ Sterbe~ ver~.

Kläger *pl* 4791.

klammern klammernden 1115. → an~.

klang! 3634. → kling!

Klang (6). Klang 769 946 4241 11253.
Klänge 5229 9679. → An~ Ein~
Nach~ Wider~ Wunder~.

Klappen 4467.

klappern 10026. klappert 4016 6096 10766. → blech~d.

klar (21). klar^a klaren^b klar–[en]^c klarer^d Klare^e Klaren^f klarer^gǩ klarsten^h. 2821a 4323b 4647d 5693a 5693e 6319a 6855g 6903a 7167h 8346a 8456a 9575a 9913c 10042b 10586a 10891a 10999b 11412a 11722b 11732f 11970a. → aller~ste sonnen~.

klären klärt 6872. → auf~ +er~+ los~ +ver~.

Klarheit 170 309 616 8392 11801. → Himmels~.

klassifizieren 1945.

klassisch 6947 7120. klassische 6941.

klatschender 9649.

klauben → aus~.

Klaue (8). Klau'^a Klauen^b. 2498b 4271b 7141b 7603b 9039a 10034b 11625b 11672b. → Wucher~.

Klause 10372.

kleben 1862. klebt 603 1354.

Kleid (12). Kleid^a Kleide^b Kleider^c Kleidern^d. 509a 936c 1536b 1544b 2217c 2225b 5842a 6093d 9727c 9946a 9961a 10325a. → Falten~ Priester~.

kleiden 11795. kleidet 2812. → ent~.

klein (62). klein^a kleine^b kleinen^c kleiner^d kleines^e Kleine^f Kleinen^g Kleiner^h kleinsten^j Kleinste^k Kleinsten^m. 235b 281b 627a 642d 939a 1327a 1347b 1361g 1394e 1627g 2012b 2052b 2059a 2172a 2253b 2727a 3109a 3138g 3163d 3353c 3355c 4036g 4045b 4049a 4055d 4263d 4304c 4416a 4528f 4617d 4644b 4962a 5840b 6109f 6259b 6502a 6900f 6922a 7067h 7623g 7624m 7638k 7773f 7876b 7882g 7882b 7883f 7888g 8067j 8174a 8239b 8261c 8262k 9187c 9456c 9620d 9794f 9852a 10262a 10276k 11379a 11793d.

Kleingeselle 7829.

Kleinigkeiten 10169.

Kleinod 6130 6528. Kleinode 5592.

kleistern → über~.

klemmen klemmt 411 11744. be~ ein~.

Klerus 10616.

klettern 9025. → auf~ nieder~.

Klettrer *pl* 10724.

klimmen 1497. → herunter~.

klimpern ~ Geklimper.

kling! 3634. → klang!

klingen (18). klingen^a klinge^b klingt^c klang^d klingendem^e. 145c 747d 773d

1551c 2405c 2555c 5278c 6217c 6269b 6447c 7068a 7094c 8766e 9368d 9787c 10285c 10776c 11533d. → an~ er~ durch~ fort~ Geklingel nach~ umher~ +ver~.

Klippe. Klipp' 7378. Klippen 3878. → Steinge~.

klirren 4422. → Geklirr.

klopfen klopft 1530. → an~.

klotzartige 11658.

Klub 4035.

Klüfte 3950 5899 9539 10429. Klüften 5015.

klug (34). klug^a kluge^b klugem^c klugen^d kluger^e kluges^f Kluge^g Klugen^h Kluges^j klüger^k klügsten^m. 359a 2347a 2558g 3036a 4031a 4047a 4089c 4161a 4945a 5217h 5312b 5764d 5777a 5900d 6025a 6753a 6809j 7092d 7373a 7517g 7712a 7791k 7959a 8107f 8551d 8964h 9493a 10235g 10236a 10520a 10873b 11091e 11249c 11470m. → aller~sten alt~ lieblich~.

Klugerfahrne 11841.

Klugheit 8811.

Klump Klumpen 5475 5476. → Masken~.

Klytämnestren 8499.

Knabe (20). Knabe^a Knab'^b Knaben^csg Knaben^dpl. 79c 832d 1015c 1844a 3019b 5537a 6514c 6541a 6584c 6902a 6966c 8133a 8395d 8416d 9599a 9625a 9708c 9944c 11898d 11972d. → Jünglings~ Schiffer~.

Knallkraft 7866.

knarren 4669 10026. Knarren 3947. knarrt 3228 11419.

Knattern 5892.

Knecht (17). Knecht^a Knechte^bpl. 134a 299a 1412b 1598a 1648a 1710a 2064a 2379a 6294a 6963b 6963b 8559a 8794a 9194a 11091b 11123b 11503b. → Jammer~schaft Lands~ Schäfer~.

knechtisch–heißer 10091.

kneipt 2807.

kneten. knetet 5785. geknetet 2651.

knicken 2235 2237 2239.

Knie (7). Knie 1020 6916 9403 9403. Kniee 2874 6631 12017.

Knieband 4064.

knieen 9218 11077 11141. knien 4453. knieend 9359. → nieder~.

Kniffe *pl* 8243.

Knirschen 467. → zer~.

Knospe 189 5177. → Rosen~.
knospenentsiegelte 11704.
Knoten *sg* 10689.
Knotenstock 3839.
knüpfen knüpft 4041. → an~.
knurren. knurre 1202. knurrt 1164. →
be~.
Kobold 1276 2111.
Koch Köchen 4856. → Südel~erei.
kochen (6). kochen 2392 3111 4400.
kocht 4058 5256 6096.
Köchin 2130.
Koffer 5726.
Kohl 10139.
Kohle (8). Kohle[a] Kohlen[b]. 5991b 6349a
6352a 6356a 6767b 6825a 7643b 11367b.
→ halbverkohlt.
Kohlenbrenner *sg* 6678. *pl* 5239.
Kohlentrachten 5252.
kohobieren 6853. kohobiert 6325.
Kolben (=Distillierkolben) *sg* 6852.
Kolben (=Knüttel) *sg* 10516.
Kollegen *sg* 6142. Kollegen *pl* 6949.
kollern TT24. → her~.
kolonisieren 11274.
kolossal 11650. kolossale 7545.
Kolossen 5445.
kommandiert 221.
Kommando 4814 10501.
kommen (159). kommen[a] komm[b] komme[c] komm'[d] kommst[e] kommt[f] kam[g]
käm'[h] kämen[j] kamst[k] kämt[m] kommend[n]
gekommen[p]. 90f 114f 116f 294e 529a
829b 836a 1021h 1166c 1521e 1846b
1869c 1876c 2063a 2142g 2168a 2593b
2621g 2729a 2756h 2767g 2831a 3071b
3164g 3201f 3205f 3305e 3307g 3545d
3662f 3737a 3962f 4007c 4023f 4029b
4029b 4066f 4070b 4127b 4235f 4237a
4255f 4316b 4331f 4375a 4385a 4423a
4424c 4473e 4498b 4504f 4506b 4506b
4536b 4539b 4606b 4606b 4756b 4836f
4873a 4875f 4946f 4976f 5034a 5166f
5178k 5209j 5250a 5337a 5345a 5394f
5457d 5591f 5647d 5668f 5801f 5816a
5816a 5867a 5913f 6241a 6287f 6328f
6357f 6390a 6476f 6483f 6565f 6569f
6586f 6598a 6616b 6704p 6723a 6736f
6748h 6880b 6899e 6945a 7124g 7148e
7158a 7295a 7325f 7342f 7396g 7507f
7507f 7548a 7608a 7705f 7847e
7996g 8064p 8145f 8187a 8248p 8333f
8489d 8527d 8527d 8528d 8594f 8694f
8735p 8798f 9047g 9144p 9371f

9427f 9997n 10119f 10186e 10209f
10292b 10323a 10384f 10397f 10407f
10456a 10554f 10664a 10674a 10859a
11040f 11097b 11217a 11282f 11350a
11397f 11397f 11398a 11471a 11686f
11693a 11772m 11778a 12023a 12094b.
→ an~ be~ bei~ daher~ dahin~
davon~ ein~ herab~ heran~ her-
auf~ heraus~ herein~ her~+ her-
über~ hervor~ +kunft mit~ Unter~
+voll~ vor~ wieder~ +will~ Willkomm zurück~.
Kömmling 11059.
komödiant 527 528.
Komplimente 216.
komponieren 6851.
konfus 10724.
König (24). König[x] Könige[b]*sg* Könige[c]*pl*
Königes[d] Königs[e]. 2207 2211 2448
2759 2842 3022b 4233 4829c 5554
7387 7468 7880 7886 7948 8494 8507e
8694 8771d 8796e 8920 8923 9052 9068
10559.
Königin (30). Königin[x] Königinnen[b].
1047 2233 4233 6914 7294 8527 8592
8640 8642 8804 8904 8915b 8924 8947
8954 9047 9075 9141 9174 9191 9258
9273 9463 9477 9516 9966 9970b 9983
12011 12102. → Himmels~.
königlich 5683 8944.
Königreich 3220.
Königsbande *pl* 9456.
Königsgut 11195.
Königshaus 8605. Königshauses 8667.
Königsmahle *sg* 2771.
Königsmantel 1125.
Königspflaumen 5163.
können (213). können[a] kann[b] kannst[c]
könne[d] könnte[e] konnte[f] konnt'[g] könnte[h]
könnt'[j] konnten[k] könnten[m] könntest[n]
könntet[p]. 92b 95e 130e 217b 275b
325c 340b 364a 372h 392j 527j 685b
834m 1008b 1014b 1031n 1056e 1063b
1064b 1067b 1146b 1226b 1248b 1267e
1305c 1331b 1360c 1408b 1548b 1567b
1569b 1660b 1665b 1666b 1671c 1689b
1694c 1696c 1758b 1824b 1840c 1895b
1942b 1967b 1969b 1970b 2016b 2044b
2186b 2270b 2282b 2287b 2362b 2367c
2377b 2401j 2435b 2486c 2499b 2527b
2539b 2589b 2608b 2669e 2672a 2682g
2792j 2806h 2840b 2842b 2893f 2967f
2987g 2994f 2998g 3078b 3081e 3116m
3130f 3170f 3178f 3212b 3244b 3252b

3263b 3280a 3296a 3333b 3414b 3422h
3498j 3502b 3577g 3579g 3645j 3666c
3735b 3766j 3984b 3998b 4002b 4052b
4151b 4167b 4202b 4207b 4295b 4321b
4336b 4357b TT39c TT54b TT75b
4484c 4542j 4543c 4589a 4618b 4664b
4805b 4883h 4970b 5007b 5044c 5080b
5142h 5247j 5341j 5534j 5548h 5589b
5660b 5703a 5749b 5767b 5812b 6044b
6122b 6144b 6167b 6202a 6275j 6341c
6426b 6458j 6503j 6542b 6556b 6639b
6809b 6821b 6862b 6893g 6942h 6965b
6967b 7199n 7212c 7333b 7354b 7368g
7401b 7445b 7718b 7745j 7879c 7900g
7996f 8013b 8098g 8153b 8238c 8410h
8411b 8589g 8642f 8721b 8725j 8993c
9003k 9008g 9044e 9583a 9753b 9953c
9960b 10155b 10218h 10249d 10275f
10280b 10299b 10358b 10365c 10445f
10628b 10703b 10706b 10708j 11029b
11042j 11115b 11386a 11390e 11399g
11404j 11470h 11583b 11622b 11779c
11797p 11908e 11937a.
Kontribution 10828.
Konventikel 4330.
Konzert 1508.
Kopf (33). Kopf^a Kopfe^b Köpfe^c Köpfen^d.
561a 602a 869c 1821a 1947a 2221a 2457a
2574a 2744a 2811a 3044a 3382a 3743a
3784a 4370d T11a 4569b 4570a 5078a
5363b 5601a 5632b 6502a 6505a 7227c
7778a 8084a 8222c 10036a 10514a
11736d 11753a 11759a. → drei⁀igen
Esels⁀+ Kraus⁀ Locken⁀ Schwe-
den⁀ Toten⁀.
Köpfchen *sg* 3368.
Kopfweh 2165.
Korb 2846. Körbe 5108 10026.
Körbchen *sg* 2259.
Korinthus' 9466.
Korn → [Teufels]–⁀.
körnigen 909.
Körper (10). Körper^a*sg* Körper^b*pl* Kör-
pern^c Körpers^d. 1354c 1355c 1355a
1356b 1358c 6909d 8477b 10964a
11612a 11785a. → ver⁀n+.
Körperkraft 7348.
körperlich. körperlichen 7035. körperli-
cher 1091.
kosen kost 9677. → Gekose lieb⁀.
Kost 10675.
Kostbarkeiten 11207.
Kosten *pl* 11026.
kosten 8093. kostet 5773. kostet' 481.

kostend 5161.
köstlich (8). köstlich^a köstliche^b köstli-
cher^c köstlichsten^d köstlichstes^e. 1124d
1847a 4738a 5587e 8943a 9648c 9702a
10228b.
krabbeln 5599. krabbelt 4995 7176.
krachen 3949 5202. kracht 3941. → zer⁀.
krächzen. krächzt 11415 11415. kräch-
zend 8767. → vorbei⁀.
Krächzegruß 7221.
Kraft (64). Kraft^x Kräfte^b Kräften^c. 157
158b 196 378 438b 462b 495c 618 624
625 694b 1233 1279 1335 1568c 1577
1742 1813 1825b 1852 2202 2521 2567
2595 3045 3221 3288 4818b 4960 5866
6252 6498 6778 6841 7014 7367 7519
7674 8184 8493 8778 8789 9449 9475
9799 9801 9916 10184 10219 10278
10365 10366 10378 10452b 10602
10835 10936 11041c 11044 11089b
11567 11632 11724 12026. → Atem⁀
Blend–[⁀] Eichen⁀ Feindes⁀ Gei-
st(es)⁀ Himmels⁀ Jugend⁀ Knall⁀
Körper⁀ Lebens⁀ Natur⁀ Schmei-
chel⁀ Schnell⁀ Seelen⁀ Streit⁀ Ur-
menschen⁀ Vater⁀ Wirkens⁀ Wun-
der⁀ Wurzel⁀.
kraftbegeistet *pp* 10216.
kräftig (21). kräftig^x kräft'gem^b kräfti-
gen^c kräftiges^d kräftigst^e. 2004 2125
2373 4684d 4881 7015 7373 9445e 9645
9651 10027b 10460 10484 10491 10510
10538 10577 10908 11069 11591 11870c.
→ be⁀en+ ur⁀.
Kragen *sg* 2182. → Ritter⁀ Spitzen⁀.
krähen Krähn 7818. → an⁀.
krall krallen 7887.
Kralle → Habichts⁀.
krallen → fest⁀.
Kram → Rätsel⁀.
kramen 385. kramt 10818.
krampft 4994.
krampferstarrten 4630.
Krämer *sg* 6094.
Krämerinnen 5115.
Kranich 1099. Kraniche 8765.
Kranichwolke 7884.
Kranken 7347.
kränken 4445 6808. kränke 9731. →
ungekränkt.
Krankenhaus 1002.
Krankheit 1973.
Kranz (6). Kranz^x Kranze^b. 202 950
4436 4583b 5936 7020. → Ehren⁀

Eichen~ Sternen~ Wolken~.
Kränzel *sg* 3575.
kränzen → be~ schilfumkränzte.
kratzen. kratze 6254. kratz' 2744. kratzt 3976 4850. → zer~.
krauen 5360 7140.
kraus 671. krausen 5822.
kräuseln 2706. kräuselt 555 5979.
Krauskopf 827.
Kreatur 2882 6289. Kreaturen 7004.
Kreis (36). Kreis[a] Kreise[b]*sg* Kreise[c]*pl* Kreisen[d]. 83a 240a 276a 965b 1035c 1162a 1832a 2356b 2530a 4154b 4621b 4914b 4949a 4949b 5340a 5527a 5527c 5757a 5768a 5806a 5810a 5999a 7223d 7339a 7734a 7788c 8340a 8380a 8380a 9443a 9560b 10630d 10823a 11602a 11918b 11974a. → Argonauten~ Dunst~ Erd(en)~ Hügel~ Ketten~ Schatten~ Schnecken~.
kreisen 7480 7726. kreisenden 8427. → um~.
Kreißenden 7534.
Kretas 8860 9630.
Kreterin 8864.
Kreuz (6) 2226 4788 8372 10709 10808 11009.
kreuz (~ und quer). Kreuz 1916 5847. kreuz 10262.
kreuzigen gekreuzigt 593.
Kreuzweg 2112.
kreuzweis 4741.
Kribskrabs 3268.
kriechen krieche TT26. → fort~ heran~.
Krieg (10). Krieg[x] Kriege[b]*sg*. 861 7247 8554 9187b 9837 9840 10235 10236 10678 11187.
Kriegen (=kämpfen) 10415. be~.
kriegen (=bekommen). kriege 3629. krieg' 2196. kriegt 2815 3574.
Krieger *sg* 6937. Krieger *pl* 8495 8541 8703. Kriegers 8778.
kriegerzeugte 8776.
kriegrischen 8700.
Kriegsgedanke 10352.
Kriegsgeschrei 861.
Kriegslist 10301.
Kriegsrat 10316.
Kriegsunrat 10315.
Kristall 880 6910 10435.
kristallisieren 6860. kristallisiertes 6864.
kristallne 720.
Kritik 4344.
kritisch 8255. kritischem 560.

Krittel *sg* 1559.
Krönchen 5586.
Krone (12). Krone[a] Kron'[b] Kronen[c]. 1804a 2449a 2452a 5074a 5627c 5713c 6058c 6161c 7102c 8052b 8562a 10467b. → Blumen~.
krönen 7880. gekrönt 10959 11221.
Krönungtag 10988.
Kropf → kielkröpfig.
Kröte 3275.
Krötenbauch 4259.
Krötenzungen 6325.
Krücke 11536. → Glaubens~.
Krug 985. Krügen 8575 10020. → Wasser~.
krumm 362 5363. krummen 11637. Krumm 4337. → Fettbauch–Krummbein–Schelme.
krümmen. krümm 5473. krümmte 7186. gekrümmt 7537. → weg~.
krummenge 10138.
Krüppel *pl* 3761.
Kruste 7867 10085. → Bücher~.
Küche 1039 2143 2529 10905. → Hexen~.
Kufe 10027.
kugelrundes 8937.
Kühe 5036.
kühl (10). kühl[a] kühle[b] kühlem[c] kühlen[d] Kühlen[e]. 2928d 4418c 4628b 4724b 5975c 7265e 10021d 10056a 10615b 12048a.
kühlen. kühlet 5245. kühlt 6910. gekühlt 1143.
kühn (29). kühn[a] kühne[b] kühnem[c] kühnen[d] kühner[e] Kühnen[f] kühnsten[g]. 640c 889a 899a 1042e 1600d 2067d 3046e 4742b 5616d 5808d 6419a 6436b 6541e 7302a 8847g 8857d 8860a 8867a 8999a 9333a 9660a 9872f 10178a 10184c 10724g 10874b 11091b 11376a 11504a.
kühn–emsige 11568.
Kühnheit 2020 10270.
kühnlich 8112 9489.
Kultur 2495.
Kummer 2853.
kümmern 1660. kümmert 8428 10017. → ver~.
Kummerfahrt 9392.
kümmerlich. kümmerlichen 540. kümmerlicher 5013. kümmerlichste 6114.
kummervolle 8791.
Kumpan 6311 7136.
kund (8) 379 3014 5944 6025 6283 7909

9799 11110.
Kunde 7125.
Kunden (=Gesellen) *sg* 10701.
künden 10190. kündet' 8113. → an~
ver~+.
kundig 9592. Kundigen 5024. → ankündigen verkündigen.
Kundschaft 10383.
Kunft → Wieder~ Zu~ Zwischen~.
künftig (14). künftig[a] künftige[b] künft'-
gem[c] künftigen[d] künft'gen[e] künftiger[f]
künft'ger[g]. 311e 879e 1159c 1668a
1769a 2670g 5539f 6730d 6847a 6868a
6870a 8839a 9626d 11643b.
künftighin 11766.
Kunst (31). Kunst[a] Künste[b] Künsten[c].
524a 551a 558a 692a 731a 1058a 1321c
1433b 1435a 1673b 1787a 2030a 2030b
2151a 2370a 2559a 4930a 5107a 5581b
6190b 6252a 6316a 6317b 6742a 7351a
7845a 7942b 8005a 9667b 10386a
10663b. → Rede~ Weiber~.
kunstgerechte 10165.
Künstler *sg* 105. → Tausend~.
künstlerisch 11523.
künstlich 726 5098 6884. künstlichem
9751.
Kunststück 3679.
kuppeln 5857.
Kuppler *sg* 3338.
kupplerisches 3767.
Kuppler–[wesen] 3030.
Kur 7487.
Kür 11255.
kurieren 2026. kuriert *pp* 3269 4175.
kurtesiert' 3556.
kurz (22). kurz[a] kurze[b] kurzem[c] kur-
zen[d] kurzer[e]. 559a 1343a 1418a 1540a
1787a 1868b 2005b 2617a 2635a 3027e
3297a 4485a 5118c 5637c 5740b 8018b
9051b 10241a 11062d 11366e 11610b
11658b.
kürzen 6890. → ver~.
Kurzsinn 3101.
Kuß (6). Kuß 771 2104 3401 6512.
Küssen 3412 8399.
Küssen (11). küssen[a] Küssen[b] küsse[c]
küss'd[d] küßtest[e] geküßt[f]. 2701f 3081a
3410a 4484a 4486b 4490e 4491c 4492d
9361a 9798d 11771a.
Küsten 10585.
Kustoden *pl* 6134.
Kutsche → Rolle~.
Kypris 8146.

L

laben labt 8420. → er~.
laboriert 6313.
Labyrinth 3841 7079 9145. Labyrinthe
5901.
labyrinthisch 14. labyrinthische 10429. →
ängstlich–~.
Lacerte 7774.
lächeln 11790. Lächeln 3396. lächelnd
3628.
Lächelmund 7236.
lachen (15). lachen[a] Lachen[b] lachst[c]
lacht[d] lachte[e] lachten[f]. 180a 277b 278b
1324a 2073a 2109a 2146e 2536b 3338a
6018c 6868a 7107a 9132d 10492f
11412d. → aus~ Gelächter.
Lacher *pl* 5411.
lächerlich 10740. lächerlichen 5411.
Laden *sg* 4100.
laden (=belasten) 3765. → auf~ +be~
ent~ über~.
laden (=berufen) ladendes 8503. →
ein~.
Ladung 11176.
Laffen *pl* 366 11693.
Lage 7243.
Lager *sg* 1563 4866 10790 11503.
lagern → umher~ um~.
lahm 3710 9351.
Laich → Frosch~.
Lakedämon 8547.
lallen lalltest 3780. → vor~.
Lamien 7235.
Lamm 9547.
Lämpchens 3651.
Lampe 470 679 1195. Lampen 5407.
Lämplein *sg* 5842.
Land (51). Land[a] Lande[b]*sg* Lande[c]*pl*
Landen[d] Länder[e] Ländern[f] Landes[g].
35d 260a 260a 418a 1123e 1368a 1465e
2206a 2316a 2837e 2949g 3631a 4903d
4912a 4932a 5123c 5208b 5464a 6112d
7144b 7464a 7611a 7919a 7959b 7978a
8415a 8540a 9002a 9454b 9479g 9507a
9514a 9514e 9522a 9825a 9833a 9843a
10042a 10085e 10111a 10304c 10427a
10470d 10674d 10739b 10937f 10940a
11039a 11136a 11517a 11569a. → Grie-
chen~ Kaiser~ Lugins~ Vater~+.
landen 11167. gelandet 8489.
Landesherrn *pl* 10944.
Landesplage 5356.

ländlich 9741.
Landschaft 10009.
Landsgefälle 11024.
lang (*Adj.* : → §13) (35). lang[a] lange[b]
langen[c] langer[d] langes[e] lang–[es][f]
Lange[g] Längste[h]. 558a 1250a 1539c
1650b 1787a 2055c 3315a 3567a 3788c
3788c 3879c 3893b 3974a 4004b 5397c
5998b 6370b 6997e 7048g 7776g 8120d
8767d 8802d 8843d 8865b 8977b 8988d
9283f 9574b 11046d 11061d 11520a
11525h 11794d 11798b. → ent∼
er∼t länge∼ ver∼en.
lang (*Adv.* : → §13) (75). lang[a] lange[b]
länger[c] längst[d]. 25d 315a 316b 317a
330b 376c 484a 1008b 1148b 1357b
1514b 1552a 1749b 1844b 2283a 2372a
2384b 2385b 2507a 2554b 2648b 2887a
2959d 3196c 3269a 3299b 3301c 3319a
3319a 3425b 3469a 3552b 4044b 4145b
4162b TT6b 4405d 4571b 5025d 5047b
5290c 5322b 5360a 6079d 6178d 6230d
6270d 6278d 6591d 6762d 6821c 6861b
6980a 7241d 7532d 7800c 8148b 8282b
8312d 8529a 8606a 8795c 8805d 9723c
9936c 9953b 10118d 10315d 10427d
10529a 10766b 10792b 11274d 11286d
11633b. → monate∼ so∼.
langbeinigen 288.
Länge 142 931 3252. Läng' 8328.
längelang 11525.
langen → an∼ er∼ ge∼ unzulänglich
ver∼.
langersehnter 8655.
Langeweile 113 9584. Langeweil' 11202.
langeweilt 6958 9585.
langgedehnten 8971.
langgestreckten 9976.
längliches 11528.
langsam 3129 4185 10043 10397.
langsam–ernstem 9190.
Lang–Schön–Weißhalsigen 9106.
längstentbehrtes 10059.
Lanze 9286 Lanzen 10595 11859.
Lanzknecht 6047.
Lappen *sg* 6985. Lappen *pl* 5220.
Lärm 1322.
lärmen lärmten 11123.
lärmigen 10149.
lassen (196). lassen[a] Lassen[b] laße[c] lasse[d]
lass'e lässest[f] laßt[g] läßt[h] ließ[j] ließe[k]
ließ'm ließen[n] ließet[p] lassend.[q]. 38h
86g 89g 108h 150h 166g 215g 229a
673h 856g 868e 878j 892a 1068c 1215h

1239c 1240c 1268g 1414k 1479a 1637h
1750c 1785h 1788p 1790g 1797g 1828c
1838c 1853c 1903a 1997h 1999h 2000h
2008h 2013a 2160h 2174g 2304c 2320c
2396c 2542c 2566a 2593c 2599c 2634e
2646g 2685c 2800h 2831j 2833j 2868h
2884a 2890h 2915h 2916h 2931c 3059c
3179g 3184c 3188c 3189c 3257e 3262a
3285a 3312m 3346c 3418c 3419m
3506m 3686c 3686c 3733c 3771c 4025c
4042c 4063h 4097g 4123h 4176f 4189c
4343d TT16f 4430c 4439c 4443c 4453c
4518c 4576c 4606d 4827h 5033e 5049c
5108g 5168h 5236a 5289g 5339e 5525g
5541h 5581c 5782h 5798c 5915a 6085a
6437h 6515c 6524g 6636a 6690h
6816e 6848h 6859j 6860a 6906h 6956g
6964c 7052c 7067c 7209c 7210j 7211c
7271g 7341a 7351j 7379h 7414h 7581a
7584g 7601g 7752c 7767g 7857g 7880e
8023c 8166g 8239c 8303c 8303c 8406c
8413h 8962c 9218c 9218c 9219c 9219c
9270c 9339c 9342c 9359c 9361c 9508c
9528h 9575n 9656q 9682g 9691c 9711g
9712g 9725g 9726g 9727g 9905c
10013h 10114a 10117h 10170m 10280g
10313c 10343c 10621c 10735a 10799c
10901c 10913c 11060c 11075g 11077g
11077g 11081c 11112h 11139g 11141g
11214h 11282h 11435j 11436j 11448h
11482b 11504g 11627a 11711g 11765d
11769g 11998d 12039j 12046j. → Anlaß ein∼ ent∼ er∼ fort∼ frei∼ ge∼
herab∼ hindurch∼ hinein∼ hinter∼
hinunter∼ los∼ nach∼ nieder∼ Raumgelasse über∼ +ver∼+ zurück(e)∼.
Last (7) 339 684 1570 9333 9545 10808
11331. → Felsen∼.
lasten 11845. lastet 11234. lastend 11867.
lastende 1472. → be∼.
Laster 5653. → verlästern.
lästig 11477. → allzu∼ über∼.
Lästrung 3765.
Laterne 5518.
Latwergen 1050.
lau 4634. laue 9547. lauen 1043. lauem
8675.
Laub (9). Laub[a] Laube[b]*sg*. 2318b 4253a
4293a 4363a 4397a 4677a 5112a 7293a
10025b. → um∼t.
Laube (8). Laube[a] Lauben[b]. 1466a 1470a
1470a 5175b 7258b 9572a 9586b
10018b. → Laub 5112: Laub–[en]?
lauern TT69 9460. lauert 4539 11659.

→ +auf∼.

Lauf (19). Lauf^x Laufes^b. 14 202b 422
1080 1246 1556 3204 3862 4301 5817
6087 6391 6435 6738 6796 7419 9223
10400 11165. → ge∼ig Lebens∼
Sphären∼ Tags∼ weit∼ig.

laufen (6). laufen^a läuft^b. 2757b 3112a
4094b 4374a 6356a 10740a. → da-
von∼ einher∼ herbei∼ hinauf∼ hin-
aus∼ Hin–[∼] nach∼ über∼ vorbei∼
Wider∼.

Läufte → Jahres∼ Schreckens∼.

Laune 82.

launet 4959.

Laus Läuse 1517.

Läuschen 6602.

lauschen (8). lauschen^a lauschet^b lauscht^c
lauschend^d gelauscht^e. 175c 4421c
7023d 7492c 8891d 9632e 10001a
10921b.

Laut 1204. Laute sg 6877 10001. Laute
pl 11155. → Silber∼.

laut (6) 987 3623 6234 7572 8044 11356.
→ schellen∼.

lauten Lauten 7260.

läuten 11141. Läuten 11151. läutet 11258.
→ her∼.

lauter (=nichts als) 4296 7740 10802.

lauter (=klar). lautres 4955.

laut–heiser 8766.

Lebechören 12081.

lebelosem 9341. → leblos.

leben (139). leben^a Leben^b Lebens^c leb^d
lebe^e leb'^{f} lebet^g lebst^h lebt^j lebte^k
lebt'^{m} lebten^n lebend^p Lebende^q ge-
lebt^r. 14c 24j 38j 38a 168j 283a 315j
346j 376a 448j 456c 481b 507b 559b
633c 638b 654j 706b 770b 787p 896b
1073b 1107b 1121b 1200c 1201c 1467b
1502b 1543b 1552b 1571b 1636b 1643b
1714c 1819c 1836b 1860b 2039c 2062a
2120a 2127k 2160a 2244e 2244e 2358d
2364b 2527a 2690h 2713b 2808b 2924c
2958b 2987b 3008j 3008j 3041b 3209j
3210j 3251b 3267b 3370e 3473b 3484a
TT33b 4430a 4604a 4679c 4687b 4709c
4727b 4837a 5299b 5392a 5435b 5701b
5707e 5837n 6013c 6037b 6078j 6145e
6156h 6237a 6430c 6430b 6435c 6493c
6676m 6694b 6710b 6776b 6776j 6779b
6779b 6840b 6861j 6997b 6999d 6999d
7036b 7054b 7439b 7445e 7515b 7572b
7610c 7878r 8007b 8060c 8231d 8315b
8328h 8358p 8443b 8444b 8973a 9210b

9219a 9341b 9877b 9941c 9993c 10271a
10292q 10954f 10954a 11014b 11065b
11260b 11268b 11439b 11479b 11497b
11531m 11575b 11819b 11892g 11988b
12086b. → be∼ durch∼ er∼ Erde∼
Flacker∼ Geister∼ Götter∼ Men-
schen∼ Moder∼ über∼ ver∼.

lebendig (23). lebendig^a lebendige^b le-
bend'ge^c lebendigen^d lebendiges^e Le-
bendige^f Lebendigem^g Lebendigen^h Le-
bendiges^j Lebendigs^k. 345a 414d 509e
997a 1936k 2328a 2410a 3225b 3649a
4679a 4988c 5335a 5445d 6692f 6778a
6825b 7037g 7087a 7856j 7861e 8580d
9989b 10024a. → über∼.

Lebensart 2056 4287.

Lebenselemente 6990.

Lebensfaden sg 5308.

Lebensfeuchte 8461.

Lebensflamme 6909.

Lebensfluten 501.

Lebensfratzen 1561.

Lebensglück 432.

Lebensglut 2776.

Lebenskraft 3278.

Lebenslauf 1622 2072.

lebenslustig 7402 9996.

Lebensnymphen 9538.

Lebenspein 2689.

Lebensregung 413.

Lebensreihe 8846.

Lebensstrom 10341.

Lebenstage pl 8977.

Lebenstiefen 497.

Leber 11753.

Lebestrahlen 8304.

Lebewohl 9942.

lebhaft 10562.

leblos 4190. → lebelos.

lecken leckend 5963. → ab∼ be∼ Tei-
lerlecker.

lechzen lechzt 6681. → ver∼.

Leda'n 10050.

Leder 1729.

lederner 7179.

ledig → er∼en.

leer (16). leer^a leere^b leeren^c leerer^d
leeres^e Leere^f Leeres^g. 1441e 2932a
4851a 5806c 6232f 6232g 6246d 6251f
9121c 9355a 9357b 9439c 10355b
10560b 10851b 11589c. → Ewig–∼.

leeren. leert 10038. leert' 2764. → aus∼.

legen (12). legen^a lege^b leget^c legt^d
gelegt^e. 1164d 1315b 1692a 1722e

3141a 4941d 5300c 5301c 7313c 7603a
9464d 10728d. → ab∼ an∼ bei∼
+er∼ hin∼ nieder∼ über∼ ver∼+
vor∼ zurechte∼ zu∼.

Legenden 10073.

Legion 7028.

Lehn 10306 10947.

lehnen. lehnt 6465 10018. gelehnet 9402.

Lehnsherr 10471.

Lehre 1971 6521 10393. Lehren 10089.

lehren (26). lehrenᵃ Lehrenᵇ lehr'ᶜ lehretᵈ
lehrsteᵉ lehrtᶠ lehrtenᵍ gelehrtʰ gelehr-
tenʲ gelehrterᵏ Gelehrteᵐ. 372a 527a
597h 630d 1010f 1325j 1898h 1909f
1918d 2074a 2376h 2563f 2596c 2652f
3226e 4917j 5346h 5551g 6232a 6590m
6638k 6644j 6677k 6755b 10870a
12083a. → be∼ hochgelahrt Rechtsgelehrsamkeit.

Lehrer *sg* 6750.

Leib (27). Leibᵃ Leibeᵇ Leibsᶜ. 1904a
2132b 2133b 2140b 2141b 2148b 2149b
2342b 2438b 2603b 2757a 3277a 3328a
3334a 3419a 3754a 3766a 3849b 4105a
4198a 4790a 5646b 5661a 5869a 6280b
6894a 7715c. → einver∼t.

Leibchen *sg* 4286 5181.

leibhaftig 2602 2750.

leiblich 879 8813.

Leibwache 5871.

Leiche 1003 8822. Leichen 3752 8822.

Leichnam 321. Leichnams 11627. →
Riesen∼.

leicht (52). leichtᵃ leichteᵇ leichtenᶜ
leichterᵈ leichtesᵉ Leichteᶠ leichterᵍᵏ.
101a 101a 666c 702c 1090a 1102a
1652a 2011a 2056b 2071a 2160a 2176a
2711c 2993a 3861e 4199a 4393c 4928a
4928f 5221a 5828a 6104a 6152a 6197a
6449c 6569a 7112a 7251b 7414a 8022a
8124c 8284a 8379a 8954a 8978a 9378a
9432b 9512d 9745g 9759a 9781a 9803a
9808b 9860a 10057a 10061c 10234a
10755a 10884a 10964a 12014b 12022a.
→ allzu∼ er∼ern viel∼.

leichtfüßig 6516. leichtfüßige 9768.

leichtsinnig 6188.

Leid (9). Leidᵃ Leideᵇ Leidenᶜ Leidsᵈ.
21a 632c 792b 1664c 2923a 2923a
5947a 8060a 8870d.

leid 2853 2937 3161 9957.

leiden (13). leidenᵃ Leidenᵇ leideᶜ leid'ᵈ
leidetᵉ littᶠ littenᵍ. 1242a 2272a 4166d
4201b 4576c 4810a 5937b 5951e 6336f

7976g 8419a 11748a 11794a. → Hungerleider ver∼.

Leidenschaft 87 6499 10013. Leidenschaf-
ten 150 1751.

leidenschaftlich 10204.

leider (12) 356 1939 1979 2883 3734
4702 7741 8745 9917 9939 10984
11614.

leidig (10). leidigᵃ leidigeᵇ leidigemᶜ
leidigenᵈ. 2093a 5663c 6320d 7007d
9142b 10634b 10667d 11034b 11234a
11631b.

leidlich 2731 3466. leidlichem 1877. →
un∼.

Leier 4342 7376 9620.

leiern 856. → Geleier.

Leierton 6203.

leihen. leihe 2431. leih' 8391. lieh 2787.
liehen 9185. geliehn 10995. → ver∼.

leimen 2452. → zusammen∼.

Leimenwand 5011.

Leipzig 2171.

leise (15). leiseˣ leis'ᵇ leisemᶜ. 1158 2684
3657b 4638 4660 5708b 5980 6348
7250 7512 8370 9993 10433c 11059
11059. → flüchtig—∼.

leisten (6). leistenᵃ leisteᵇ leistᶜ ge-
leistetᵈ. 4664a 5622b 6300d 8789d
10217d 10501c.

leiten 533. leitest 5614. → +Geleit
ein∼ +ge∼ ver∼.

Leiter 9035. → Feuer∼.

Leitung 8802.

Lemuren 11512.

Lenden 6108.

lenken. lenk' 5338 5614. lenkt 5400.
lenkend 8545. → ab∼ gelenk zu-
rück∼.

Lenz 11976.

Lerche 1095.

lernäischen 7227.

lernen (13). lernenᵃ Lernenᵇ lerneᶜ lerntᵈ
gelernte. 1111c 1216a 1389a 1879a
1944d 2016d 2016a 2023d 2516c 4244a
6232a 6754b 12082e. → an∼ ver∼.

lesen (12). lesenˣ Lesenᵇ les'ᶜ lastᵈ ge-
leseneᵉ. 46e 116b 523d 661 1031 1305
1332 2682 3012 4089 6537c 11600.
→ +er∼.

Lethes 4629 6721.

letheschenkenden 8896.

Letten 7540.

letzen 1443. letzt TT48. → +ver∼.

letzt (29). letzteᵃ letztemᵇ letztenᶜ letz-

ter^d Letzte^e letztesten^f. 735a 782c
934a 1697a 2147c 2776a 2962c
4170c 4215a 4580a 4865c 5317c 7198f
9048a 9049a 9284c 9513b 10290c
10334c 10505c 10602a 10689c 11140c
11143c 11562e 11574d 11589c 11623c
11642c. → aller~ zu~.
letztemal 2192. letztenmal 387 4093 7781.
letztgedehnte 7814.
Leu 1042. Leuen *sg* 8371. → Löwen.
Leucht–Ameisen 5845.
Leuchte 7067 8462.
leuchten (26). leuchten^a Leuchten^b
leucht^c leuchte^d leuchtet^e leuchtend^f.
1287c 3853e 3921e 4018e 4027e 5045f
5454f 5517a 5637e 6261e 6323f 6649e
6848e 7031f 7035e 7513e 8231d 8237e
8245f 8454e 9519f 9623e 10748f 10761b
11500e 11741d. → be~ entgegen~
er~ feuerumleuchtet hinan~ hinauf~
vor~ weithin~d wetter~.
Leuchter 4788.
leugnen 5918. leugnet 11261. → ver~.
Leute (17). Leute^a Leuten^b. 57a 2121a
2172a 2500b 2890b 3545a 4298a 4315b
4448b 6083b 6513b 6619a 7748b 9002a
10126a 11055a 11316a. → Bürgers~
Liebes~.
Licht (35). Licht^x Lichte^b*sg* Lichter^e
Lichtes^d Lichts^e. 393b 469 928 1086
1319 1350 1351 2613 3716 3749 3823
3910c 4633 4644c 4671 4697e 5038
5178 5322 5407c 6367c 6772 6804
6828 7826 7966 8235d 8342 8391 8398
8657 8693 9481 9521 11500. → Him-
mels~ Hoffnungs~ Irr~+ Mond~
Tages~.
licht (6). licht^a lichte^b lichten^c lichter^d.
439a 672c 7924b 10055d 10416c
11324b.
lichtgrüne 6009.
lichterloh 2076.
lieb (56). lieb^a liebe^b lieben^c lieber^d
liebse^e Lieben^f Lieb's^g lieber^hₖ liebste^j
liebsten^k liebstes^m Liebsteⁿ Liebsten^p
Liebstes^q. 10b 90k 393c 400b 766m
879p 2090b 2106j 2111p 2221a 2389k
2411d 2629b 2707b 2741b 2839c 2865c
2919b 2936h 2936i 2948a 2983g 3122b
3124a 3211d 3306a 3419f 3469e 3476b
3529b 3533k 3586a 3671b 3694a 4037h
4090b 4230h 4512b 4728f 4761f 4808h
4934q 5423c 5590b 5629d 6342f 6897h
7455j 8393b 8960h 9062h 9583k 10532j

11059d 11758p 11794k.
Liebchen (23). Liebchen^a*sg* Liebchen^b*pl*
Liebchens^c. 2102a 2103a 2104a 2700a
2853c 2864a 3179a 3303a 3343c 3426a
3516a 3683c 4200a 4498a 4579a 4579a
5197a 6146a 6387a 6388c 6609b 8424a
8961c. → Teufels~.
Liebe (39). Liebe^x Lieb'^b. 12b 65b 196
347 802 1185 2132b 2133b 2140b 2141b
2148b 2149b 2431 2805 2968b 3056
3314 3454 3696b 4578b 4711b 4844b
6122b 6500b 7437 7727 8413 8468
9601 9699 9941 10061 11728 11751
11865 11872 11938 11964 12037. →
Himmels~ Männer~ Menschen~ See-
len~.
Liebeband 11855.
liebeln. Liebeln 9420. → fort~.
lieben (52). lieben^a Lieben^b Liebens^c
liebe^d lieb'^e liebst^f liebt^g liebte^h liebt'^j
liebend^k liebende^m liebendenⁿ lieben-
der^p Liebende^q Liebender^r geliebtes^s
Geliebte^t Geliebten^u Geliebtes^v. 153u
320e 341g 758q 1223s 1469q 1504p
1668g 2213j 2870a 2921a 2995h 3125j
3181g 3181g 3183g 3183g 3184g 3185g
3186g 3206e 3490a 3497h 3886a 4058g
4196m 4245a 4391a 4421t 4451r 4469n
4495b 4775a 5044t 5383f 5698e 6142d
6412e 7193t 7488e 8454v 8878k 9297h
10327g 11531j 11603h 11688a 11751q
11802m 11902r 11924c 12073t. →
be~+ Schönheit~den ver~ vielge-
liebt.
liebend–heiliger 11943.
liebenswerte 9184.
liebenswürdig 2944 4107 7441.
liebentzündet 8341.
Liebesabenteuer 160.
Liebesbande *sg* 6567.
Liebesboten *pl* 11882.
Liebesbrieflein 6105.
Liebesbrünstige 8846.
Liebeschätzchen *sg* 5359.
Liebeselement 11784.
Liebesfibeln 9419.
Liebesfreuden 8869.
Liebesglut 9921.
Liebesgunst 6102.
Liebeshort 11853.
Liebeshuld 1604.
Liebesklage 3884.
Liebespaare *sg* 9587.
Liebeslust 1114 2662 12003.

Liebesleuten 6334.
Liebespuk 11814.
Liebesqual 11950.
Liebestraum 2723.
Liebeswut 3307.
liebevoll 3105 11876. liebevollsten 10014.
liebewonniglich 3289.
liebkosen 9371.
lieblich (24). lieblich^a liebliche^b lieblicher^c liebliches^d lieblichste^e lieblichsten^f Lieblichsten^g. 688a 4177a 4958a 5129a 5180a 5302a 6021g 6388a 6871c 6920e 7753a 7754a 8296a 8367d 8369e 8378e 8467a 9093b 9642b 9756a 9764d 10051a 10920f 11768a. → all~ste.
lieblich–klug 7424.
Lieblingsbildung TT25.
Lieblingsspeisen 10901.
Liebschaft 11838.
Lied (22). Lied^a Lieder^b. 23a 28a 186b 779a 1095a 1625b 2092a 2092a 2093a 2124a 2203a 2591a 3680a 3883b 4448b 5265b 7393b 7497a 7497b 8173b 9914a 9935b. → Himmels~ Kindes~.
Liedchen *sg* 290.
liederlich → Hans Liederlich.
liegen (62). liegen^a lieg^b liege^c liegt^d lag^e läg^f läg'^g. 291g 441a 1213a 1294d 1480a 1833d 1986d 2077d 2144e 2271d 2331d 2476d 2477d 2713e 2728g 2925d 3128e 3283a 3443d 3718d 3720d 4381c TT67d 4436d 4451d 4465a 4529a 4595d 4686d 4777d 4826d 4868d 4937d 4992d 4992d 4993d 5008d 5023d 5289a 5289c 5969d 5991e 6059d 6113d 6566b 6576d 6876d 6955d 8790e 8940c 9210f 9609d 9617a 10114d 10114a 10513d 10785d 10809d 11039d 11355e 11592d 11612d. → da~ gelegen+ verlegen+.
Lilie 1043.
Lilith 4119.
Linde (6). Linde 952 977. Linden 11043 11240 11253 11309.
Lindenraum 11157.
Lindenwuchs 11342.
lindern 3239. lindernden 5982. gelindert 696. → gelind.
Lindrung 7347.
linke 10645. linken 10543. Linke 10504 10537. Linken 10369.
links (6) 966 4557 5928 7466 10021 11105.
Lippe (11). Lippe^a Lippen^b. 68a 1864b 2263b 2613a 3335b 4493b 6353b 6455b

8885b 8993a 12048a. → Engels~.
lispeln 1141. lispelt 4638. lisple 5708. lispelnd 28. → zu~.
List 2658 9087 10891. Listen 8123. → Arg~ Kriegs~.
listig 6506 9488 9654 10386.
Litanei 11469.
Lob 3624 7009. Lobe 5205.
loben (18). loben^a lob^b lobe^c lob'^d lobst^e lobt^f lobt'^g gelobt^h. 1055f 2108b 2171d 2252a 2801f 4073g 4081c 5234a 7101h 7380a 7900a 7942a 8404e 9491d 10357a 10742a 10866a 11172f. → be~.
lobenswürdig 5097. Lobenswürdige 8786.
Lober *pl* 3637.
Lobesan 2633.
Lobeswort 7354.
löblichen 8321.
Loch 2147 4138 4143 10814. → Mauer~ Rauch~ Schlüssel~.
Locke (8). Locke^a Locken^x. 1807 5092 5149 5543 8697a 9580 9726 12043. → goldgelockt.
locken (12). locken^a locke^b lockst^e lockt^d lockend^e lockender^f gelockt^g. 701d 1634a 3698c 4241d 4242d 7692e 8390f 8769d 9376d 9570g 9993a 11554b. → ab~ an~ her~ ver~.
Lockenkopf 5824 6731.
Lockhaar 9159.
lockig 7084 9757. → gold~.
Lock–[werk] 1588.
lodern 3858. lodert 8467 11312 11368 11379.
Lohe 1317. → lichterloh.
lohen Loh'n 8714.
Lohn (13). Lohn^x Lohns^b. 890 900 2847 2976 4820 4908 5596 6132 6206 6996 8799b 11198 12078.
lohnen 4869 5626. lohnt 8209. lohnendem 9498. → +be~.
Lokal 7678.
Lorbeer 5620 7021. Lorbeern 1574.
Los 7762 9471 9896 9912. → Menschen~.
los (8). los^x lose^b 2509 3795 5196 5689 6043 9326b 9962 11973.
losbinden. losgebunden 1542. losgebundne 6277.
losbrechen bräche los 7529.
löschen 5938. löschend 5981. → er~ ver~.
losdringen drang los 10419.
lösen 4040 TT54. löse 4754. löst 9735. löste 3812. → ab~ auf~ er~ los~

schwergelöst.
losfalten faltet los 9898.
losgehen gehe los 6292.
losklären klärt los 4692.
loslassen. laß los 1424 2320 9800 9946.
laßt los 6366.
loslösen löset los 11985.
losmachen. machst los 4502. losgemacht
1266.
losreißen 7657. reißen los 5042. reißet
los 799. rissest los 610.
lossprechen sprachst los 3772.
Lösung 9579 11074.
Losungswort 9837.
loswerden wird los 11491.
Lotto 2401.
Löwen *sg* 1793. Löwen *pl* 9039 11850.
→ Leu.
Löwenfelle *sg* 7129.
Löwenschweif 10636.
Löwentaler *pl* 3669.
Luchs 9231. → Höllen~.
Lücke 11572.
Luder *pl* 7719.
ludern geludert 4280.
Luft (41). Luft^a Lüfte^b Lüften^c. 1118a
1143a 1374a 2066b 2724a 2864a 3227a
3572a 3820a 3823a 3936a 3951b 4266b
4397a TT62a 4634b 4720b 4723a 5322a
5887a 5974a 6772a 7051b 7073a 8114b
8265a 8362c 8484c 8691b 9440b 9713c
9808b 10076a 10092a 10361a 10615a
10765c 11410a 11671a 11823a 11871b.
→ Feuer~ Freiheits~ Mittel~ Tages~
Zug~.
Lüftchen *sg* 8298. *pl* 10568.
lüften. lüftet 11526. lüftend 10023.
Lufterscheinung 8348.
luftig (8). luftige^a luftigem^b luftigen^c
luft'gen^d. 1506d 4621d 5501a 6028d
6445d 7240c 9605d 9995b.
Lüftlein *sg* 7262. *pl* 5883.
Lug 2333 5667 11655.
Lüge 9642. → Wasser~.
lügen (7). lügen^a lügst^b lügt^c logen^d.
1141a 2961c 2961a 5004b 5005b 6708d
6771c. → be~ ein~ vor~.
Lügenfahnen 10405.
Lügenfürsten *sg* 10995.
Lügengeist 1854.
Lügenschäume 5000.
Lügenspiel 3066.
Luginsland 11344.
Lügner *sg* 1334 3050. *pl* 3645.

Lümmel *sg* 3711.
Lumpe *pl* 10329.
Lumpen *sg* 4009.
lumpen 11214.
Lumpenhund 5471.
Lumpenpack 4339.
Luna (10). Luna^x Lunas^b. 4959 4965
6509 7513 7905 7934 8043 8079 8288b
8391.
Lunge 3068. Lungen 1133.
lupft 4335.
Lust (38) 193 305 334 646 667 1558
1581 1629 1891 2202 2296 3157 3239
3844 4209 4683 5167 5265 5313 5558
5937 6122 6138 6151 6174 6341 7425
7502 8119 8238 8244 8405 8938 9796
10161 10616 10954 11587. → +Ge≈+
Götter~ Gottes~ Liebes~ Schwimm~
Tränen~ Werde~.
lüstern 6024 11634 11796. lüsterne 7763.
→ allzu~.
Lüsternheit 2740.
lustfeine 7235.
Lustgejauchze 9601.
lustgenießend 6078.
lustig (14). lustig^a lustige^b lustigem^c
lustigen^d lustiger^ek. 932d 2159b 3856a
4211a 4368d 5060e 5174d 5497d 5820d
6145a 7610c 7686a 10161d 11533a. →
be~t lebens~ mann~ über~.
Lustrevier 6950.
Luther 2129.
lutieren → ver~.
Luzifers 11770.
Lynceus 7377.

M

mäandrisch 10007.
machen (84). machen^a mach^b mache^c
mach'^{d} machst^e macht^f machte^g macht'^{h}
machten^j machend^k gemacht^m. 22f 47a
77g 122f 182a 212f 275a 546f 732f
1291c 1324f 1326a 1352f 1355f 1396f
1647d 1781m 1818a 1850c 1949a 2029a
2074a 2110a 2155f 2266a 2373f 2377a
2395c 2538a 2541b 2543b 2548b 2857b
3036a 3341a 3532k 3682e 3728e 3745f
3873b 3970h 3983f 3985f 4031m 4045f
4072f TT38e TT62a 4459f 5040f 5444m
5469f 5504g 5520m 5861f 6149d 6191m
6196e 6308f 6350f 6444a 6515a 6546e

6835m 6870a 7004j 7147f 7233f 7404f
8087f 8157f 8191f 8224f 8748f 9264e
9680f 9990f 10259f 10289m 10564f
10831b 10952e 11026f 11193f. → ab~
auf~ durch~ fort~ + Gemach +
vor~.

Macht (15). Macht^x Mächte^b. 196 TT76
4427 4442 4880 5073 5764 6433b 7909
8658b 10520 10650b 10952 11438
11493. → Haupt~ Schleuder~.

mächtig (22). mächtig^a mächtige^b mächtigen^c mächtiger^d mächtiges^e Mächtiger^f mächtiger^g$_k$ mächtigstem^h. 483a
488a 762a 1610d 1617f 3946e 4935d
5505a 5800a 5800g 7459a 8467a 9505h
9542a 10226a 10363b 10725a 10732b
10861c 11439a 11914a 12077c. →
+ all~ be~en drohend-~ ohn~
über~.

Madam 2937.

Mädchen (25). Mädchen^asg Mädchen^bpl
Mädchens^e. 201b 815b 839a 886b 897b
958a 1576c 1682a 2686a 2702a 3339a
3688a 3689a 4176a 5178a 5548a 5550b
6913b 6938a 7102b 7310b 8841b 8948b
9574b 9962b. → bübisch-~haft.

Mädels pl 3525.

Magd (8). Magd^a Mägde^b Mägden^c. 831a
835c 2379a 3111a 5282a 8550b 8672a
9968b.

Mägdelein sg 3535. Mägdlein sg 3578.
Mägdlein pl 3623.

Magen sg 2836.

mager 5831. magre 5783,

Magerkeit 8820.

Magie 377 5986 6316 6393 11404.

Magier sg 6436.

magisch 1158 6416. magischem 6301
7921. magischer 5518.

Magister sg 360 2633. pl 367.

Magnet 687.

Magnus 7022.

mähen gemähtem 8948. → ab~.

Mahl 8121 10880. Mahle sg 114. →
Königs~.

Mähne 7423.

mahnt 9609.

Mai 6324.

Maja 9644.

Majestät (10) 4811 4879 5046 6004 6109
6310 9407 10446 10882 10950.

majestätisch 6524 7297 10051.

mäkeln 6467.

Mal (8). Mal^a Male^bsg Male^cpl Malen^d.

1386c 1421a 1429b 2304b 4476b 10294c
10309a 11488d. → aber~s alle~
ander~ da~s dies~ drei~ dritten~
eh~s +ein~+ erste(n)~ hundert~
jedes~ je~s letzte(n)~ manch~
nie~s +tausend~ vor~s +zu~
zwei~.

maledeien → vermaledeit.

malen. malte 4807. gemalt 6509. gemalte
401.

malerisch–entzücker 7557.

Malta 2971.

Malven 5132.

Mammon 1599 3915 3933.

man (252) 43 90 90 117 160 161 161
161 162 164 165 205 212 226 530 533
563 564 581 588 593 684 850 864 866
1003 1055 1058 1066 1066 1067 1067
1102 1144 1200 1331 1334 1373 1416
1668 1681 1686 1817 1885 1918 1966
1967 1994 2007 2037 2080 2086 2169
2186 2270 2336 2463 2563 2797
2800 2801 2834 2890 2892 3051 3087
3100 3158 3160 3201 3201 3253 3261
3262 3263 3295 3421 3422 3466 3488
3663 3663 3717 3717 3742 3744 3840
3853 3914 4036 4045 4051 4058 4058
4058 4058 4058 4063 4077 4080 4145
4180 4212 4214 4246 4295 4315 4587
4734 4735 4814 4827 4832 4836 4838
4867 4897 4898 5161 5169 5192 5306
5319 5368 5484 5535 5548 5638 5644
5645 5723 5730 5767 5857 5879 6029
6080 6089 6103 6120 6120 6121 6123
6124 6128 6136 6204 6208 6262 6359
6379 6382 6411 6589 6605 6605 6640
6744 6760 6771 6771 6775 6775 6857
6975 7088 7094 7102 7117 7123 7124
7171 7193 7215 7551 7574 7679 7679
7695 7712 7714 7717 7718 7718 7718
7719 7845 7871 7882 7950 7963 7963
7964 7973 7975 8013 8029 8102 8153
8155 8223 8261 8263 8872 9013 9034
9298 9380 9868 10038 10114 10156
10159 10177 10186 10238 10238 10336
10749 10755 10796 10827 10843 10888
10915 10916 10923 11005 11029 11134
11176 11180 11180 11181 11182 11184
11184 11185 11271 11278 11279 11389
11491 11527 11557 11557 11614 11616
11622 11642 11667 12054. → jeder~
je~d nie~d.

mänadisch 8772.

manch (50). manch^a manche^b man-

chem^c manchen^d mancher^e manches^f.
10b 97c 116e 379a 388b 729b 932d
974e 997e 1003b 1005b 1776b 1918d
2138d 2501e 2556b 2582d 2652b 2675d
2676d 2942a 3087d 3137b 3621e 4040f
4041f 4330f 4371d 4789b 5093e 5139e
5185f 6528b 6756d 6970a 7234a 7690f
8091c 8570d 8814a 9015e 9316e 10307f
10390b 10465b 10561a 10618d 10720e
10940f 11694d.
mancherlei 2261 4099 5766 8571 8972.
manchmal 8587.
Mangel (6). Mangel^a Mängel^b. 741b
1215a 4856a 4923b 5354b 11384a.
mangeln mangelte 4878 5064. → er∼.
Manier → Hof∼.
Mann (109). Mann^x Manne^b Männer^c
Männern^d Mannes^e Manns^f. 94 109
572 1001 1007 1011 1057 1062 1175
1509 1717 1759 1826 1870 1873 2018
2100 2188 2272 2501 2526 2537 2581
2865 2916 2918 2946 2959 3040 3077
3206 3211 3416 3517 3533 3985 4003
4122 4247 4297 4297 4319 4803 4896f
4948 4969 5077 5194 5240c 5658b
5668c 5835 5858 5864c 6143 6143
6185c 6522c 6638 6661f 6671 6677c
6684 6898 6966 7113 7113 7134b 7337
7353 7397 7446 7930 8128 8334 8356
8409 8522 8849 9012 9065e 9198 9248c
9368f 9599b 9858e 10383 10398b
10438 10458 10458 10467 10515c 10517
10517 10539 10539 10704 10883 10916d
10930 11035 11406 11470 11503 11503
11578 11782 12001e. → Boots∼ Eh-
ren∼ er∼en flügel∼ische Gegen∼
Helden∼ Hinter∼ Hunger∼ jeder∼
jemand Kauf–[∼] niemand Nor∼e
Spiel∼ Stroh∼ über∼en Wanders∼
Wunder∼.
Männerliebe 9393.
Manna → Himmels∼.
Männerschlacht 9186.
Manneswort 1717.
Manneswürde 713.
mannigfaltig 7089. mannigfaltigen 8843.
Männlein *sg* 6874.
männlichen 5665.
mannlustige 8777.
Mannschaft 8185.
Mannsen *pl* 7710.
Mantel 2065 6350 6983 10793. → Kö-
nigs∼ Zauber∼.
Mäntelchen *sg* 1537.

Mantelschleppe 4732.
Manto 7450.
Mär 1423 2914.
Märchen *sg* 4449 8515 10496. Märchen *pl*
7819 9595.
Margretlein 2827.
Mark 3286 TT32 5123.
Markt 3145 5225 10139.
markten 6121. Markten 5117 5387.
Marktschreier *pl* 2179.
marktverkauft' 8783.
Marmor 1731.
Marmorblock 8007.
Mars 4960.
Marschalk 6182.
Marschall → Erz∼ Feld∼.
Marterholz 5671.
Marterort 1835.
Marthe 2873 2899 4478. Marthen 3028.
Maschinen 234.
Masern 3898.
Mäskchen *sg* 3539.
Maske (6). Maske^a Masken^b. 647b 1847a
5416a 5606b 5742b 7767b.
Maskenfesten 117.
Maskenheld 5737.
Maskenklump 5943.
Maskenspaß 5728.
Maskenschwall 5754.
Maskenstock 5274. Maskenstöcke 5277.
Maskenzügen 7797.
Maskeraden 5494.
Maskeraden–Spott 4267.
Maß (10). Maß^x Maße^b*pl* Maßen^c. 1760
3769 5959 5966 6512 8845 10970
11004 11524c 11720b. an∼en+ +ge∼
helden∼ig +Über∼.
Masse (7). Masse^x Massen^b. 95 95 6855
9612 10044 10365 10659b. → Gebirgs∼
Zentner∼.
mäßig (7). mäßig^x mäßiger^b. 4089 6640
8379b 9717 9717 10913 10992.
mäßigen mäßige 5048.
Mäßigkeit 10924.
Mäßigung 9786.
massiv 6404.
Masten (=Schiffs∼) *pl* 11148.
mästen → an∼.
mastig 4387.
matt 9353.
Matten 9531 10008. → Sammet∼.
mattgesungen 4953.
Mauer (19). Mauer^a Mauern^b. 885b
1882b 3657b 4407a 4815b 6395a 6621a

6695b 6820b 7120b 8708b 8975b 9083a
9123b 9265b 9458b 9504a 9855b 10552a.
→ Ge~ Stadt~.
mauerbräunlich 9123.
Mauergründen 4893.
Mauerloch 399.
Mauernpfeiler 3817.
mauerwärts 8706.
Mauerwerk 9018.
Maul 2255 2827 8823 11718.
maulen 4288.
Maus 322 4181 11624. Mäuse 1516 3900.
→ Fleder~+.
Mäuschen *sg* 4179.
Maxime 107. Maximen 584.
meckern 2114.
Medizin 355 2003 2011.
Meduse 4194.
Meer (41). Meer[a] Meere[b]*sg* Meere[c]*pl*
Meeres[d] Meers[e]. 255a 257a 260a 260a
505a 699a 1065a 1082a 1368a 1511a
2774a 2780a 6006a 6244c 6795a 7208a
7501b 7671d 7919a 8045a 8102e 8137d
8260b 8480b 8542d 9459a 9472c 9668d
9884b 10042a 10198a 10229a 11039b
11076a 11093d 11104d 11177a 11222a
11224a 11232e 11543a. → Feuer~.
meerab 11129.
Meeresfeste *sg* 7949.
Meeresfrauen 8165.
Meeresfrische 8058.
Meeresgrund 9310.
Meergebraus 5892.
Meergott 8360.
Meerwunder *pl* 6015.
mehr (87). mehr[x] mehr[b] mehreren[c]
meist[d] meisten[e]. 129 129 320e 380 385
618 756 850 851 881c 1211 1386 1437
1873 1893 2409 2485 2497 2524 2720
2782 2845 2852 2940 2954 2960 3079
3101 3243 3255 3320d 3497 3520 3737b
3749 3756 3757 4153e 4369 TT29 4484
4532 4571 4821 4840 4854 4927 5655
5657 5662 5729 6278 6360 6393 6541
6769 6775 6875 6992 7101 7103d 7504
7755 8063 8069 8446 8830 8898 9058
9066 9098 9254 9318 9455 9683 9949
9986 10287 10330 10377 10377 10428
10768 10924 11212 11622 12074. →
allermeist zumeist nimmermehr nunmehr.
mehren 3911 5526 6752. mehrt 10156.
→ ver~+.
meiden (7). meiden[x] meidenden[b]. 630

1244 1985 2270 7268b 11411 11746.
→ +ver~+.
meilenfern 4918.
mein! 2332.
mein (*Adj.* : *Genitiv sv* ich) (359). mein[a]
meine[b] mein'[c] meinem[d] meinen[e] meiner[f] meines[g] Mein[h] Meine[j] Meinen[k].
4a 7a 21a 22d 23d 28a 58a 197b 277a
299e 314b 331b 332d 335b 363b 387b
431b 441f 462b 477d 479b 480a 481a
484f 487b 487a 496d 518a 519a 560d
575a 665g 677a 680a 686a 700e 731e
743d 831a 838b 855b 1031d 1034a
1077e 1112f 1122a 1189a 1203b 1223a
1250a 1321e 1344a 1404a 1433b 1436a
1560f 1567a 1568e 1628k 1663b 1664e
1673b 1682f 1713b 1718a 1719e 1742f
1768a 1771d 1772d 1773e 1774a 1816a
1823a 1825b 1848d 1878b 1910a 1980a
2045a 2049f 2055d 2061a 2102a 2109f
2171a 2347a 2411a 2461a 2512d 2516a
2559a 2580d 2605a 2606e 2616a 2633a
2637e 2662f 2689a 2700a 2787b 2791c
2796b 2808d 2823a 2839b 2857d 2865d
2876d 2895b 2909a 2918a 2921c 2932b
2956a 2956a 2967a 2978a 2992a 3010a
3023d 3068b 3078a 3085a 3113b 3117a
3120a 3121a 3122b 3126g 3133a 3134d
3134d 3139d 3147a 3153a 3184a 3208a
3226b 3233f 3235d 3247f 3281a 3336a
3374b 3375a 3382a 3384a 3386b 3387a
3402b 3403a 3406a 3418a 3419b 3426a
3465e 3473d 3507b 3538f 3539a 3543b
3589f 3599a 3608d 3612b 3615d 3619f
3626f 3628e 3632f 3633f 3654d 3671b
3726a 3732a 3768f 3770a 3811a 3838e
3850f 3857a 3861a 3912e 3937e 4094a
4098e 4100d 4135a 4140e 4167a 4170d
4279a 4285d 4316e 4347d 4354e 4393f
TT45a TT45b 4412b 4414a 4416a
4425b 4434a 4440c 4485a 4505a 4507b
4508a 4525e 4566b 4568b 4581a 4583d
4594d 4599b 4682e 4755a 4756b 5136e
5271a 5335b 5390b 5413b 5623d 5624d
5627e 5629a 5630f 5675d 5676f 5705b
5707a 5721a 5747e 5796e 6001d 6037d
6054e 6083e 6149a 6187a 6261f 6271a
6311a 6319a 6333d 6335a 6343b 6345e
6377a 6402a 6451a 6489a 6491f 6550f
6557a 6634a 6635a 6737a 6770a 6797e
6799e 6804a 6815d 6863e 6899a 7062d
7273a 7290a 7291a 7321a 7351b 7382a
7412a 7444a 7444a 7446a 7459a 7689e
7806b 7811a 7832a 7881a 7904g 7911a

7953d 7954b 8094a 8319e 8352f 8424a
8497a 8524d 8541b 8682a 8914a 9265b
9266a 9269j 9305a 9325a 9357b 9358e
9384b 9516f 9704a 9725b 9726b 9727b
9728a 9734h 9983f 10039d 10041f
10066g 10120a 10198a 10206e 10220a
10233a 10242d 10323b 10351a 10417b
10487a 10664b 10670e 10691b 10698e
10790a 10915a 10949b 10954d 11003e
11019a 11051b 11064e 11070e 11089b
11153a 11156a 11158a 11241a 11340a
11370b 11404d 11439a 11534b 11583e
11662d 11740f 11833a 11884a 11889a
11906f 12072d.

meinen (16). meinen[a] meine[b] mein'[c]
meint[d] gemeint[e]. 996e 1337e 1639e
2261d 2739d 3007a 3157b 3330d 3497c
4770d 4922d 5837a 6589d 6831e 8924e
11792b. → wohlgemeint.

meinesgleichen 3999 4026.

meinetwegen 9059.

meinetwillen 4048.

Meinung 1591 8350.

Meißel *sg* 1732 7998.

meist *sv* mehr.

Meister (15). Meister[a]*sg* Meister[b]*pl* Mei-
sters[c]. 695a 796a 806a 1281a 1315c
1989c 2482a 6137b 6642a 6749a 8694b
9626a 10606a 10742a 10743b. →
Burge~ Hexen~ Geister–~stück Sa-
tans~ Weber–~stück.

meisterlich 3537 6402.

meistern 7676. meistre 5523. meistert
5523. → be~.

Meisterstreich 5472.

Meisterstück 11248. → Geister–~ We-
ber~.

melanchol'sche 177.

melden (7). melden[a] melde[b] meldet[c].
7728a 8812b 8812b 9202a 9207c 10369a
10679c.

Meldung 10491.

Melodei 2480.

Melodie 6446 9747. Melodien 9626.

Memme 10333.

Menelas (7) 8494 8504 8856 8985 9052
9426 9459.

Menge (28). Menge[x] Meng'[b]. 21 37 49
59 92 144 929 1012 1030 2203 4039
4587 4663 5230 5511 5514 5590 5682
5759 6329 8235 8453 9148 10381
10404 11540 11552b 11552. → Ge~.

Mensch (67). Mensch[a] Menschen[b]*sg*
Menschen[c]*pl*. 131c 157b 280c 297c

317a 328a 340b 373c 415c 586b 662c
764c 858c 915c 940a 1128b 1205c
1347a 1638a 1638c 1674a 1676b 1779a
1852b 1951b 2508c 2565a 2941c 3044b
3240b 3471a 3475b 3478c 3480b 3863c
4103c 4147c 4192b TT37c 4425a 4775c
5372a 5855c 6776b 6835a 6836a 6846a
6964c 6974b 7386c 7446a 8106c 8326b
8331a 8513c 8585c 8595b 8915c 8932c
9557c 10193a 10195a 10255a 10445a
11407a 11497c 11565a. → Über~ Un~
Ur~enkraft.

menschenähnlich 8104. menschenähnlichs
7260.

Menschenaugen 10735.

Menschenbrut 1369.

Menschenfeinde *pl* 5441.

Menschenfluten 4932.

Menschenfrauen 8389.

menschenfresserisch 9015.

Menschengeist 4778. Menschengeistes
11248. Menschengeists 1811.

Menschengestalt 8302.

Menschenhand TT78.

Menschenleben 167.

Menschenliebe 1184.

Menschenlos 629.

Menschenopfer *pl* 11127.

Menschenrecht 136.

Menschenseele TT28.

Menschenstimme 606. Menschenstimmen
8094.

Menschenstoff 6851.

Menschenvolk 5380 6864.

Menschenwitz 692.

Menschheit (6) 555 1770 1804 TT14
4406 6272.

menschlich (7). menschlich[a] menschliche[b]
menschlichem[c]. 353a 4725b 8086b
8240a 9699a 11488b 11690c.

Mentor 7342.

Mephisto 4183.

merken (18). merken[a] merk[b] merke[c]
merk'[d] merkst[e] merkt[f] merkte[g]. 88f
107d 1406g 2321f 3067b 3866c 5606d
6153d 6262e 6296a 6521c 6755d 6960f
7748d 9070f 10186f 10238f 10634c.
→ +be~ unvermerkt aufmerksam.

Merkur 4956.

merkwürd'ger 8274.

Messe (Gottesdienst) 3425. Messen 2931.

Messe (=Jahrmarkt) 4115.

messen 5343 7024 10629. Messen 11520.
mißt 2220. → ab~ an~ unermeßlich

unge~ ver~ wohlge~.
Messene 9471.
Messer *sg* 8577.
Messerrücken *sg* 4205.
Metall (6). Metall[a] Metalle[b]. 4963a
  5782a 5852b 6123a 7636b 10746a.
metallisch 10430.
Metamorphosen 7759.
Metaphysik 1949. Metaphysika 2751.
Meteor 1685 7034.
Meteoren–Schöne 1287.
Metze 3753.
mich *sv* ich.
Miedings 4224.
Miene → Pfaffen~.
Mietsoldat 4819.
Mikrokosmus 1802.
Milch 3133 9547.
mild (15). mild[a] milde[b] mildem[c] milden[d] mildere[e]. 30a 1455e 2155a 4680b
  5554b 5883a 6015d 6506a 7032d 7456b
  8300d 8902a 9239d 9544a 9708c. →
  hold~este.
mildeblitzend 8039.
milden gemildet 10102.
mildert 855 12007.
mildgewognen 8484.
Millionen 1807 10866 11563.
minder 211. mindesten 7974. mind'sten
  2524. → Allermindeste.
mindern 6752. mindert 1559. gemindert
  697.
Minister *sg* 2227.
mir *sv* ich.
mischen (8). mischen[a] mische[b] misch'[c]
  mischt[d] mischte[e] gemischt[f]. 4326a
  5382c 6473f 7240b 7766d 10029d
  10570e 11265d. → ein~ ungemischt.
Mischung 6850 6850.
miserabler 7764.
Mißbehagen 10205.
Mißblickende 8883.
missen 2499. → ver~.
Missetat 3786.
Missetäterin TT6.
mißfällt 6036.
Mißgeschick 8529 8745 11415.
Mißgestalt 4784. Mißgestalten 4784.
mißgestaltet 4902. mißgestaltete 7666.
mißglückt *pp* 10688.
mißhandeln mißgehandelt 11083 11836.
mißhör 3431.
mißraten *pp* 69.
Mißredende 8883.

Mißtöne 11685.
Mist 2952.
mit (513) (→ § 8). → da~ wo~.
mitbringen. bringen mit 7810. bringt mit
  11639. mitgebracht 5075.
mitgehen. gehe mit 8273. gehn mit 6012.
mitgenießt 9380.
mitkommen (9). (komm mit)[a] (kommt
  mit)[b]. 3986b 3986b 4052b 4052b
  4479a 4479a 4502a 8273b 8327a.
mitnehmen (8). (nehm' mit)[a] (nehmen
  mit)[b] (nehmt mit)[c] (nimm mit)[d]
  (nimmst mit)[e] mitgenommen[f]. 841b
  2067e 3996c 3996c 4169a 6340c 7332d
  8186f.
mitnichten 10181.
Mitregenten *sg* 9362.
Mitschuldigste 4796.
mitsingen singt mit 2125.
Mitsinn 9920.
mitspielen spielen mit 120.
Mittag 1134 4249. Mittage *sg* 5884. →
  Nach~.
Mitte (8). Mitte[x] Mitten[b]. 4073 7143
  8464 9509 10069b 10153 10519 11473.
mitteilen 81.
Mittel (10). Mittel[a]*sg* Mittel[b]*pl*. 562b
  2348a 2351a 2360a 6206a 6211a 6323a
  6330ab 6968a 11614b. → un~bar
  ver~n.
Mittelalter 10562.
Mittelgipfel *sg* 3913.
Mittellüften 10587.
Mittelpunkt 6011.
Mittelwiese 10359.
mitten 4178 4467 9824 9825. → Mitte.
mitteninn 11993.
Mitternacht 388 2638 4429 11593.
Mitternachts–Geborne 11898.
Mittwoch → Ascher~.
mitunter 10781.
Mitwelt 77.
Möbel *sg* 2819.
Mode 5135 5145 6838.
modeln 10047.
Moder 416 6691. → be~t.
Moderleben 6614.
modern (*Adj.*) 10176.
modisch 7089.
mögen (165). mögen[a] mag[b] magst[c]
  möge[d] mög'e[e] mögt[f] möchte[g] möcht'[h]
  möchten[j] möchtest[k]. 5f 42j 49b 232b
  248b 268b 298b 376g 524h 529b 587h
  601h 648b 674b 819b 857b 869a 870b

888h 1157b 1242b 1373g 1390c 1425c
1555g 1662b 1666b 1691a 1695b 1701c
1703b 1705b 1723b 1734c 1739b 1756b
1801g 1879g 1881g 1899g 1982h 2112b
2114b 2247a 2272b 2274b 2588e 2639b
2710h 2785b 2795b 2809h 2895b 2921g
3009g 3012h 3363b 3364b 3428c 3466h
3490b 3496b 3568b 3621b 3644h 3744g
3987j 4030c 4037h 4076b 4088b 4311h
4323b 4843a 5102f 5140g 5144a 5154b
5161b 5234f 5235f 5248g 5288b 5290b
5316g 5483h 5507h 5538j 5666b 5790j
5811b 5857b 5929b 5932b 5949b 6170g
6220c 6266b 6383b 6390a 6407a 6456k
6526g 6631h 6889g 7058c 7064d 7125b
7138b 7142c 7215b 7223j 7725g 7731h
7750b 7751h 7773h 7799g 7831g 7834h
8062j 8246g 8408f 8526b 8546c 8585d
8585d 8656b 8659b 9076b 9134b 9135c
9202b 9204b 9366h 9436b 9460b 9583j
9827c 9836b 9947j 10221h 10221h
10224b 10487h 10665a 10697a 10707b
10752b 10869b 10976b 11017b 11041e
11051h 11109b 11387a 11468b 11579h
11688b 11730b 11763b 11771h 11790h
11794b 11884e. → ver‿.
möglich (9). möglich^x Mögliche^b. 227b
1803 1843 2437 6132 8953 8965 10222
11551. → un‿.
Molche *pl* 3892.
Molochs 10109.
Moment 10465 10500. → Haupt‿.
Monat 10902.
monatelang 6675.
Mond (19). Mond^x Monden^b Mondes^c
Monds^d. 469 2863 3235 3852d 3991
4649c 6245 6756b 6796 7031 7127
7939 8208 8340 8372 8774 9034 10179
11294.
Mondenglanz 689.
Mondenschein 386 7470 7823.
Mondgesicht 5563.
Mondhof 8348.
Mondlicht 6326.
Mond-[tage] *pl* 7244.
Moos 3274 3902 5133 8397 9592. →
be‿t.
Moosgestelle *sg* 11321.
moosigen 5842.
moralisch 3680.
Mord TT71 5859 8115 10268. → er‿en.
Mörder *sg* TT69. *pl* 1055 3719.
mörderisch 4577 10803.
mörderlich 3713.

Mordgeschosse 7892.
Mordgeschrei 7660.
Morgen (21). Morgen^a*sg* Morgens^b mor-
gen^c morgens^d. 225c 598c 736a 1132a
1554d 2093a 2107b 3052c 3146c 3610a
4431c 4523c 4600a 5427c 5969c 7110c
9222b 9292c 11130d 11217c 11283c.
→ über‿.
Morgennebelduft 10362.
Morgenrot 446.
morgenrötlich 3917.
Morgensonne 11008.
Morgenstern 10791.
Morgenstunde 10461.
Morgenwölkchen *sg* 11890.
morsch 7717. morsche 11158 11355.
Most 6813 10038.
Mottenwelt 659.
moussierend 2269.
Mückennas' 4251 4291 4365.
müd 8914. müde 7544 10745. müden
10398. Müden 4640. → +er‿en.
Mühe 1037 8239 11407. Müh' 2742 4049.
mühen 1276 7393. Mühen 889 899. →
be‿.
Mühle 810 4155.
Mühlrad 1947.
Mühmchen *pl* 7756.
Muhme 335 2049 4110.
Mühmichen *sg* 7736.
mummen → ver‿+.
Mummenschanz 7795.
mummenschänzlich 4767.
Mund (23). Mund^a Munde^b*sg* Mundes^c.
378a 585b 717a 743b 3013a 3396c
4179b 5564a 5924a 5945a 5945a 6026a
6833b 8151b 8752b 9163a 9309a 9551a
9798a 10926b 11068a 11108a 11793a.
→ Lächel‿.
mündig 7430. → un‿.
munter (13). munter^a munterer^b mun-
tern^c muntre^d muntrer^e muntres^f. 779d
3320a 4035e 5888a 7681a 8793c 8996e
9011b 9746f 10507d 10869e 11080a
11144a. → er‿n.
Münze 8224.
münzen. münzt 4922. gemünzt 4894. ge-
münzte 5718. → ungemünzt.
Münzregal 10948.
murmeln. Murmeln 6207. murmelst 3181.
murren 1208.
Muschel 8466.
Muschelfahrt 8352.
Muschelthron 8450.

Muschelwagen 8144.
Musen 128 4314 7567.
Museum 530.
Musik 6444 6682.
Musikanten *pl* 4254 4366.
müssen (178). müssen[a] muß[b] müsse[c] müs-
set[d] mußte[e] müßt[f] mußte[g] mußt'[h]
müßte[j] müßt'[k] mußten[m] müßten[n] muß-
test[p] müßtet[q]. 100b 110b 230b 327e
343b 481e 481e 521b 565b 595a 621b
651e 829a 898a 1011e 1054b 1212b
1227b 1244b 1247b 1411a 1531e 1562b
1818a 1847b 1867j 1903f 1929k 1949f
1993b 1994b 2002b 2010b 2029b 2045b
2097b 2122b 2158b 2199b 2274b 2365b
2413e 2438b 2443b 2463b 2520b 2538b
2540e 2566c 2594e 2619e 2658a 2677b
2879b 2898b 2923b 2923b 2955b 3021j
3036a 3048f 3072b 3083a 3111b 3141h
3192b 3209b 3338b 3360b 3361p 3363b
3421b 3422b 3483b 3500b 3502b 3555h
3712a 3870f 3938e 4022a 4040b 4051b
4150b 4187b 4203b 4345b 4352b 4483a
4520e 4522e 4533k 4546a 4838b 4852b
4866b 5016b 5034b 5051a 5169b 5385b
5439b 5535b 5561e 5780b 5914a 6085b
6183b 6231h 6235h 6301b 6314b 6348e
6352e 6356q 6361f 6462n 6558f 6615b
6667b 6846b 6872b 6888b 6891h 6965b
7088j 7195f 7257b 7408b 7522b 7574j
7595f 7598f 7827b 7839a 7868g 7942b
7951b 7970b 8004q 8032b 8173f 8257b
8260e 8400a 8417a 9232h 9296m 9378b
9685b 9820b 9821b 9822b 9899b 9899b
10086g 10114b 10253b 10349b 10459b
10554f 10641a 10717a 10756f 10805e
11127m 11186j 11235b 11260b 11272b
11274e 11329b 11425k 11506b 11576b
11619b 11746d 11750a.
müßig 5223 5703 9421. müßigem 1601.
Müßiggang 2596.
Muster *sg* 2601.
Musterbild 6185.
mustere 8542 8550.
musterhaft 85 7615.
Mut (18). Mut[x] Mutes[b] Muts[c]. 207
464 1793 1876 4008 4498 5916b 6151
7326 8593c 9801 9845c 9914 9928
10476 10688 11724 12005. → An∼
De ∼ + froh ∼ ig Ge ∼ Gleich ∼
Groß∼+ Helden∼ hoch∼ig Über∼+
wohlge∼ zu∼e ver∼en.
mutig 3147 8608 10386. → an∼+.
Mutter (51). Mutter[x] Mütter[b] Müttern[c].

1351 1878 1889 2756 2787 2815 2825
2831 2879 2892 2895 3084 3113 3127
3209 3507 3564 3720 3787 3966 3977
4412 4507 4524 4566 4568 6216b 6216b
6217b 6217b 6264c 6265c 6285b 6366b
6366b 6427b 6558b 6558b 7060c 7621
8386 8812 8970 9520 9600 9607 9615
9906 11063 12010 12102.
mütterlich 2704 9546.
Mutterschwein 3963.
Mutwill' 9785.
mutwillig 9661. mutwill'ge 3203.
Mütze 1846. Mützen 1019. → Doppel∼.
Myrmidonen 7873.
Mystagogen *pl* 6249.
Mysterien 5032 10031.
mythologisch 8015. mythologischer 7428.

N

Nabel *sg* 11668.
Naboths 11287.
nach (169). (*Präp.*)[x] (*Adv.*)[b]. 26 50
125 162b 162b 193 204 208 243 604
667 698b 698b 716 786 810 811 814
820 866 917 1040 1075b 1075b 1099
1171 1200 1201 1217 1401 1425 1569
1575 1800 1805 1967 2031 2122 2608
2747 2756 2802 2857 2890b 2890b
2899 2991 3161 3063 3126 3129b 3129b
3248 3250 3351 3390 3392 3407 3448
3518 3526 3630 3835 3867 3900 4028
4098 4116 4160 4249 4306 4322 TT59
4593 4594 4622 4659 4713 4997 5085b
5374 5431 5434 5454 5528 5624 6100
6122 6154b 6220 6229 6230 6301 6341
6356 6441 6547 6562 6736 6746 6766
6980 6990 7095 7102 7127 7216 7292
7333 7343 7366 7367 7521 7589 7767b
7767b 7797 7895 7901 7912 7936 8071
8120 8162 8205 8263b 8263b 8280
8324 8330 8541 8555 8569 8634 8639
8929 8938 9226 9470 9475 9484 9540
9591 9607 9994 10010 10027 10036
10044 10157 10196 10338 10526 10625
10643 10729 10941 11004 11046 11216
11280 11442 11524 11588 11641 11758
11848 11920 11992. → dar∼ her∼
hinten∼ wo∼ wor∼.
nachahmen 3863.
Nachbar (11). Nachbar[x] Nachbarn[b]*sg*
Nachbars[c]. 730 868 1683 1838 3200b

4847 7017c 8709 8709 10396c 11133.
Nachbaräste 3229.
Nachbarin 838 2668 2858 3834. Nachbar'
3028.
nachbarlich 5173.
Nachbarschaft 5017 9569.
Nachbarstämme 3230.
nachbringen bringe nach 10422.
nachdem (= je nachdem) 8333.
nachdonnern donnert nach 9453.
Nachen 932.
nachfolgen folgt nach 12095.
nachfragen 7940. frage nach 7070.
nachgeben gib nach 8321.
Nachgesicht 7011.
nachhalten hält nach 8336.
nachher 1948 1960. → hernach.
nachjagen 553.
Nachklang 9639.
nachklingen klang nach 11400.
nachlassen ließ nach 10200.
nachlaufen laufen nach 835.
Nachmittage 2904.
Nachricht 768 11555 11557.
nachsehen nachgesehen 3000.
nachsinnen. sinne nach 4726. nachsinnend
7373.
nachspüren 7119 7957.
nächst *sv* nah.
nachstehen stehen nach 8182.
nachstellen nachgestellt 1426.
nächstens 1943 6792.
nachstreben. strebt nach 10045. nachge-
strebt 7361 7877.
nachströmen strömt nach 10382.
Nacht (78). Nacht^x Nächte^b nacht^c
nachts^d. 126 205b 254 594 747 878
927 1087 1179 1351 1562 1580 1784
2105 2114 2123 2190 2637 2851 2969
3138 3195 3283 3319b 3506c 3542c
3564d 3692 3742 3940 4444 4506 4642
4647 4681 5029 5035 5089 5414 5543
5946 5968 5991 6032 6067c 6071 6298
6354c 6434b 6799 6981 6981 7005 7011
7027 7317 7377 7463 7482 7559 7622
7808 7859 7862 7943 8000 8010 8038
8366b 8649 8664 8700 8762 8812 9000
11128d 11413 11499. → Doppel∼
Geister∼ Jubel∼ Jugend∼ Mitter∼+
Sommer∼ Walpurgis∼ Winter∼.
Nachtgeburten 8695.
nächtig (8). nächtig^a nächtigem^b nächti-
gen^c nächt'gen^d nächtigere^e. 689d 3654a
4625e 8034b 8080a 8347e 9034c 11125a.

Nachtigall 2101.
nächtlich 11100. nächtliche 8712. nächtlicher TT22 8477. Nächtlichem 8010.
nachtrippeln tripple nach 4004.
Nachwelt 74 75 76 5918 10190.
nachziehen 7702.
Nacken (8). Nacken^xsg Nacken^bpl. 3937
4593 5399 8588 10514 11658b 11744
11786. → hartnäckig.
nackt (9). nackt^x nackte^b nackten^c. 4046
4285 4292b 4374c 5866 6461 6932b
7082 9603. → anständig-∼er.
nagen 403. genagt 2234. → be∼ zer∼.
Nägel (=Finger∼) 7140.
nagelneues 2204.
nah (51). nah^a nahe^b nahen^c näher^d
nächste^e nächsten^f Nächste^g Nächstes^h.
461d 511a 615a 790a 806a 1153d 1162a
1386f 1815d 2434a 3242a 3242d 3332a
3889d 4360a 4435a 4645a 4916a 4952a
5107a 5698f 5745a 5848a 5948e 6556d
6843h 7469a 7918d 7983a 8231a 8238d
8272a 8457a 8497a 8548a 8590c 8668f
8686a 8792g 9047b 9071e 9401a 9401d
9411a 9818a 10179d 10660d 10670a
10682f 11393a 11394a. → bei∼ zunächst.
Nähe (11). Nähe^a Näh'^{b}. 123a 306b
1242a 3928a 3953a 4729b 4762b 9770a
11293b 11968b 12062a.
nahen (15). nahen^a Nahn^b nahet^c nahst^d
nahte^e nahend^f genaht^g. 1e 161e 271d
4749e 6022a 6713f 7037a 7914c 7984a
8383e 8674g 8715b 10499e 10825e
11903e. → heran∼.
nähn 3112. näht 6094.
nähern 11779. nähert 6506 9700 11777.
nähren 1133. nährt 8998 10157. nährend
654. → er∼ wohlgenährt.
Nahrung 177 3275 11922. → Bürger–
Nahrungs–Graus.
nahverwandt. nahverwandter 7673. Nah-
verwandte 7741. Nahverwandten 7894.
naiv 4308.
Name (16). Name^a Nam'^{b} Namen^csg
Namen^dpl. 589c 1332c 2505c 3061c
3455c 3457a 3864c 5136c 6079a 6427c
6635b 6654a 7117d 8520a 9981c 10951c.
→ Dreinamig–Dreigestaltete.
Namensdauer 1596.
Namenszug 6064.
Napfen *pl* 4867.
Napel 2982.
Narr (17). Narr^a Narren^bsg Narren^cpl

Narr'n^d*pl.* 2564d 2576c 3571a 4731a
4755a 4757a 4876a 4916b 4939b 4945a
4952a 5196c 5354a 6172b 6564c 10738c.
→ vernarrt.
Närrchen *sg* 2994.
Narren–[tänzen] 5066.
Narrenteidung 5798.
Narrenwelt 1347.
Narrheit 88.
närrisch 4350. närrischen 10073. →
pudel∼.
naschen (8). naschen^a Naschen^b nasche^c
nascht^d naschende^e genascht^f. 1761a
2523c 5770a 7694b 8781e 9997a 11571d
11828f. → genäschig.
Näschen (=Näslein) 5825.
Nase (9). Nase^x Nas'^b Nasen^c*sg.* 292 363
2176 2322 3263 4258 6679c 9057b
11718c. → Felsen∼ Mücken∼.
Naserümpfen 3640.
naseweis 4091.
nasführet 3535.
Naß 5023.
nasses 2075.
Nationen 4076.
Natur (40). Natur^x Naturen^b. 136 142
414 423 438 441 455 619 673 1035
1747 1901 2288 2345 2711 3105 3220
3513 4391 4897 4900 4986 5122 5134
5147 6857 7837 7837 7861 7913 9560
9989 10097 10123 10124 10453 10599b
10604 11406 11681b. → Halb∼ Zwie∼
Schafs∼.
Naturell 3861 5106.
naturgemäß 10583.
Natur–[kraft] 4896.
natürlich (10). natürlich^x Natürlichem^b.
1248 2157 2348 2441 5866 6472 6883b
7100 11259 11773.
Natur–[schrift] 10426.
Nebel (14). Nebel^x*sg* Nebel^b*pl.* 6 188b
1143 1313 2435 3940 6440 8297 9091b
9111 9122 9143 9236b 9236b. → Mor-
gen∼duft Weihrauchs∼.
Nebelalter 6924.
Nebeldünste 5977.
Nebelflor 4395.
Nebelhüllen 4636.
nebeln nebelnd 11966. → um∼.
Nebelstreif 4688 10055. Nebelstreifen *pl*
10584.
Nebelwind 556.
neben (10) 428 3450 4027 6507 7349
7825 8737 8808 8810 8811. → da∼

dar∼ hie∼.
necken. neckst 3205. neckt 11154. ge-
neckt 6960.
Neckereien 9601.
nehmen (55). nehmen^a Nehmen^b neh-
me^c nehm'^d nehmet^e nehmt^f nimm^g
nimmst^h nimmt^j nahm^k nähm'^m nah-
menⁿ nahmt^p genommen^q. 876c 915j
985e 991c 1192g 1643a 1970a 2087j
2251d 2363a 2427g 2903q 3076a 3166k
3488j 3570j 3690f 3870a 3982a 4120g
4180j 4445n 4503h 4745q 4756g 4908a
5039g 5344j 5585f 5726a 5911g 6259g
6325f 6349g 6389q 6521j 6531j 6842k
7549q 7606q 7843q 8065q 8319c 8570g
8806g 9008a 9529j 9674m 10297q
10337b 10342a 11199p 11423g 11472q
11669f. → ab∼ angenehm an∼ auf∼
be∼ ein∼ fort∼ her∼ hin∼ hin-
über∼ mit∼ teil∼ über∼ unter∼+
ver∼+ vornehm+ wahr∼ weg∼.
Neid → Gild–[∼] Handwerks∼.
neiden. Neiden 7166. neidend 9912. →
be∼.
neidische 11155.
Neige 4095.
neigen (12). neigen^a neige^b neigt^c ge-
neigt^d. 4d 488c 3587b 3617b 4401a
4804c 6696a 9322a 9688d 9766d 12069b
12069b. → über∼.
Neigung 1461 6500 8414 9461 10394.
'nein *sv* hinein.
nein (31) 63 296 820 820 842 846 1651
1651 2202 2277 2326 2388 2532 2601
2601 2667 2945 3180 3194 4158 4520
4576 5485 8657 8832 9070 9442 9870
9894 10309 10321. → ver∼en.
Nekromant 10439.
nennen (46). nennen^a nenn^b nenne^c
nenn'^d nennet^e nennst^f nennt^g nannt'^h
nannten^j nennte^k genannt^m. 15g 285g
589a 948a 948a 1327f 1343g 1345f
1802a 1871a 1940g 2421a 2488a 2510f
3065c 3100g 3295a 3327c 3432a 3453b
3454b 4748m 5348a 5455e 5530a 5569m
5864m 6219m 6411g 6451a 6525d
6548d 6618a 7094g 7116c 7117a 7345g
7688a 7979m 8347k 8825c 9009h 9629f
10376j 10470g 10876d. → be∼ er∼.
Neophyten *pl* 6250.
Neptun 8181. Neptunen 8275 11546. Neptunus 8278. Neptunus' 8141.
Nereiden 6022 8383.
Nereus 8082.

Nerv' *pl* 433. → ent~end.
Nest 3969 11101. Neste *sg* 8357. Nestes
10675. → Felsen~ Keller~ Wespen~.
Nestor 9455.
Netz 6527 9924 10686.
netzen → ufer~d.
netzumstrickter 11490.
neu (87). neu^a neue^b neu'^e neuem^d
neuen^e neuer^f neues^g Neue^h Neuen^j
Neuer^k Neues^m neustem^n neusten^p Neu-
sten^q. 13a 47a 187a 463d 478e 647e
701e 701f 704f 705e 748e 846b 1073g
1085b 1121d 1219e 1372g 1622e 1625b
1687a 1813b 2072e 2124p 2559a 2854a
2860e 2991e 3254j 3278b 4054b 4127e
4215g 4234c 4331g 4653d 4668b 4682a
4700f 4757f 4757f 4836k 4855b 5594b
5941g 6015e 6046c 6093a 6151e 6196b
6206e 6267g 6281b 6363h 6687q 6779g
6862m 6930b 6955a 7069e 7088n 7091f
7572d 7846b 7868a 8030e 8368e 8432b
8464g 8803a 9415a 9769d 9935b 10038e
10210m 10281e 10281a 10402f 10432m
10570e 11136e 11346b 11566p 11617d
11776b 11976e 12085h 12093b. →
aller~ste er~en nagel~.
neugeboren 5076.
neugeschaffnem 11014.
neugeschliffnes 9434.
neugeschmückte 8632.
Neugier 118.
neugierig 6306 7957 8232. neugierige
6022.
neuglühend 433.
Neuigkeiten 4112 4113 7172.
neulich 3668.
Neun 2550.
nicht (957). (→ § 9). nicht (956).
Nicht 11597. → mit~en ver~en+
Weiß~wie zu~.
nichtig 6490 9328. Nichtige 11862. →
ver~en.
Nichtinsel 9512.
nichts (109). nichts^x Nichts^b. 75 182
192 279 293 295 364 719b 860 1341
1360 1363b 1370 1378 1406 1417 1591
1614b 1667 1885 1961 2077 2103 2137
2292 2343 2508 2625 2657 2763 2929
3039 3153 3198 3199 3240 3245 3474
3488 3520 3544 3696 3702 3848 4100
4168 4544 4821 4840 5263 5364 5498
5556 5651 5773 5861 6128 6209 6246
6248 6256b 6269 6393 6460 6460 6481
6530 6549 6618 6719 6775 6790 6862

6923 7061 7381 7399 7714 7716 8132
8154 8559 8579 8828 9019 9019 9116
9355 9882 10034 10129 10188 10192
10210 10217 10312 10357 10369 10412
10542 10560 10584 10652 10696 10734
10798 11454 11599 11622.
nichtswürdiger TT9.
nicken. Nicken 5242. nickt 4570. ge-
nickt 6783.
nie (65) 44 130 219 337 544 651 1101
1103 1111 1306 1572 1681 1979 2058
2181 2610 2782 2838 3102 3159 3160
3169 3263 3333 3333 3502 4011 4091
4146 4163 4596 5147 5218 5336 5436
5958 5960 6020 6080 6116 6168 6895
6899 6944 6972 7008 7383 7396 7430
7861 7877 7971 7992 7997 8001 8422
8743 8755 9065 9634 10073 11430
11432 11658 11720.
nieder 449 3143 7888. niedre 10657.
niedern 11664. → dar~ er~n her~+.
niederbleicht 9312.
niederdrücken drückt nieder 6999.
niedereilen eilet nieder 3882.
niedergehn gehn nieder 4384.
niederknieen. niederknie 8944. kniee
nieder 9196. kniest nieder 10305.
niederklettern. [klettr'] nieder 7805.
niederlassen niederließ 12054.
niederlegen. lege nieder 1188 5002. legen
nieder 3033. niederlegt 8376. legtest
nieder 7264.
niederrauschen rauscht nieder 10725.
niederschlagen. niederschlägt 2615. nie-
derschlug 11879. schlug nieder 3165.
niederschreiben. niederschreibe 1234. nie-
derschrieb 12060.
niederschweben [schwebet] nieder 1265.
niedersenken. niedersenkt 1562. senkt
nieder 4628 11787.
niedersetzen. setz nieder 7052. nieder-
setze 1812. setzt nieder 6463 11278.
niedersinken. sinke nieder 2325. sinken
nieder 2874 10478. sinkt nieder 7039.
niedersteigen. [steigen] nieder 10591.
steiget nieder 1120. steigt nieder 1109
10397.
niederstreben strebe nieder 6303.
niederstreift 3230.
niederstürzenden TT24.
niederträchtig 7460. niederträchtiger 9087.
niedertreten treten nieder 10034.
niedlich 837 5104.
niedrig 6929. niedriger 923. → er~t.

Niedrigkeit 3104.

niemals (12) 319 3157 4447 5062 5644 5647 6733 7000 8077 8245 9633 11466.

niemand (27) 1049 3170 3198 3420 4189 4463 4529 4582 5298 5349 5373 5758 5893 5949 6743 6893 7093 7508 8003 8003 8199 8934 9683 10274 10344 11411 11419.

Nikodemus 6634.

Nilpferd 1254.

nimmer (10) 3376 3388 3404 3498 7544 8087 8722 9632 9988 10745.

nimmermehr (6) 1933 2730 3377 3389 3405 10922.

nippen 6456.

nirgend 5515. nirgends 1218.

Nischen 6374.

nisten. nistet 644. nistende 7648.

noch (201). (→ §17).

(*Konj.*) (17) 301 368 369 374 375 2850 2884 4344 5893 6121 7384 8371 8372 9250 9981 10445 10445.

(*Adv.*) (184) 4 24 180 181 185 189 213 291 312 398 410 547 707 998 1008 1022 1064 1101 1295 1422 1509 1524 1650 1674 1717 2002 2019 2045 2091 2114 2146 2190 2309 2332 2409 2449 2554 2599 2666 2672 2838 2852 2940 2942 2945 2954 2958 3015 3093 3123 3153 3265 3277 3332 3562 3572 3581 3723 3726 3727 3765 3777 3837 3838 4077 4091 4156 4158 4170 4309 TT66 TT71 4432 4443 4470 4547 4561 4829 4860 4876 5336 5346 5595 5638 5644 5648 5662 5765 5766 5771 6029 6172 6214 6307 6354 6487 6547 6576 6585 6588 6606 6607 6616 6637 6664 6712 6714 6716 6718 6725 6814 6845 6891 6893 7040 7225 7432 7478 7519 7547 7563 7579 7630 7658 7690 7692 7779 7974 7986 8001 8129 8135 8143 8199 8201 8243 8244 8245 8270 8336 8455 8490 8557 8650 8707 8742 8877 8906 8953 8965 9556 9567 9633 9678 9868 9943 9955 9965 10037 10056 10107 10111 10182 10224 10295 10345 10411 10505 10558 10688 10763 10812 10924 10953 10954 10987 11039 11057 11064 11112 11403 11652 11741 12093. → dennoch.

Norcia 10439.

Norden (7). Norden[a] Nordens[b]. 1130a 1796b 4250b 6923a 7045b 7792a 9448b. (*Oder ist* 1796 *Gen. zu* Norde=Nord-

länder?)

nordische 2497. nordischen 7676.

nordwärts 8995.

nordwestlich 6950.

Norm Normen 8324.

Normanne 9472.

Nostradamus' 420.

Not (23) 34 855 2986 3122 3347 3510 3589 3595 3619 3721 4425 4876 5800 6365 6786 6930 9255 9255 9894 10424 11385 11394 11400. → Hungers~ Todes~ Wechsel~.

nötig (6) 553 1921 5622 7134 8570 8956.

nötigt 7161 8744.

notwendig 2594.

Nu 6563 6563 8070 10238 10631.

nun (255) 5 27 164 224 323 354 358 485 642 691 720 735 781 831 847 961 1030 1182 1185 1192 1335 1351 1359 1361 1370 1390 1525 1540 1848 1851 1982 2009 2051 2158 2196 2224 2260 2290 2296 2336 2347 2453 2457 2463 2497 2518 2587 2602 2618 2620 2849 2971 2980 2988 2989 2998 2998 3004 3040 3088 3130 3241 3251 3257 3257 3310 3415 3501 3502 3542 3549 3568 3584 3638 3703 3711 3712 3730 3734 4024 4031 4060 4126 4127 4147 4372 4381 TT6 TT36 4435 4442 4446 4542 4627 4707 4760 4869 4913 4926 5076 5185 5418 5478 5505 5689 5690 5709 5742 5829 5906 5917 5931 5934 5971 6005 6061 6081 6082 6091 6129 6137 6143 6147 6182 6192 6262 6303 6334 6371 6385 6419 6422 6443 6461 6472 6482 6491 6564 6690 6740 6763 6844 6848 6875 6879 6936 6976 6987 7001 7069 7102 7398 7444 7448 7530 7567 7609 7766 7802 7869 7896 7949 7993 8020 8029 8145 8221 8231 8284 8399 8473 8494 8525 8538 8560 8569 8638 8764 8798 8803 8805 8895 8910 8917 9066 9133 9216 9232 9255 9264 9277 9307 9309 9326 9328 9381 9464 9516 9528 9615 9616 9711 9712 9747 9793 9823 9874 9875 9890 9962 10022 10030 10057 10068 10087 10088 10214 10239 10271 10308 10349 10380 10408 10410 10547 10613 10618 10634 10649 10711 10727 10741 10743 10763 10807 10847 10849 10875 10911 10935 11020 11075 11097 11174 11368 11410 11440 11498 11535 11626 11656 11716 11832

12050.
nunmehr 6341 10630.
nur (352) 58 64 75 85 95 112 118 129
131 167 213 280 286 291 294 308 330
336 416 454 532 538 564 596 602 677
685 708 824 832 847 857 871 874 908
929 988 1022 1122 1330 1393 1435
1522 1546 1554 1714 1735 1741 1745
1759 1764 1781 1786 1849 1853 1888
1895 1939 1988 1994 2007 2016 2021
2049 2065 2068 2091 2108 2127 2166
2174 2196 2204 2219 2246 2248 2251
2253 2278 2281 2283 2289 2292 2297
2301 2310 2326 2373 2387 2394 2401
2435 2449 2462 2478 2515 2536 2537
2565 2583 2590 2593 2599 2641 2642
2647 2678 2684 2733 2745 2752 2796
2810 2813 2859 2872 2881 2881 2885
2893 2958 2963 2995 3033 3038 3069
3073 3081 3106 3109 3151 3173 3180
3213 3222 3342 3390 3392 3429 3461
3496 3505 3511 3517 3601 3601 3696
3707 3729 3766 3862 3864 3973 4020
4030 4034 4042 4048 4056 4070 4113
4114 4185 4189 4209 4246 4248 4276
4282 4333 4361 TT10 4443 4500 4500
4527 4543 4559 4564 4565 4660 4768
4773 4798 4904 4931 4943 4991 4999
5047 5047 5060 5084 5116 5199 5199
5332 5369 5463 5582 5605 5651 5659
5693 5695 5706 5723 5724 5728 5788
5900 6092 6160 6165 6168 6180 6251
6255 6268 6290 6305 6366 6426 6469
6497 6502 6503 6547 6596 6605 6736
6768 6877 6891 6893 6927 6946 6960
6967 7082 7109 7132 7137 7142 7154
7229 7243 7312 7317 7379 7401 7449
7475 7600 7602 7684 7694 7722 7738
7800 7835 7872 7946 7995 8156 8248
8305 8314 8330 8420 8536 8564 8682
8692 8729 8740 8794 8809 8846 8892
8935 9086 9103 9114 9126 9132 9140
9152 9156 9167 9183 9211 9215 9244
9302 9345 9412 9420 9424 9438 9441
9444 9582 9589 9610 9717 9743 9776
9779 9783 9856 9984 10094 10159
10267 10330 10337 10343 10397 10409
10420 10450 10572 10635 10688 10735
10811 10858 10909 10915 11079 11173
11179 11201 11322 11398 11433 11437
11437 11465 11524 11544 11575 11635
11636 11721 11751 11790 11903 11964
12066 12105.
Nüsse 2846.

Nutz 5069 9497. **Nutzen** 2053 5130.
nütze 11454. → un∼.
nutzen → be∼ ungenutzt.
nützen (8). nützenᵃ nütztᵇ. 684b 685a
1267a 1965b 2137a 7896b 10481a
10708a. → ungenützt.
nützlich 1653. Nützliche 217.
Nymphe 5888. → Lebens∼.

O

o (100) 58 59 271 386 518 574 783 1011
1013 1031 1064 1074 1111 1118 1256
1573 1577 1776 1981 2202 2291 2394
2431 2450 2489 2577 2695 2702 2707
2856 2871 2882 2917 3003 3008 3017
3040 3100 3163 3188 3240 3711 3970
4453 4470 4479 4493 4542 4596 5715
5720 5748 5756 5946 5952 5958 5960
6366 6453 6829 6956 7271 7324 7382
7410 7770 7859 8029 8102 8424 8516
8610 8923 9050 9078 9152 9180 9191
9258 9331 9373 9525 9564 9710 9729
9729 10598 10785 10807 10807 10814
10873 11035 11162 11493 11735 11735
11777 11777 11888.
ob (*Präp.*) 8669. → drob.
ob (27). obˣ Obᵇ. 378 1668 1669 1711
2820 2846 3157 3526 3809 3906 3907
4619 4619 5990 6306 6534 6674 7616
7685 8530 9557 9557 9575 9594
11633b 11659 11666.
Obdach 9536.
oben (23). obenˣ Obenᵇ. 786 1670b 4116
4396 5460 5839 6624 6772 6955 7146
7521 7589 7901 7944 8279 8373 9148
10082 11205 11338 11686 11939 11992.
→ droben.
obenan 4079 9971.
obenauf 3959.
obenaus 11675.
ober (7). obernᵃ obreᵇ Obereᶜ Obreᵈ
Obersteᵉ. 5052c 6139a 6651d 10090e
10658b 10885e 11977a.
Oberbacken 10512.
Oberfläche 10129.
Obergeneral 10310.
Oberhaupt 2097.
Oberon 4269.
Oberwelt 10436.
obgleich 8697.
obschon 6079 8952.

obsiegen siegt ob 9675.
Obst 9548.
öde öden 3875 8669.
Öde 3279 8913. Öd' 6227.
Odem 12031.
oder (26) 133 1670 1711 1714 2096
2820 2950 3302 3428 3907 4061 TT40
TT51 TT56 4597 4735 4843 7029 7991
8585 8590 8696 8719 8934 10236
10466.
Ödipus 7185.
Ofen 1188 1310.
offen (11). offen^a offne^b offnem^c off-
nen^d offner^e. 1044c 1246a 1402a 2082e
2696d 3506a 4543a 5924b 6689a 10291a
11538a. → flügel∽.
offenbar 10093.
offenbaren (6). offenbaren^a offenbare^b
offenbarten^c offenbart^{d}pp. 157d 592c
674a 2298a 5113b 10094d. → offengebaren.
Offenbarsein 9410.
Offenbarung 175 1217 11924.
offengebaren 8465.
öffentlich 877.
öffnen 3234 TT55. öffne 5197 5810. →
+er∽.
oft (30) 33 71 561 580 1024 1100 1208
2271 2697 2766 2885 3101 3336 4085
TT22 4975 5618 5701 6036 6163 7012
7101 7400 7819 8108 8655 8964 10790
10923 11634.
öfter 7005 9182 9389. öfters 526.
Oheim 10376.
ohne (40). ohne^x ohn'^{b}. 88 120 1547
1679 2351 2572 2653 2654 2654 3038
3267 3349 3424 3675 4627 5043 5586
6211 6430 6742 7188 7499 7909 7940
8019 8060 8993 9122 9603 9603 10424
10477 10535 10614 10756b 10891
10891 10999 11479 11671.
ohnegleichen 7324. Ohnegleiche 12035
12070.
ohnmächtige 909.
Ohr (37). Ohr^a Ohre^b Ohren^c. 1551c
2084c 2891a 3295c 3743c 4673a 5078c
5360c 5585a 5776a 5823a 5945a 5945a
6679b 6945c 7165a 7176c 7313a 8094a
8107a 8291a 8671a 9057c 9063a 9309a
9370b 9374a 9965a 10030a 10035a
10256a 10670c 10846a 10978a 10995a
11261a 11424a. → Geistes∽.
öhrig 10033.
Ohrring' pl 2796.

Öl 1520.
Olymp (6). Olymp^a Olymps^b Olympus^c.
156a 6027b 7466a 7491c 8138a 8197a.
Olympier pl 8581.
Opfer sg 1725 3361 8528 8920 8944. →
Menschen∽.
Opfernde 8587 8922.
Opfrer sg 8571.
Ops 7989.
Orden sg 4063. Orden pl 8330.
ordentlichen 4146.
ordnen (7). Ordnen^a ordne^b ordnet^c Ord-
nende^d geordnet^e. 5334a 8580d 9338e
10530b 10873e 11205c 11507a.
Ordnung (10) 1909 1955 2692 2703 3011
5761 7913 8541 8555 8569.
Organ 11907. Organen 1115.
organisieren 6859.
Orgel 3809.
Orientalen 7783.
Original 1222 6807.
Orions 8818.
Orkus 8762 8815 8836.
Orpheus 7375 7493. Orpheus' 4342.
Ort (34). Ort^a Orte^{b}sg Orten^c. 819b
1880a 1975a 1975a 2314a 3087a 3197a
4185a 4418a 4603a 4752b 5116b 5330a
5497b 5775b 6214a 6376b 6737b 7306a
7341a 7518a 7967a 8004c 8230b 9290a
9290a 9414a 10161a 10799a 11422a
11626a 11852a 11915a 12053b. → al-
ler∽en er∻ern Marter∽.
Ossa 7561.
Osten 7620 9281 10044 10053. Ostens
9449.
Osterfestes 745.
Ostertage sg 598.
östlich 9223. → süd∽.
Otter 5479.
Ozean 6239 8320 8437.

P

Päan 8292.
paar 1715.
Paar (12). Paar^x Paare^{bsg} Paaren^c. 3970
5380c 5841 5841 6836 7615 9160
9709b 9755 11052 11347 11362. →
+Flügel∼ Liebes∼ Zwillings∼.
paaren 5082 10526. paart 6105. gepaart
6442 10166. → an∼.
Pack 1640. → Lumpen∼ Teufels∼.
packen (7). packen^a pack'^{b} packt^c. 169c
2243c 3648b 3938a 4591a 7777b 11743a.
→ an∼ auf∼.
Pädagog 7337.
Padua 2925 3035.
Pakt 1414.
Palast (7). Palast^a Paläste^b. 3933a 3944b
4968b 6012b 11122a 11225a 11529a.
→ Hoch∼.
Pallas 7342 7999. Pallas' 8498.
Palme 5617.
Pan (8). Pan 5804 5807 5875 5920 5926
6067 9538. Pans 10002.
panisch 10780.
Pantherkätzchen 6324.
pantoffelfüßig 5224.
pantomimisch 5778.
Papa 4305.
Paphos 8147 8343.
Papier (7). 390 405 1731 6119 6126
6130 6574.
Papiergespenst 6198.
Pappe 5673.
Pappeln 821 9976.
Pappelstromes 7153.
Pappelzitterzweige pl 7252.
Papst 2098 5871 10984.
Paradies (6). Paradies^a Paradiese^{bsg} Para-
diese^{cpl}. 4133b 4694a 7617b 7964a
9340c 11708c.
Paradieseshelle 253.
paradiesisch 11086 11569.
Paragraphos 1959.
paralysiert 6568.
parat 6075.
Pärchen sg 3202.
pariere 3707 3708.
Paris (Stadt) 2172.
Paris (Person) 6184 6452 8110 9046
9055.
Parnaß 4317 7564.
Parteien 4841.

Parteihaß 10778.
Parzen 7990 8957.
Paß 10372 10540 10661 10683.
passen (7). passen^a passet^b paßt^c. 1204a
1951c 6539c 7180c 10238c 10823b
11664c. → auf∼ ver∼ zusammen∼.
Pastetchen pl 3556.
Pathos 277.
Patienten pl 1048.
Patroklus 8855.
Patron 2195 6593 11170 11172.
Patsche 5827.
patschen. patscht 5940. patschte 7421.
→ weg∼.
Pausen pl 4626.
Pech 7954 10444 11744.
Pedant 1716.
Pein (12) 387 1396 1544 2663 2871 3788
4757 4855 5951 9904 11271 11952. →
Feuer∼ Höllen∼ Lebens∼.
peinigen gepeinigt 10694.
peinlich 11955.
Peleus 6026.
Peliden 8855.
Pelion 7561.
Pelops' 9825.
Pelz 6582 6714. Pelze sg 6602.
Peneios 6952 7001 7466. Peneios' 7495.
Pentagramma 1396.
Pergamen 1108 6611.
Pergament 566 1726 1731 10971. Perga-
mente pl 6989.
Perle 2891. Perlen 3156 6119 8567. →
Zitter∼.
Perlenband 5598.
perlenreichen 6007.
Perlenschaum 5928.
Perlenschnur 5584. Perlenschnüren 3673.
Persephoneia 9944. Persephoneien 7490.
Persephonen 9973.
Perseus 4208.
Person 9984. Personen 6979 9986.
persönlich 10468.
Perücken 1807.
Pest 1028 1052. → ver∼et.
Peter (Sankt ∼) 6650.
Peter (∼ Squenz) 10321.
Pfad (14). Pfad^a Pfade^{bsg} Pfade^{cpl} Pfa-
den^d Pfads^e. 153c 264b 935d 1155d
3844c 5448d 7802a 7922a 8159e 8638a
8756a 10550c 11404a 11428d.
Pfaff (7). Pfaff^a Pfaffen^{bsg} Pfaffen^{cpl}.
367c 2621b 2814a 2831b 7352c 10285c
10454c.

Pfaffenmiene 11795.
Pfäfferei 6925.
pfäffisch 10285.
Pfähle 11519.
Pfand 2786 6059 9383. → Unter~
ver~en.
Pfänderspiel 5194.
Pfarrer *sg* 527 528 3460.
Pfauenschweif 9040.
Pfauenwedel *sg* 6099.
pfeifen 7719. pfeift 2147. pfeifend 7981.
Pfeil (9). Pfeil[a] Pfeile[b]*pl* Pfeilen[c]. 4624b
7219c 7644a 9260a 9261b 9261c 9527a
9671a 11858b.
Pfeiler → Mauern~ Schmal~.
pfeilgespitzten 1131.
pfeilschnellen 6014.
Pfennig → Rechen~.
Pferd (9). Pferd[a] Pferde[b]*sg* Pferde[c]*pl*
Pferdes[d]. 2064c 4599c 7316d 7320b
7327a 7471d 8141c 9296c 10557b. →
Nil~ Zauber~.
Pferdefuß 2490 4065 4141 7738. Pferde-
fuße 7150.
Pferdehuf 6340.
Pfiff 10689. Pfiffe *pl* 5594.
Pfifferling' *pl* 2844.
pfiffig 11831. pfiffiger 2195.
Pfirsche 6454. Pfirschen 5163.
Pfirsiche 9160.
Pflanze 7345. Pflanzen 5886.
pflanzen gepflanzt 6597. → be~.
Pflaume → Königs~.
Pflege 1192 12078.
pflegen. pfleg' 7450. pflegt 2384. pflegt'
8914. gepflegt 750. gepflegte 8820. →
er~.
Pflicht (20). Pflicht[x] Pflichte[b]. 210 727
1359b 1713 3086 4632 8511 8668 8949
9195 9195 9216 9242b 9418 10394
10483 10502 10903 10958 11665. →
Herolds~ ver~et.
pflücken 2631. → zer~.
Pflug 1598 5038.
pflügt 5009.
Pforte (7). Pforte[x] Pforten[b]. 710b 1991
4641 5496 8502 11419 12055. → Er-
füllungs~ Gnaden~ Goldes~.
Pfosten *pl* 39. → Tür~.
Pfoten 2385.
Pfropfen *pl* 2266 2290. Pfropf 4142.
pfropfen → vollgepfropft.
Pfuhl 11561. → Höllen~.
Pfühl 4792 4874 9176. Pfühlen 10048.

pfui 2092 3293 3294.
Pfuscherei 106.
Pfütze 4172. Pfützen 2135.
Phalanx 10360 10519 10530 10595 10646.
Phantasei 6418.
Phantasie (7). Phantasie[x] Phantasieen[b].
86 640 715 4347 5144b 6115 10893.
Phantast 4952 6922.
Phantom 2497.
Pharisäerhohnes 12040.
Pharsalus 6955.
Pherä 7435.
Philemon 11069.
philisterhaft 6802.
Philologen *pl* 7426.
Philosoph 1928 7844 10113. Philosophen
pl 7836.
Philosophie 354.
Philyra 7329.
Phiole 690 6824.
Phöbus (6). Phöbus[a] Phöbus'[b]. 4670b
7383a 8696a 8739b 9620a 9671a.
Phorkyaden 7967.
Phorkys' 8728.
Phosphor 11659.
Phrasen 5243.
phrygische 8512. phrygischen 8491.
Physik 2751.
Physiognomie 3537.
pichen → aus~.
piepsen 9979.
Piken (=Spießen) 10361.
Pindus 7814 8121.
Pinienapfel 7778.
Piraterie 11187.
pißt 10169.
placken 9002.
Plackerei 2969 8314.
Plage 1976 3123 11463. → Landes~
Stadt-[~].
plagen (11). plagen[a] plagt[b] geplagt[c].
127b 280a 298a 368a 1151b 1530a
1839a 2232c 2441b 3256a 6103a. →
zer~.
Plan (= Platz) 824 4635 9742 10355.
Plan (=Entwurf) (7). Plan[x] Plane[b].
1800b 3039 6784 6784 10227 10227
10522.
Planke 4557.
plappert 4017.
Plastron 7135.
plätschern. Plätschern 6912. plätschernd
7496.
platt platten 2150.

Platte (=Tonsur) 2154.
Platz (37). Platz^x Platze^b Plätze^c Platzes^d.
　2675 2989b 4023 4023 4023 4362b
　4383 4383 4524 4588 4756 4990 5143
　5199 5444 5520 5682 6138d 6389 6575
　7549 7606 7843 7935 8558b 8803 8939
　8980 8990 9314 9357 9552 10144c
　10817 10852 11027 11712. → Ruhe∼
　Tanz∼.
platzen. platzt 3977 5743. platzend 10748.
　→ entzwei∼.
plaudern. Plaudern 4598. plaudernd 7699.
plötzlich 7820 10761 12007.
plump (10). plump^a plumpe^b plumpes^c
　Plumpe^d Plumpen^e plumper^f$_k$ plumpst'^{g}.
　1364b 4337d 4386b 4389g 5734b 6410a
　6503f 9018c 10273a 11737e.
Plunder 10799.
plündern geplündert 4826.
Plural 10175.
Pluto 5990.
plutonisch 7865.
Plutus 5569 5577 5737.
Pöbel 592 4023.
Pöbelsinn 4909.
pochen 4795 4831 7395. poch' 11056.
　→ an∼ fort∼.
Poesie 221 5573 9863.
Poet (9). Poet^a Poeten^bsg Poeten^cpl. 220c
　1789b 2464c 5295b 5574a 7433b 7794c
　9958c 10189c.
Pokal 6125 10920.　Pokale pl 5021.
politisch 2092.
Polizei 3714.
Pollux 8500 8852.
Polster sg 4628. Polster pl 1602. → auf∼n.
Polypenfasern 3899.
Pompejus 7816.
pomphaft 10612.
Port 11100 11174.
Portal 11011. Portalen 9149.
Posaune 3801.
posaunet 4672.
Poseidons 8492.
Possen (7) pl 2536 5031 5086 5799 6839
　10335 10492.
Post → Raben∼ Tauben∼.
Posten sg 8090 10655.
Posto 6685.
Pracht (8) 252 726 4649 5091 6800 6807
　8005 9338. → Kaiser∼.
Prachtgebilde sg 5552.
Prachtgefäßen 10919.
prächtig (7). prächtig^a prächtigen^b prächt'-

gen^c prächtiger^d prächtiger^e$_k$.　1619e
　1953a 3933a 5512d 6023c 7309b 10163a.
prächtig–reinem 7555.
prägen geprägt 2616 5719.　→ be∼.
pragmatischen 584.
prahlen 8303. Prahlen 5580 prahlt 10529.
Prallen 7938.　→ zurück∼.
prangen (7). prangen^a prangt^x. 4121 5553
　5565a 8210 8214 10864 10907.
präpariert pp 1958.
Praß 10322.
prasseln. prasselte 10442. prasselnd 4670.
　→ Geprassel ver∼.
Prater 4211.
predigend 804.
Predigtstuhl 11031.
Predigt → Fasten.
Preis (=Wert) 7783 11232 11508.
Preis (=Lob) 10867.
preisen (13). preisen^a preiset^b preist^c
　pries^d preisenden^e.　801e 1934a 4843a
　6409a 6857d 7386a 7401a 7995c 8619b
　10864c 11018a 11149c 11822c. → vor∼.
pressen → bei∼.
Priester sg 6106. Priester pl 3428.
Priesterkleid 6421.
Priesterschaft 6491.
Prinzen sg 6460.
Prinzipal 6617.
Probe Proben 1005 2253.　→ durch∼n
　er∼n.
probieren (6). probieren 6858 8092 10613.
　probier' 5535. probiert 232 3253.
Problemen 6892.
produzieren 4061.
profan 2820.
Profil 8024.
profitieren 524.
Projekt 4888.
Prospekte pl 234.
Proszenium 6398.
Proteus 8152 8155 8227 8469.
Proteus–Delphin 8317.
Protokoll 5919.
prudelt 5255.
prüfen. Prüfen 10431. geprüfter 10506.
Prüfung 761.
Prügeln 10769.
Prunk 5570.
prunkt 4792.
Psyche 11660.
Publikum 103 2393.
Puck 4235 4390.
Pudel (9). Pudel^xsg Pudels^b. 1150 1156

1186 1202 1239 1250 1323b 1406 1529.
pudelnärrisch 1167.
Puder 4283.
pudern gepudert 4282.
puffen → ver∼.
Pulse 4679. Pulsen 8468.
Pülslein 2033.
Pult 389 679.
Punkt 6840. Punkte *sg* 2026. → Ehren∼
Mittel∼.
pünktlich 1059.
Püppchen *sg* 2651.
Puppe 3476. Puppen 585 2390.
Puppenstand 11982.
Puppenzwang 9658.
Purpur 11707.
purpurne 9654.
purpurrot 11335.
Purpursaum 5547 6010.
pusten pustet 11716. → aus∼.
Püstriche 11716.
Putz 119 831.
putzen (6). putzen[a] putzte[b] geputzt[c] ge-
putzte[d] geputztes[e]. 872c 915d 949b
5128a 5815e 10561c. → auf∼ empor∼
wohlgeputzt.
Pygmäen 7875 7895 7936.
Pylos 9454.
Pyramiden 7245.
Pythonissa 9135.

Q

Quadrat 10363 11528.
Qual (11). Qual[a] Qualen[b]. 715a 4351a
TT7b 4471a 8120a 8128a 8635b 9887a
11128a 11451a 11490b. → Flammen∼
Höllen∼ Liebes∼.
quälen (11). quälen[a] quäle[b] quälte[c] ge-
quält[d]. 662d 1025c 1045d 1994a 3532b
4769a 6181d 7394a 10756a 11251d
11362d. → ver∼.
Qualität 2099. Qualitäten 1791.
Qualm 8718 11318. → Siede∼ Wis-
sens∼.
qualmend 8114.
quammig 7782.
quappig 7782.
Quark 292. → Gallert–∼.
Quasten 9619.
Quecksilber 1680.
Quell 186 3843 3923. → Ur∼.

Quelle (12). Quelle[a] Quellen[b]. 456b 563b
1201a 5907a 6488a 7280b 7461a 8574a
9530a 9993b 10721a 12049a. → Feuer∼
Wald∼.
quellen (9). quellt 459. quillt 569 784
1813 5715 6445 7402 7873 9547. →
auf∼ ent∼ *und* quillen.
Quentchen *sg* 8130.
quer (7). quer[a] Quer[b]. 362a 1916b
4235a 4381a 5847b 7543a 10262a. →
über∼.
quetschen. quetschend 3230. quetschen-
der 926. gequetscht 7941. → zer∼.
quicken → er∼+.
quillen 1211 1663. quillend 3791.
Quintessenz 10322.
quirlen quirlt 4017. → herum∼.

R

Rabatt 6090.
Rabe 10784. Raben *pl* 2491 10664 10717.
Rabenpost 10678.
Rabenstein 4399.
Rabentraulichkeit 10702.
Rache 5391 7672.
Rachen *sg* 6018. Rachen *pl* 5681 8890
11640. → Höllen∼.
rächende TT68.
Rächers TT54.
Rachesegen *sg* 7893.
Racker *pl* 11800.
Rad 669 11737 11737. Räder 4670. →
Mühl∼.
raffen → auf∼ ent∼ heran∼ herbei∼
hin∼ hinweg∼ weg∼ zusammen∼.
Raffzahn 8023.
ragen. ragend 10578. ragender 9082. →
entgegen∼.
Ragout 100 539.
räkeln → hin∼.
Rammelei 3659.
rammeln → ein∼ ver∼.
Rand (6). Rand 2579 2961 9535 11570.
Rande 5716 11698. → Felsen∼ Hügel∼
Silber∼.
Rang 1352 1745.
Ranken (=Sprossen) 1471.
Ränzlein *sg* 2128.
rapieren 7135.
rasch (34). rasch[a] rasche[b] raschem[c]
raschen[d] rascher[e] rasches[f] rascher[gk].

1575a 2579a 3089d 4665a 5637a 5678a
5741a 5817c 6107g 6805a 6911a 7220d
7303a 7614a 8323c 8847a 9149a 9580a
9860a 9952a 10038a 10480a 10580a
10711a 10721b 10773a 10956e 11062f
11071d 11179e 11223e 11507d 11613a
11632b. → über~en+.
raschgeschäftiges 8671.
rascheln raschelt 1515. → um~.
Rasen (=Grasdecke) 3881 7539 11526.
rasen (6). Rasen[a] rase[b] rast[c] rasend[d]
rasende[n][e] Rasender[f]. 1373d 2533e 2812f
3936c 9785a 11570b. → fort~ durch~.
Raserei 2339.
rasseln. rasselt 6830 10766. rasselnd 4669.
Rast 1564 1679 11671.
rasten 1023 1657. raste 7332.
rastlos 1759.
Rat (12). Rat[x] Rats[b]. 1236 2340 7211
7350 7373 7849 8105 8106 8106 8158b
8246 10672. → Ge~e Kriegs~ Kriegs-
un~ Stadt~ Urväter–Haus~.
raten (9). raten[a] rate[b] rat'[c] rietet[d] geraten[e]. 811c 1540b 1630a 1910c 2740c
3516a 7881a 8101e 10413d. → ab~
be~ er~ ge~ miß~ ver~+.
ratschlagend 4769.
Rätsel (7). Rätsel[a]sg Rätsel[b]pl Rätsels[c].
4040a 4041a 4752b 5542c 7131b 7132b
8825a.
Rätselkram 10240.
Rätselwort 1337.
Ratte 2156. Ratt' 2126. Ratten 1516 2152.
Rattenfänger sg 3699.
Rattenzahns 1513.
Raub 2358 4811 6548 6549 11371.
rauben (12). rauben[a] raubt[b] raubt'[c] raub-
ten[d] raubende[e]. 2000a 3420a 4787b
6710d 7584a 7667b 9250e 9292c 9460a
9677b 10378d 10535b. → be~.
Räuber sg 8512. pl 9005 9006 9489.
Räuberfaust 7416.
raubschiffend 8985.
Rauch 416 3457 5836 8713 11381. →
be~ern Weih~duft+ Wirbel~.
rauchen raucht 7506. → an~.
Rauchfang 1392.
Rauchloch 6837.
rauchwarme 6587.
Raufbold 10579.
raufen rauft 3717. → aus~.
rauh (7). rauh[a] rauhe[b] rauhen[c] rauher[d]
Rauhste[e]. 907b 3082a 5816a 6716c
8359c 8624e 9614d.

Raum (31). Raum[x] Räume[b]. 642 1094
1312 1352 1884 3875 4055 4782
5001b 5200b 5525b 5593 5678 5799
5997 6028b 6371 6388 6440 6884
7282 9263 9539 9880 10182 10458
10787 11005 11106 11563b 11653. →
Binnen~ ge~ig Himmels~ Höhlen~
Hügel~ Linden~ Welten~.
räumen → aus~ weg~.
Raumgelasse 9026.
Räumlichkeiten 10359.
raunen geraunt 10256.
Raupe 6729.
'rausblasen sv herausblasen.
Rausch 9964 10019. → be~en.
rauschen (7). rauschen[a] Rauschen[b] rauscht[c]
rauschend[d]. 1285d 1754b 3883b 4422c
7279a 10025c 10729c.
Rebe 10012. Reben 2286 9830 9831.
Rebellen pl 10159.
rebellisch 9265.
Rechenpfennige 5732.
Rechenschaft 9068.
rechnen rechnet 4920. → be~.
Rechnung 6041 6041 10395.
Recht (24). Recht[x] Rechte[b]sg Rechte[b]pl.
135 1339 1413c 1708 1972c 1978b 3294
4839c 4840 4940 5073 5101 8800 9400
9481 10203c 10481 10941 11040
11093c 11184 11285 11621 11833. →
Freiheits~ Gast~ Haus~ Menschen~
Un~ Vor~.
recht (113). recht[a] rechte[b] rechten[c] rech-
ter[d] Rechte[e] Rechten[f] Rechtes[g] Rechts[h].
109a 182a 295a 329c 371h 550d 589c
613a 1149a 1721a 1228a 1400a 1506a
1647a 1826a 1879h 1880a 1898a 1902c
1996c 2010a 2018b 2086a 2087a 2151b
2171a 2255a 2269a 2317a 2680a 2834a
2870a 2894c 3031a 3047a 3067a 3069a
3072a 3158a 3177a 3264b 3321a 3421a
3459a 3551a 3635a 3674a 3731a 4031a
4080f 4083b 4125h 4142e 4180h 4206a
4315c 4351a 4362a 4528b 4802f 4942c
5296a 5379d 5457a 5540a 5561a 5647a
5809a 5868d 6157a 6263b 6293a 6510a
6534b 6589a 6763a 6880a 6886c 6972a
7146a 7257a 7315a 7474a 7782a 7931a
8087a 8188e ̄8682c 9748a 10089c
10250a 10311b 10342a 10351b 10503b
10538e 10577b 10643f 10704b 10718a
10768a 10789a 10798g 10838a 10930c
10930d 11114c 11422c 11657a 11692a
11720c 11772a 11789a. → folge~

+ge~+ senk-[~] wage~ zu~ele-
gen.
rechts (7) 966 5928 7466 10021 10521
10647 11105.
Rechtsgelehrsamkeit 1969.
recken → aus~.
Rede (8). Rede^a Reden^b. 554b 1765a
3398a 4899b 5611a 7195a 9367a 11399a.
→ Ge~ Stichel~ Wechsel~.
Redekunst 6101 6400.
reden (9). reden^a rede^b red'^{c}. 76a 218a
2454a 5297a 6977b 8691c 8842b 9217b
9582b. → Miß~de überredung.
redlich. redlichem 1221. redlichen 548.
redlicher 10826.
Redlichkeit 1036 10827.
Redner Redners 546.
Rednerei 1734.
reduzieren 1944.
Regal → Berg-[~] Münz~ Salz-[~].
rege (6). rege^a regem^b regen^c regesten^d.
1379c 1560c 7309b 8061c 8276d 8748a.
Regel 4160 8162.
regelhaft 9022.
regeln 7244. regelnd 7863. geregelten
9155.
Regen 7892. Regens 8976. → Früh-
lings~.
regen (40). regen^a rege^b regest^c reget^d
regst^e regt^f regte^g regend^h. 147f 912f
1184d 1185f 1600f 1924f 2598f 3044f
3116a 3139a 3176a 3791f 4684e 5261f
5720f 5885f 6141a 6432f 6686f 6780f
6855f 6948a 7249b 7300f 7980a 8139f
8324e 8329c 8374f 8897c 8983b 8993a
9148f 9204a 9625f 10224a 10963f
11635g 11928f 11968h. → auf~ +er~.
Regent → Mit~.
Regenwürmer 605.
regieren 7016 10251. regierte 7016.
Regionen 9540 11664.
regnen 2310. regnet 10860.
regsam 6430. regsamem 8490.
Regung 6498 8428 8641. → Lebens~.
Rch 8850 11295. Rehe pl 4857 9768.
reiben reib' 2744. → auf~ aus~.
Reich (34). Reich^a Reiche^bsg Reiche^cpl
Reiches^d Reichs^e. 2090a 2094a 2768a
4783a 4825a 5071a 5156a 6131a 6133d
6277c 7013a 7467a 8074b 8858e 8991a
9363e 9451a 9451a 9465e 9905a 10131c
10261a 10281a 10379a 10856a 10872a
10935a 10954a 10972a 10986a 11036d
11042a 11153a 12033c. → Be~ Dop-

pel~ Fabel~ Feuer~ Geister~ Him-
mel~ König~ Schatten~ Toten~
Wellen~.
reich (36). reich^a reiche^b reichen^c reicher^d
reiches^e Reiche^f Reicher^g reicher^hk
reichste^j Reichsten^k. 345c 726b 1026a
2395a 2544a 2878h 3769b 5108c 5149c
5171c 5183k 5554a 5566a 5576a
5625h 5724a 5898b 5969b 6061b
6102j 6191a 6437d 7293b 8340c 8439b
8552b 8895a 9033a 9274f 9507e 10430d
10528e 10620a 11210c 11387g 12049c.
→ aller~ste blumen~ fisch~ fürsten~
geheimnis~ geister~ gnaden~ hülf~
perlen~ sitt-[~] strahlen~ tugend~.
reichen (11). reichen^a reich^b reich'^{c}
reichst^d reichte^e gereicht^f. 450a 730a
3633e 3830a 4103f 5670b 5827e 6026e
8283f 10894c 11028d. → Bereich
+er~+ hin~ hinauf~ über~.
reichgeschmückte 10006.
reichlich (6). reichlich^a reichlichen^b reich-
lichste^c. 191a 2059b 5715a 10912c
12041a 12079a.
reichlichstens 6488.
Reichtum (7). Reichtum^a Reichtums^b.
5569b 6114b 9323a 9354a 9636a 10245a
11252a.
reif. reife 5055 9548. reifer 5172. →
aller~sten.
reifen gereift 4092 10118 10533.
Reihe (11). Reihe^a Reih'^{b} Reihen^c. 146a
1018c 3225a 4057a 5020c 6074a 8929a
9042b 9042a 10508c 10509c. → Le-
bens~.
Reihen (=Reigen) 4236 4377 6938. Reihn
9751.
reihen. reihet 9179. gereiht 9156 10100.
→ hin~.
reihenweis 6406 8382.
Reihenwanderer pl 7671.
Reiher pl 7647 7890. Reihers 7667.
Reiherstrahl 7897.
Reim → Rund~.
reimen 2455. reimt 4361.
reimweis 727.
Reimwort 11401.
rein (39). rein^a reine^b reinem^c reinen^d
reiner^e reines^f Reinen^g reinste^h rein-
ster^j. 64b 440d 705e 720b 1416a 1477b
1724a 2686a 2715c 3136h 3235b 3831g
4163a 4240d 4723a 5206b 5558b 5682a
5838a 5904d 5959f 6071a 6744b 6899b
7297a 8298a 8574h 9545a 9554d 9560d

9647j 9928d 10098a 10389b 11156a 11597f 11920e 12009a 12049d. → jugend∼ prächtig–∼.

reingeborner 10028.

reinigen. reinige 9472. reinigt 4625. gereinigt 8659 11823.

reinlich 754 2705 6327 7281 11957.

Reinschrift 10973.

Reis 5955.

Reise (6) 245 2168 3036 4169 4278 8067.

reisen 7118. reisenden 804. Reisender 3075. gereist 3019. → fort∼ vorbei∼.

Reisig 10442.

reißen (7). reißen[a] reißt[b] gerissen[c]. 477b 3575a 5316a 7925b 8837c 9948a 10382b. → auf∼ ent∼ fort∼ hin∼ los∼ zer∼.

reiten 2330. reitet 3963. reit'st 3971. ritte 10152.

Reiterei 10356. → Reuter.

Reiz 5664.

reizen (11). reizen[a] reizt[b] reizten[c] reizend[d] reizendes[e] reizender[f]k. 343b 1449f 4131c 5159d 7234e 7425d 7443d 8460d 9993a 10006a 10907b. → auf∼.

Religion 3415.

rennen (6). rennen 11081. Rennen 1191. renne 1186. rennt 3854. ranntest 9923. gerannt 11433. → ver∼ zu∼.

Renten 4859.

Requiem 2942.

resolut 6735.

Respekt 2485 6355 8089.

respektabler k 8226.

respektiert 7243.

Rest 1585 8675. Reste pl 6532. → Erden∼.

Restchen sg 4340.

retten (24). retten[a] rette[b] rettet[c] retteten[d] gerettet[e]. 3616b TT51b TT55b 4473a 4474e 4552b 4562b 4607b 4611e 5444e 5967a 6557b 7654a 8395e 8934c 9051b 10294e 10445a 10610e 11322d 11813e 11934e 12025a.

Rettung 8953 8963 9104 11315 11649.

Retter pl 8176.

Retterblick 12096.

Reue 11002.

reuen → be∼ ge∼.

Reuestich 6351.

reuig 11037 12097.

reüssieren 2674.

Reuter sg 7325. → Reiterei.

revidieren 2677.

Revier 914 6027. → Lust ∼ Schatz∼.

Rezepten 1040.

Rhea 7989 8969.

Rheine 2256.

Rheinwein 2264.

Rhodus 8291.

rhythmisch 147 8116.

Richte 8978.

richten (12). richten[a] richt[b] richte[c] richtest[d] richtete[e] richtenden[f] gerichtet[g]. 2857b TT13f 4611g 7919d 9475a 9721c 10448g 10604g 10668a 10985a 11122e 11443e. → Gericht+ ent∼ er∼ Nachricht Unterricht zu∼.

Richter (6). Richter[a]sg Richter[b]pl Richters[e]. 3016a 4792a 4805a 5165a 9216c 10945b.

Richterin 9214.

richtig richtigen 8350. → auf∼ be∼en.

Richtung 5419 10874.

riechen 7956. riecht 5259. → ab∼ an∼ +Geruch.

Riegel (9). Riegel[a]sg Riegel[b]pl. 671b 2105a 2106a 2107a 3506a TT55b 6625b 6669b 7604b. → Heiden∼ ver∼t.

Riese 6628. Riesen sg 8300 10579. Riesen pl 11670. → Gipfel∼.

rieseln (6). rieseln[a] rieselt[b]. 1477a 5979b 6625b 7269a 7279a 10719a. → zu∼.

Riesenfichte 3229.

riesengroß 612 8717.

riesenhaft 5867 10049.

Riesenleichnam 8120.

Riesenschilde 8170.

Riesigen 7586.

Riff → Felsen∼.

Rind 9535.

Rinde Rinden 9592.

Ring (9). Ring[a] Ringe[b]pl Ring'e[c] Ringen[d]. 2843c 3002a 3670a 3697a 5587d 5713d 6146b 8339a 10895b. → Ohr∼.

ringen gerungen 8281. → ab∼ +er∼ Hände∼ um∼ zu∼.

Ringerspiel 9676.

rings (8) 406 438 2691 2698 5453 9026 9111 12052.

ringsherum 4383. → ringsumher.

Ringspiel 10413.

ringsum 2015 3653 8478 9511 10556.

ringsumher (6) 262 1833 6478 10443 11367 11526. → ringsherum.

Ringverein 11927.

rinnen 433. → ent∼ um∼ zer∼.

Rippach 2189.

Rippen 3938. → +Gerippe.
Ritt → Hexen~.
Ritter (7). Ritter^a*sg* Ritter^b*pl*. 2772b
4141a 4816a 4906b 6984a 7053a 10559b.
Ritterkragen *sg* 10328.
ritterlichen 10769.
Rittersaals 6372.
Rittertum 6925.
Ritze Ritzen 7583 7591. → Felsen~.
ritzen → hinab~.
Rock 1846 4283 5272. Röcke 967.
roh (7). roh^a rohe^b rohen^c Rohen^d. 124a
944d 2489c 5816a 6411a 9020c 9021b.
Rohr (=Röhricht) 4333 4397. Rohren
8998.
Rohre *sg* (=Schreib~) 6578.
Röhrenwasser 4833.
Rohrgeschwister 7250.
Röhrigflöten *sg* 10001.
Rolle (=Gerolltes) 678 5012. Rollen
5718.
Rolle (=Charakterrolle) 5095 6501 9048.
Rollekutschen 10148.
rollen (9). rollen^a Rollen^b rollt^c rollte^d
gerollt^e. 1755b 2404c 4670a 6394e
8278b 10003a 10214c 10273d 11481b.
→ Geröll herab~ hinab~ zurück~.
Rom 7465 10447.
Roman 165.
romantische 6946.
Römer *pl* 4935.
Römerzügen 5068.
Röm'sche 2090 2094.
Rosen (6) 3337 5168 7758 9040 11699
11942.
Rosenhügel *sg* 4394.
Rosenknospe 5153.
Rosse *pl* 5521 8545.
Rost 8224. → ein~en.
Rot 2613 8114. → Abend~ Morgen~+
Wangen~.
rot (20). rot^a rote^b rotem^c roten^d rotere^e
rotes^f. 471b 968a 1042e 1536c 1679f
2485d 3852d 4179f 4204f 4968b 6321b
6680a 7025b 9041a 9160a 10573e
10793d 10809b 11320a 11648b. →
backen~ purpur~ scham~.
röten. rötet 7917. gerötet 7665.
Rüben 10139.
Rubinen 5021 9311.
Ruch → +Ge~.
Ruck 7650.
Rücken (17) *sg* 709 4715 4996 5363
6346 6806 7406 7537 8319 8492 8759

8996 9526 10513 10552 10806 11154.
→ Messer~ hinterrücks zurück+.
rücken 1975. rückt 1072 3664. → ent~
ver~ vorüber~.
Rückkehr 8495.
Ruder *sg* 11230.
ruderte 8985.
Ruf 490 6653 7038 8531 11521. →
Be~+ Glocken~.
rufen (16). rufen^a ruf'^{b} rufst^c ruft^d rief^e
riefen^f. 148d 482d 2215e 2823e 2955e
3995d 4462a 4466e 4590d 6298c 8046d
8704a 9589f 9607d 11056b 11356f. →
an~ auf~ +be~+ ein~ her~ her-
vor~ ver~ zurück~.
Ruh (22). Ruh^a Ruhe^b. 341a 646a 1691b
2642a 3148a 3349a 3374a 3386a 3402a
3626a 4006a 4126a 5675a 5883a 6479a
7256a 7268a 8914b 9140b 10279b
11060b 11112a. → Aschen~ Kindes~
Schatten~ un~voll.
Ruhebett 4540. Ruhebette 2928.
ruhen (19). ruhen^a ruhn^b Ruhens^c ruhst^d
ruhte^e ruhten^f Ruhenden^g. 969f 1657b
2587b 2637e 3035b 3257b 4223a 4648c
5434b 5703b 6248d 8098b 8563b 8961f
10018e 10053e 11060b 11709g 11867e.
→ aus~ entgegen~.
Ruheplatz 2660.
ruhig (16). ruhig^x ruhige^b ruhige^c.
1186 1294 2300 3322 3503 5158 6514
7298 7308 7543b 7891c 7946 8037 9487
9656 10891. → be~t ge~ un~.
Ruhigscheinende 7907.
Ruhm (15). Ruhm^x Ruhme^b Ruhmes^c
Ruhms^d. 1033c 1596d 5355 6653 6997
7338 7979 8210 8213d 8519 8797b
9876 10185 10188 10421.
rühmen 526 8787. rühme 2108 6257.
rühmet 5354. → be~.
Ruhmesgewinn 9499.
Rühmliches 5465.
rühren (11). rühren^a rührst^b rührt^c
rührte^d rührten^e gerührt^f. 2718f 4684b
5684a 6439c 8468f 8682c 9606c 9710c
11505c 11534e 11635d. → Aufruhr
+be~.
rührig 7635.
Rumpelkammer 582.
Rumpf 7228.
rümpfen rümpfte 5272. → Nase~.
Rund 6008 8573. Runde *sg* 6385. →
Erden~.
rund 7937. → kugel~.

Runda 2082.
Runde 4694 7040 7918.
rinden rindet 8339. → ab∼.
Rundreim 2125.
rundumschriebner 7915.
rupfen → aus∼.
ruscht 4016.
Ruß → be∼t.
Rüssel → Schlangen∼.
rüsten 8565 10880. rüstet 6425 9428. →
    ent∼ +Gerüste.
rüstig 5725. rüstige 8383.
Rüstung 6374 10325.
Rute 5710. Ruten 6724. → Schwefel∼
    Wünschel∼.
rutschen → Hin-[∼] Wider∼.
rütteln. rüttelten 11354. gerüttelt 7552.
rütten → zer∼.

S

's *sv* der *und* es.
Saal (12). Saal^a Säle^b Sälen^c. 1886c 6367a
    9042c 9043c 9597a 9597c 10458b
    10764b 10879a 11206a 11206a 11608a.
    → Hör∼ Ritter∼ Väter∼ Waffen∼.
Saat 1147 3957 4657. Saaten 8376. →
    Felder∼.
Sabbatstille 772.
Sabiner *sg* 10439.
Sache (13). Sache^a Sachen^b. 1407a 1816b
    1817b 1948b 2375b 2510a 2877b 3214b
    3728b 4753a 5390a 6053a 7673a. →
    Sieben∼n Taschenspieler∼ Wider∼r.
Sächelchen *pl* 2735.
Sachsen *pl* 9471.
sacht (6). sacht 314 1975 5921 10519.
    sachte 2305 7694.
Sack Säcken 11166. → Dudel∼ ein∼n.
Säckels 2934.
säen. säe 6605. säst 10816.
Saft (8). Saft^x Safte^b Säfte^c. 732 1579
    1633c 1740 2519 2539 6454 9544b. →
    Balsam∼ Schlummer∼.
saftig 2286. saftiger 10028.
Sage 11 3887 7028 8515. Sagen 9635.
sagen (123). sagen^a Sagen^b sag^c sage^d
    sag'^e saget^f sagst^g sagt^h sagte^j sagt'^k
    sagten^m gesagt^n. 35h 129e 279a 293a
    381a 552a 827h 961j 1397d 1423a
    1531a 1699a 1830e 1841a 1895h 1961h
    1964a 2004a 2193a 2260h 2281n 2326h

2336e 2390h 2442h 2518h 2532d 2547h
2590a 2635e 2655e 2879a 2900a 3008h
3153h 3155h 3159a 3170a 3189a 3214e
3258a 3292a 3294a 3415c 3426a 3437a
3460h 3462a 3546k 3630d 3722n 3729e
3771d 3906c 4055g 4059d 4165e 4309a
4319h TT72e 4446a 4470c 4574b 4582e
4765h 4876c 4950d 5136a 5279f 5361a
5567a 5572c 5623e 6177c 6275a 6656d
6744h 6790a 6978n 7056a 7126g 7229h
7330a 7835a 7881h 7965h 7996h 8012a
8156h 8188j 8196a 8721a 8824d 8872h
8876a 8880a 8918h 8953d 8954n 8966d
8966c 9044d 9048d 9049g 9102a 9164a
9377d 9412d 9623a 9942e 10068c
10174d 10279m 10496h 10603d 10833c
10839a 11063d 11235a 11238d 11581a
11894c 11895c. → an∼ ent∼ unsäg-
    lich ver∼ voraus∼ vor∼ weis∼ zu∼
Saiten 7173.
Saitenspiel 206.
Sakramente 3423.
Sakristei 3650.
Salamander *sg* 1273 1284. Salamandern
    6002.
Salbe 4008.
Salomonis 1258.
Salpeter 5011.
salutiere 1325.
Salz-[regal] 10948.
Samen 384.
sammeln (10).   sammeln^a sammelt^b
    sammle^c gesammelt^d.   174b   3958b
    4763b 4850b 6990c 7104d 7167a 9709b
    10602a 10976d. → ver∼.
Sammet 2223.
Sammetmatten 10164.
Sammler *sg* 6581.
Sammlung 8552.
Samothrace 8071.
Samstags 844.
samt 8495 8551 9504. → alle∼ ge∼.
sämtlich (6). sämtlich^x sämtliche^b sämt-
    lichen^c. 5867 8806 8932 9388b 9536c
    10081.
Sand (9). Sand^x Sande^b. 2706 3895b
    3929 TT26 7467 7540 11256b 11592
    12060.
sanft (7). sanft^a sanfte^b sanfte^c sanf-
    ten^d sanfter^e. 266b 6471a 7278a 9344e
    10000d 10041a 10102c. → be∼igen.
sanfthingleitenden 9096.
Sang 4239 8049. → +Ge∼ Sing∼ Vo-
    gel∼.

Sänger *sg* 3701.
Sankt 878 6650.
Sanssouci 4367.
Sardanapal 10176.
Satan (7). Satan^x Satanas^b Satane^c. 2504
4305 4941 6950 10119 10982b 11736c.
satanisch 10781.
Satansmeister *sg* 11951.
satt (6) 114 1102 2009 2444 2671 4925.
→ Unersättlichkeit.
sättigt 1678 11587.
Saturn 4962.
Satyr 5829.
Satyrvolk 7237.
Satz 4024. → Er~ Vor~.
Sau 2466. Säuen 2294.
sauber. saubern 106 7172. saubrer 2210..
sauer. saurem 380. sauren 2274.
Sauerei 2078.
Sauerteig 1779.
Sauertopf 8085.
saufen. sauft 2082. soff 2135. → er~
er$\overset{\cdot}{\sim}$ Gesäufte.
saugen. sauget 176. gesogen 484. →
an~.
Säugling 9646.
Säulchen *pl* 9028.
Säulen 3943 6406 9028. → Feuer~.
Säulenschaft 6447.
Saum 10040 11104. → goldge$\overset{\cdot}{\sim}$t Purpur~.
säumen (=zaudern) 2710. Säumen 4627.
säume 4662. gesäumt 10555 11360. →
ungesäumt ver~+.
Säumnis 6211.
Säure → [Schwefel]–~.
Saus 4074.
säuseln (8). säuseln^a Säuseln^b säuselt^c.
557c 2703a 5979c 7251c 7269a 8366b
10003c 10003a.
Säuselschweben 9992.
sausen (9). sausen^a Sausen^b saust'^{c} sausend^d sausende^e. 508e 3992b 4042a
4720d 5488c 6912b 9815a 10846c
11876b.
Schachteln 6610.
Schade (9). Schade^a Schaden^x. 4102
TT47 6323a 6565 7130 8193 10635
10989 11034.
Schädel *sg* 664 6768 10482.
Schädelspalten *sg* 3703.
schaden (8). schaden^a Schaden^b schadet^c.
1138b 2500a 2580a 3515a 5826c 8938a
10542c 10890a.

schädigen 4810 5985 9053.
schädlich 7037. Schädlicheres 8828.
Schäfer *sg* 949.
Schäferknecht 6459.
Schäferstunde 4182.
schaffen (=erschaffen) (13). Schaffen^a
schaffe^b schafft^c schuf^d schaffende^e
schaffenden^f schaffender^g geschaffnen^h
Geschaffenes^j. 415d 620e 790g 1232c
1380f 3339d 5026d 5696b 6779c 10283h
11598a 11599j 11883e. → er~ neuge~.
schaffen (= arbeiten, verschaffen) (41).
schaffen^a schaff^b schaffe^c schaff'^{d} schaffet^e schafft^f schafft'^{g} schaffend^h. 343a
. (?) 508d 544a 875a 1336f 2252f
2325f 2341f 2518f 2619a 2659b 2661b
2854b 2965a 3083a 3199a 3279f 4400a
4871f 4895f 4926b 4927c 4927c 4943g
4969f 5844f 6146c 7347f 7350a 7633a
7636f 7643e 7655a 7893f 10279f
10695f 10817f 11257d 11275f 11552c
11833f. → an~ auf~ herbei~ her~
ver~ beschäftigen Geschäft+.
Schaffnerin 8551 8672 8679 8773 8866.
Schafsnatur 10406.
schafwolligem 8888.
schäkern 2112.
schal 6763. schalem 603. schaler 10492.
Schale (11). Schale^x Schalen^b. 720 2579
4661 5607 6424 6439 8573b 8921 9519
9655 10036.
Schalk (7). Schalk 339 4885 5792 6600
6885 9652. Schälken 9663.
Schall 3457 7316 8670.
schallen (7). schallen^a schallt^b scholl^c
schallend^d. 977c 1703a 5973b 7320d
8705a 9067a 10769b. → er~ hinaus~ ver~ wider~.
schalten 1719 8181. Schalten 6380. schaltet 4784 10462.
Scham 8755 8761.
schämen 3558 6891. schäm' 11238. →
be~ unverschämt.
schamlos 7083.
schamrot 3021.
Schande 3740 3821 11697 11735. Schand'
4795. → zu~n.
Schandgesellen *sg* TT46.
schändlich 2987 3767. Schändlichste 11691.
→ allzu~.
Schanz → Mummenschanz+.
Schar (26). Schar^x Scharen^b. 1126 1302b
2698 4307 4608b 5187 5840 5938 5953
7158b 7766b 8061b 8449 8464b 8774

8793 8808 8952 9154 9451 9649
10390 11733b 11940 11971 12087. →
Buben∼ Faunen∼ Geister∼ Helden∼
Kaiser∼ Sieger∼ Vogel∼ Wimmel∼.
Scharaden 7131.
scharen 5081.
scharenweise 3901.
scharf (20). scharf^a scharfe^b scharfen^c
scharfer^d scharfes^e schärferes^f schärfern^g
schärfster^h. 1130b 2911a 4304c 5609f
6673a 7141c 7292a 7887c 8044g 8921c
9063a 9201a 9279h 9302c 9919d 10194a
10690a 10781a 11672a 11761a.
scharfangeschloßnem 11887.
Schärfe 4594.
schärfen. schärf' 5382. schärfte 10206. →
ein∼.
scharfsichtig 7377.
Scharlatan 5641.
scharrt 4850.
Schatten (8). Schatten^b*sg* Schatten^b*pl*.
10b 1249a 7908b 8391a 8743a 10165b
11160a 11388a.
schattenhaft 11383.
Schattenkreise *sg* 9546.
Schattenreich 8876.
Schattenruh 4655.
Schatz (47). Schatz^a Schatze^b Schätze^c
Schätzen^d Schatzes^e. 604d 1599d 1689d
1810c 2676a 2739a 2975a 2991b 3010a
3664a 4360b 4992a 5709c 5905c 5912a
6061a 6111c 6134c 6137e 6150a 6150d
6153c 6315a 6766b 7187a 7584a 7605a
8055c 8552c 8560a 8806a 8867a 8974a
9301d 9313a 9337a 9337a 9383a 9617c
10060c 10063a 10785a 10816c 10851a
11070a 11459d 11829a. → Beute∼
Engels∼ Kaiser∼ Seelen∼ Wunder∼.
Schatzbewußte 5016.
Schätzchen *sg* 2445 6323. → Liebes∼.
schätzen (14). schätzen^a schätz^b schätze^c
schätz'^{d} schätzte^e schätzt'^{f}. 1144e 1216a
1226a 2400a 2596a 4150a 5577c 5626c
6260b 6362a 6728f 8402a 9492d 10203e.
→ hochgeschätzt unschätzbar.
Schatzgemach 8686.
Schatzgewölbe 9320.
Schatzrevier 4998.
Schau (6) 6403 7396 7429 7557 9293
11210. → Flitter∼.
Schauderfeste *sg* 7005.
Schaudergrauen 7041.
schauderhaft 7518. schauderhafte 7788.
schaudern (10). schaudern^a Schaudern^b

schaudert^c schaudre^d. 3188d 4599a
5520c 6216c 6272b 8841a 9162d 10701c
10733c 11160c. → schauern.
Schauderwindchen *sg* 11380.
schauen (61). schauen^a schaun^b Schauen^c
schau^d schaue^e schau'^{f} schauet^g schaust^h
schaut^j schaut'^{k} schauten^m schauend^n
geschaut^p. 90b 384f 440f 486a 572a
592c 1494a 2497a 2599a 2790d 2815a
2881f 3224a 3446f 3479a 3930d
4270a 4659e 4877a 5404a 5538a
5693h 5721f 6055j 6117a 6170b
6186a 6240p 6419j 6438a 6734f
8100k 8104d 8164a 8242a 8299j 8387a
8601a 8723f 8741j 8911h 9023j 9029a
9218a 9293m 9442a 9822b 9893a
9919a 10039n 10351d 10547g 10654d
11076b 11095e 11140b 11289c 11345b
11504a 11933a 12000a. → an∼ be∼
durch∼ herein∼ her∼ hin∼ hinab∼
hinauf∼ hinaus∼ hinein∼ über∼ um-
her∼ um∼ vorwärts∼ zurück∼.
Schauer (=Regen∼) *pl* 909 4724.
Schauer (=Schauder) *sg* 29 473 2757
4405 6620.
schauerlich 9125. schauerliche 6767.
schauern. schauert 3831 7968. schauerte
7798. → durch∼ schaudern.
schauervoller 254.
Schaufel 11124 11505. Schaufeln 11605.
schaukeln. schaukelt 8412. schaukelnd
7526. → Geschaukel vielgeschaukelt.
Schaum 4720 6758 8143. Schäume 4720.
Schaums 11869. → Lügen∼ Perlen∼.
Schaumbild 6497.
schäumen (6). schäumt^a schäumend^b
schäumende^c. 1476c 7503b 10029b
10729a 11084b 11857c. → auf∼.
Schauspiel (6) 125 166 454 454 6377
6470.
Schaustück 2933.
scheckig 5691.
Schedel 6100.
Scheherezaden 6033.
Scheibe 3851. Scheiben 401 6572.
Scheide (=Schwert∼) 9670.
Scheidegruße 12059.
scheiden (14). scheiden^a Scheiden^b schei-
det^c geschieden^d. 1665a 2638d 3207a
4202a 4246a 6021d 6895a 8417a 8579b
8656a 8931a 9841d 11098c 11965a.
→ +be∼ ent∼ unter∼ Unterschied
verschieden.
Schein (=Bescheinigung) → Toten∼.

Schein (24) 181 284 1329 2333 3651 3917 4027 4961 5733 6015 6285 6397 6431 9708 9854 10145 10300 10420 10420 10573 10713 10715 11378 11635. → Dämmer~ Fackel~ Feuer~ Heiligen~ Monden~ Sonnen~ Stern-[~] Wider~.

scheinen (67). scheinen^a scheine^b scheinest^c scheinet^d scheinst^e scheint^f schien^g. 287f 1084f 1148g 1158f 1327f 1581f 1664d 2177a 2188f 2303d 2380f 3173g 3203f 3322f 3429f 3466a 3581g 3872f 3908f 4186f 4783f 4884a 5539c 5554f 5568f 5990g 6002g 6092f 6110b 6396f 6510f 6668f 6717g 6867f 6917f 7067a 7127f 7192f 7261f 7301f 7326f 7357c 7447e 7730f 7791f 7980a 7994f 8118g 8143f 8255f 8779f 8844f 8926f 8951e 9003f 9369f 9415b 9615f 9852f 10105f 10345f 10597f 10626f 10654f 10704e 10983a 11499f. → be~ darein~ +er~+ herauf~ Ruhig~de wahrscheinlich.

Scheite *pl* 5251 10443.

Scheitel *sg* 1135. → Ehren~

Scheiterhaufen *sg* 6357 11369.

scheitern 10373. scheitert 643. scheiternd 8055. Scheiternden 8176. → zer~.

schellen → zer~.

schellenlauter 549.

Schelm (9). Schelm^x Schelme^b*pl*. 2515 2985 3205 3481 4414 4951b 5035 5604 6750. → Fettbauch–Krummbein–~.

Schelte 8751.

schelten (22). schelten^a Schelten^b schelt'^{c} scheltet^d schilt^e schalt^f scheltenden^g gescholten^h. 3717e 4746h 4843a 5235a 5274f 5458c 5548a 6201a 7101h 7731a 8029e 8108h 8488h 8784e 8833g 8912a 8992b 9007c 9013e 10274a 10454e 11780d. → ungescholten.

Scheltwort 8151.

Schemeltritt 10488.

Schemen *pl* 6290.

Schenke Schenken *sg* 6091. → Erz~.

schenken (7). schenken^a Schenken^b geschenkt^b geschenkter^d. 1564c 2571c 2674a 2828d 4509c 10615a 10910b. → be~ +Geschenk lethe~d.

Scherben 2415 3608 6612.

Schere 5318 5328 8958. Scheren 4304.

Scherflein *sg* 10992.

Scherz 6879 8228 9696. Scherze *pl* 5988. Scherzen 4913.

scherzen 3003 3160 4308. → ver~.

Scherzergetzen 7262.

Scherzgeschrei 9601.

scheu 6024. scheuen 7310.

scheuchen → auf~ ver~.

scheuen (6). scheuen^a scheun^b scheust^c scheut^d. 1727a 2586a 4143d 4504c 5672b 8370a. → Abscheu+.

Scheusal 2481 8736.

schichten → zusammen~.

Schichtung 10873.

schicken (=passen) 2058 8258. schickt 2459. → geschickt.

schicken (=senden) schickt 1010 1134 7273. → aus~ fort~ +Geschick+ herab~ hinauf~.

schicklich 6389.

Schicksal (7). Schicksal 1856 2446 TT34 8531 9932 10441. Schicksals 10462.

schicksalschwere 6055.

schieben (6). schieben^a schiebt^b geschoben^c. 4117a 4117c 4185b 7519c 10457b 11464b. → empor~ hervor~ Kegel~ ver~ vor~ weg~.

schief (6). schief^a schiefem^b schiefes^c Schiefe^d schiefer^e*k*. 2827c 3467a 5468d 5468a 11476e 12029b.

Schiefer 11030.

schiefgesenkte 6722.

schielen → hinein~.

Schienen 10771. → Arm~.

schier 365 2456 2503 9784.

schießen schießt 7127 7647. → an~ ein~ her~ herüber[~] hinüber~ Mordgeschosse.

Schiff (=Kirchenschiff) 11010.

Schiff (11). Schiff^a Schiffe^b*sg* Schiffe^c*pl* Schiffen^d. 865c 2974a 4010a 7378a 8183a 8535b 8539c 11143c 11173d 11180a 11224c. → her~en raub~d.

Schiffahrt 11186.

Schiffbruchs 467.

Schiffer *pl* 10601.

Schifferknaben *pl* 8421.

Schifflein *pl* 1925.

Schild (6). Schild^a Schilde^b*sg* Schilden^c. 7896a 7924a 9031b 9033b 10482a 10551c. → Riesen~.

schildern 5530.

Schilf 8397.

Schilfgeflüster 7249 9518.

schilfumkränzte 9094.

schimmeln → ver~.

Schimmer *sg* 7729.

schimmern 1071. schimmert 8456. →
auf∼.

Schimpf 2654.

schimpfen schimpft 3338. → be∼.

schimpflich 11836.

schinden geschunden 3972.

Schirmung 9587.

Schlacht (10). Schlacht^x Schlachten^b. 199b
6383b 6937 9316 10290 10301b 10308
10653 10696 10849. → Männer∼ Was-
ser∼.

schlachten 8581.

schlachterzogne 8776.

Schlachtfeldern 7119.

Schlaf (7). Schlaf^x Schlafe^b. 3513 4426b
4661 6471 9581 11061 11484. →
Todes∼.

Schläfe 1574 8698.

schlafen (9). schlafen^a schläft^b schlief^c
schlief'^{d} schliefen^e Schlafenden^f. 1506b
3505d 3507b 4571c 4572c 4691e 5884b
8677f 9574a. → ein∼ ent∼ hinüber∼.

Schläfer _sg_ 6506 7076.

schläfert 10478.

schlaff → er∼en schlapp.

Schlag (12). Schlag^x Schläge^b Schlägen^c.
281 1698 1698 1919 1927 2310b 2324
3937c 6265 8335 11124 11124. →
Aus∼ Donner∼ Flügelflatter∼ Flü-
gel∼ Glocken∼ Tot∼.

schlagen (23). schlagen^a schlag^b schlage^b
schlägst^d schlägte^e schlug^f geschlagen^g.
149e 863a 1661d 1701a 1927e 3359f
4679a 4813e 5202a 5582a 5738b 5940e
5972c 7376f 7561f 9613g 10110f
10414f 10515a 10746e 10843f 10991b
11737a. → ab∼+ auf∼ Be∼ entge-
gen∼ ent∼ entzwei∼ er∼ herum∼
hervor∼ nieder∼ rat∼d tot∼ über∼
um∼ zer∼ zu∼.

Schlamm 7860.

Schlange (7). Schlange^x Schlang'^{b} Schlan-
gen^c. 335 2049 3324 3324 3894c 7227
9031b.

schlängelnd 11000 11332.

schlangenartig 8382.

schlangenhaft 5352 7775.

Schlangenrüssel _sg_ 5397.

schlank 5311. schlanke 2035 10009.
schlankes 8850.

schlapp 10513. → erschlaffen.

Schlappe 5670.

schlau 9670. schlauen 2034.

Schlauch 6162 10038. Schläuche 11665.

Schläuchen 10020.

schlecht (37). schlecht^a schlechte^b schlech-
ten^c Schlechten^d schlechteste^e schlechte-
sten^f schlechtsten^g. 104a 296a 1637e
2397a 3715a 3728a 3853a 4110a 4939a
5165a 5458a 5596c 6158a 6365e 6774g
6898a 7145a 8809a 8967f 10176a
10326a 10666a 10790a 10837a 10886b
10890d 11183a 11284a 11469b 11484a
11589c 11604a 11608a 11620a 11627c
11674a 11835a. → irden∼∼.

schlecken → Geschleck.

schleichen (7). schleichen^a schleicht^b
schleichend^c schleichenden^d. 740d 3656b
3922b 3978a 7277a 9760b 11493c. →
davon∼ ein∼ er∼ heran∼ herbei∼
herum∼ hin∼ vorbei∼ vorüber∼
weg∼.

Schleicher _sg_ 521. Schleicher _pl_ 9488.

Schleier _sg_ 3742 4714. Schleiers 673. →
ver∼t.

schleifen 3092. schleift 4236. → neuge-
schliffen wohlgeschliffen.

Schleppe → Mantel∼.

schleppen (6). schleppen^a schleppe^b
schlepp'^{c} schleppt^d. 1860c 1974a 5324d
7707d 7952a 10831b. → herbei∼ her∼.

Schleudermacht 10112.

schleudern geschleudert 8282.

schleunig → beschleunen be∼en.

schlicht 3526.

schlichten 5312.

schließen (14). schließen^a schließet^b
schließt^c schloß^d geschlossen^e geschloß-
nen^f geschloßnes^g. 1039d 1415a 2784d
3292a 4186f 4196d 4358a 4643c 5083c
6884f 9194e 9235g 10248a 11718b. →
+an∼ auf∼ aus∼ be∼ ein∼ ent∼+
+er∼ um∼ ver∼ zu∼.

schlimm. schlimme 9438. schlimmer _k_
849 1052 7972 9965. → aller∼ste.

Schlinge Schlingen 1158 4941 8967.

schlingen (=verschlucken) → ein∼
ver∼ zurück∼.

schlingen (=winden). schlingt 3924 6279.
geschlungene 9031. → +um∼ ver∼.

Schloß (=Gebäude) 2774 6149 6169
10161.

Schloß (=Verschluß). Schlösser 5710
6225.

schlotternden 11512. → hin∼.

Schlucht (8). Schlucht^a Schluchten^x. 1081
6954 9227 9468 9531 9614a 10099
10726.

Schluck 2582.

Schlückchen *sg* 2588.

Schlummersäfte 693.

Schlund (9). Schlund[a] Schlünde[b] Schlünden[c] Schlundes[d]. 3918b 3939b 5922a 5992a 6166a 7908a 8047c 11644d 11877a. → Felsen~ Feuer~ Greuel~.

schlüpfen 5231. schlüpfet 4675 5980. schlüpft 7774 9659. → ent~ herein~ hinein~.

schlürfen (=trinken) 223. schlürfet 1485. schlürfend 12018. → aus~ ein~.

Schluß (7) 1291 2924 8934 10965 11020 11574 11843. → Be~ Ent~.

Schlüssel (13). Schlüssel[x]*sg* Schlüssel[b]*pl*. 670b 1258 TT77b 5398 6259 6263 6280 6293 6305 6439 6550 6562 6650b.

Schlüsselchen *sg* 2788.

Schlüsselloch 11391.

Schlußerfolg 10662.

Schlußstein 10931.

Schmach 833 3616 6310 8029 9257.

schmachten. schmacht' 459. schmachtend 794 2690. → ver~.

schmächtig 3655 7756.

schmähen schmähend 7204. → ver~.

schmählich 11629 11837. schmählichen 8598 9390. schmähliches 7771.

schmal schmalen 8269 10550.

schmälen 3577.

schmälerten 11093.

Schmalpfeiler 6412.

schmarutzen → durch~.

schmauchte 679.

Schmaus (7). Schmaus[x] Schmause[b]. 539 2381b 2764 4868 5578 6092 11547. → Doktor~.

schmausen 1691. schmausend 205. → an~.

schmecken 2260. schmeckt 3148 3148. → Geschmack.

Schmecker *sg* 5257.

Schmeichelgut 11725.

schmeichelhaft 10056. schmeichelhafter 12031.

Schmeichelkätzchen *pl* 5358.

Schmeichelkräften 1590.

schmeicheln (9). schmeicheln[a] schmeichelt[b] schmeichelte[c] schmeichelnd[d] geschmeichelt[e]. 976c 1597b 1694d 7358a 7423c 9485d 10000d 10718e 11431e. → ent~.

Schmeichelton 9688.

Schmeichler *sg* 4804.

Schmeißen (=Schmeißfliegen) 10140.

schmeißen → ein~ zusammen~.

schmelzen 5717. schmilzt 11715. schmelzend 5714 8306. geschmolzen 3308. → ein~ hin~.

Schmerbauch 2154.

Schmerz (22). Schmerz[a] Schmerzen[b]. 13a 133b 164a 412a 645a 696a 1756a 1769b 2696a 3087a 3591b 3598a 4651a 4712a 6343b 8528a 8612b 8962a 9132a 9887a 10981a 11856a. → Augen~ Ketten~.

Schmerzenreiche 3588 3618.

schmerzenvoll. schmerzenvolle 195. schmerzenvollem 9880.

schmerzlich 9942 11482. schmerzlichsten 1766.

Schmetterling 6730 9657. Schmetterlinge *pl* 5603.

schmettern 9424. Schmettern 9063. schmetternd 1095 11118. → zer~.

Schmiede 7631 10744.

schmieden TT46 7656. schmiedend 10109. geschmiedet 8275. → Geschmeide.

schmiegen 4530 6916. → an~ herauf~ vorbei~.

schmiegsamen 6910.

schminken geschminkten 7715.

schmollt 4247.

Schmuck (16) 2792 2813 2821 2860 2886 2909 2910 4107 4121 5565 5713 7653 8545 9171 9648 11976. → Ge~ Gold~ Gürtel~.

schmuck 951.

schmücken (13). schmücken[a] schmück'[b] schmückt[c] schmückte[d] schmückt'[e] schmückten[f] geschmückt[g] geschmückter[h]. 4204a 5044a 5089f 5127a 5175h 5179e 5578b 5620c 6797d 8051a 8686g 10475g 10918b. → aus~ neugeschmückte reichgeschmückte.

schmunzelt 6100.

Schnabel 7300 9039. Schnäbel 8539. Schnäbeln 6745 7887. → Geier~.

Schnack 6706. → Schneckeschnicke~.

Schnaken 6583.

schnappen → über~ weg~.

schnapps! 11625.

schnarchen 3880. schnarcht 6472.

Schnarcher *pl* 7682.

schnarren → Geschnarr.

schnatterhafte 8809.

schnauben → heran~.

schnaufen 2145 10739.

Schnauze → Fliegen~ an~n.

Schnecke 4066. Schneck' 3978.
Schneckenhäuser 10560.
Schneckenkreise *sg* 1152.
Schneckeschnickeschnack 4257.
Schnee 3308 3850.
schneiden 3910. Schneiden 10015 schneidend 5324. → ab∼ aus∼ be∼.
Schneider *sg* 2215 2216 2219 6094.
schneien → ein∼.
schnell (41). schnell[x] schnelle[b] schnellem[c] schnellen[d] schnellste[e] schnellsten[f].
202d 251 251b 258c 1908 2071 2431f
2599 3877 3971b 5188 5475 5843 6072
6108 6940 7215 7318b 7371b 7873
7910 8565 8576 8687 8831 9139 9144
9333 9668 9680 10227 10481 10784
10985 11027d 11314b 11327 11382
11382 11624e 12028. → blick∼ pfeil∼
vor∼.
Schnelle 241 4736 7629.
schnellempfundnen 10062.
schnellen schnellt 9605.
Schnelligkeit 1794.
Schnellkraft 9609.
Schnickeschnack → Schnecke∼.
Schnippchen *sg* 5582.
schnippen schnippt 5592.
schnippisch 2612.
Schnitt 2124.
Schnitzel *pl* 555. Schnitzeln 5100.
schnopern 4321. schnoperst 1187. schnopert 4321.
schnörkelhaftest 6929.
schnuffelt 2818.
Schnur → Perlen∼.
Schnürchen *sg* 4204.
schnüren. geschnürt 2036. geschnürten 7715. → ein∼ zu∼.
Schnurwege *pl* 10165.
Scholle 5010 7071.
schon (230) 41 53 80 107 330 361 462
463 611 614 619 744 746 786 874 937
952 953 1082 1142 1148 1162 1210
1225 1235 1254 1270 1303 1365 1371
1515 1521 1683 1728 1855 1874 1881
1943 1994 2008 2037 2109 2196 2263
2344 2493 2507 2645 2695 2698 3083
3144 3243 3270 3300 3331 3334 3469
3519 3615 3660 3710 3713 3718 3750
3791 3845 3846 3935 3997 4005 4021
4038 4068 4125 4133 TT36 4429 4433
4475 4506 4582 4592 4593 4642 4650
4668 4683 4686 4696 4702 4828 4887
4929 4951 5081 5185 5326 5416 5424

5484 5550 5583 5669 5706 5744 5757
5962 6025 6030 6148 6156 6268 6270
6312 6363 6367 6381 6408 6424 6521
6561 6595 6729 6788 6810 6823 6824
6863 6949 7000 7005 7009 7012 7039
7108 7132 7155 7183 7276 7323 7328
7407 7613 7617 7664 7668 7690 7713
7815 7818 7889 7899 7914 7988 8026
8148 8254 8317 8338 8426 8451 8451
8473 8535 8587 8709 8848 8905 8910
8959 9007 9010 9093 9110 9175 9210
9220 9266 9322 9322 9335 9350 9372
9389 9401 9531 9585 9625 9652 9716
9873 9946 10052 10115 10211 10235
10307 10373 10416 10442 10574 10582
10658 10719 10725 10766 10769 10776
10797 10827 10892 11008 11011 11019
11054 11090 11168 11287 11333 11546
11560 11722 11774 11778 11815 11987
12045 12076 12087. → ob∼.
schön (137). schön[a] schöne[b] schönen[c]
schöner[d] schönes[e] Schöne[f] Schönen[g]
Schönes[h] schöner[jk] schönste[k] schönsten[m]
schönstes[n] Schönste[p]. 15b 152c 158c
174k 304m 519n 812a 815m 832c 852c
872b 981a 985m 1068e 1089d 1106a
1207g 1218j 1355a 1440c 1609b 1684b
1700a 1833b 1850c 1907c 2206c 2241a
2291d 2316b 2368d 2436k 2437a 2600a
2605e 2607a 2609a 2655c 2675c 2741b
2783b 2799a 2981e 3055a 3248c 3276d
3327b 3338a 3459a 3573a 3747j 3758c
4120c 4128c 4130b 4176b 4184e 4203c
4242g 4269c 4419e 4434a 4632k 4961k
5127e 5131a 5371k 5433b 5536a 5580a
5695h 5772e 5772a 5828p 6010m 6038m
6098p 6315f 6450d 6461a 6483f 6505a
6532c 6894a 6903a 6932g 7092c 7339c
7372c 7397m 7398m 7443a 7443a 7553a
7739m 7753a 7754a 7769p 8043b 8139a
8145p 8237a 8318m 8408c 8434g 8460a
8546c 8602p 8849a 8912f 9165m 9187m
9377a 9437m 9482p 9559m 9626g
9733a 9750g 9778e 9865k 9914a 10175g
10250a 10367c 10940b 11136e 11276b
11281d 11303a 11582a 11769c 11776j
11776a 11789a 11987a 12009m. →
aller∼ste allzu∼ Lang–Schön–Weißhalsigen wunder∼.
Schönbärte 4767.
Schöne (=Schönheit) (8) 345 1458 1616
6497 7403 8030 8523 8917. → Meteoren–∼.
schonen. schone 3068 4438. schonet 233.

schont 3073. geschont 10034. → ver~.
Schöngestalt 8532.
Schönheit (20) 2798 3557 5046 6484 6488
  6508 7370 7978 8519 8566 8737 8755
  8761 8808 8810 9061 9240 9245 9349
  9940. → Frauen~ Seelen~.
Schönheitliebenden 8748.
Schönheitsfreund 8695.
Schonung 10535 11348.
Schopf 6748 10514. Schopfe 228 4567.
schöpfen 5851. → unerschöpft.
schöpferisch 7943 8692.
Schöpfung 240 1560 6604 8322. → Ge-
  schöpf.
Schornstein 2383.
Schoß (10). Schoß^x Schoße^b. 798 3134
  4503 5197 6464b 8649 8674b 9336 9599
  10811. → Wunder~.
Schranke 6114. Schranken 347 5303 6801
  11886.
schränken → +be~ grünumschränkt
  +ver~.
schranzen → erschranzt um~.
Schraube Schrauben 675.
schrauben schraube 2180.
Schreck 11916. Schrecken 5970 11363.
Schreckbild 8840.
schrecken 1565 3897. schreckt 1688.
  schreckt' 9674. geschreckt 8931. →
  er~+.
Schreckensgang 6489.
Schreckenshand 8648.
Schreckensläuften 4931.
Schreckgestalten 8835.
Schreckgetön 10763.
schrecklich (8). schrecklich^a schreckli-
  chem^b schrecklichen^c schreckliches^d
  Schreckliches^e schrecklicher$^f k$. 46a 482d
  1255b 1583c 8117a 8699e 8889f 11319a.
schreiben (14). schreiben^a Schreibens^b
  schreib^c schreibe^d schreibt^e schrieb^f ge-
  schrieben^g Geschriebne^h Geschriebnes^j.
  112e 434f 1224g 1229g 1237d 1716j
  1732a 1962b 2507g 3489g 4217g 4764g
  5919c 6536h. → +be~ blutgeschrie-
  ben neder~ +Schrift +um~ unter~
  ver~ vor~,
Schreiber pl 367.
schreien (10). schreien^a schrein^b Schreien^c
  schreit^d schrie^e schrieen^f. 945c 2082d
  3635f 3717d 4343b 4426a 5271e 5790a
  5950h 10033d. → +Geschrei Marktschreier.
Schrein 2733 2784 2876 5652 9304.

schreiten (7). schreiten^a schreit'^{b} schrei-
  tet^c. 828a 5813a 7052a 8521c 8826b
  10465a 10930a. → an~ aus~ dahin~
  fort~ hinan~ hin~ über~ vor~ Wei-
  ter~.
Schrift 4088 10928 10966. Schriften 5346.
  → Felsen~ Natur–[~] Rein~ Vor~.
Schritt (38). Schritt^x Schritte^bsg Schrit-
  te^cpl Schritten^d Schrittes^e. 118 718 782
  840 1022c 1643c 2067 3200 3853b 3981
  3983d 4151 4152 4170 4263 4320d 4541
  4564 4984 5448 5448 5808 6011 6247
  7049e 7331 8154 8641e 9115e 9144
  9190 9968 10232 10232 10505 10759
  11474c 11636. → Doppel~ Geister~.
schroff. schroffe 7813. schroffen 1096 7854
  11904.
schröpfen 5850.
Schrot → Teufels~.
schrumpft 11715 11721. → ver~.
schüchtern 68. → verschüchtert.
Schuft Schuften 11656.
Schuhe pl 4373.
Schuhu 3273 3889.
schuld 2960 6221.
Schuld (7). Schuld^a Schulden^b. 1508a
  TT30a 5659b 5862a 6196b 9197a
  11384a. → Blut~ Un~.
schuldenfrei 6149.
schuldig 4797 4821 5810 6307. schuldig-
  ster 9208. → Be~te Mit~ste Untätigkeits–Ent~ung.
Schuldner sg 3642.
Schüler sg 445 6723. pl 363 1934.
Schulter (7). Schulter^a Schultern^b. TT24b
  5546b 6350a 6616b 7520b 9403a 9403a.
Schuppen → goldbeschuppte umschuppte.
schüren 7958. → an~.
schürfen 6220.
Schurke 3641.
Schurz 5870.
Schürze 10814.
schürzen 6889.
Schuß 11152.
Schüsseln 5019.
Schutt 6625 8630.
schütteln (7). schütteln^a Schütteln^b schüt-
  telt^c schüttle^d schüttelnde^e geschüttelt^f.
  1367b 5680a 6606d 7552f 9580c 9758e
  11916c.
schütten schüttete 10200. → hin~ ver~.
schüttern schüttert 9452. → +er~.
Schutz 4745 9467 9587 10994.
schützen (12). schützen^a schütze^b schützt^c

geschützt^d. 4798c 8185c 8807b 9084b
9205a 9445a 9538c 10372c 10476c
10853d 10924c 11849c. → be∼.
schwach (7). schwach^a schwache^b schwa-
chem^c Schwache^d schwächer^e. 2202a
3652a 3652e 6781d 7966c 9346a 10648b.
Schwäche 906.
Schwachheit 12024.
Schwaden (=Dünste) 3920.
Schwadronieren 3627.
Schwäger 5238.
Schwall 10733. Schwalle *sg* 4793 7635. →
Masken∼.
Schwan (6). Schwan^a Schwäne^b. 6916b
6932b 7295b 8808a 8998b 9096b.
Schwanerzeugten 9108.
schwanger schwangre 5977.
Schwangleichen 9106.
Schwank 5780.
schwank. schwanke 6009. schwanken 4656
7023 8060.
schwanken (20). schwanken^a Schwan-
ken^b schwanke^c schwankt^d schwankende^e
schwankende^f schwankender^g. 1f 348g
1459f 2457a 5082e 5701d 6621d 7029d
7525b 7785d 8445e 8913e 8959b 9236a
9309c 9619a 10051d 10381d 10586e
11891e. → empor∼ heran∼ her∼
hinan∼ hin∼ wider∼.
Schwanz 2164 4271.
schwären → unterschworen.
Schwarm 1136 4015. → Zikaden∼.
schwärmen 2384. schwärmten 11125. →
fort∼ um∼.
Schwärmezügen 3904.
schwarz (19). schwarz^a schwarze^b schwar-
zen^c schwarzer^d. 1039b 1147c 1156c
1302c 1966a 3581a 3582a 4807a 4980c
5036a 5481a 5543d 7786c 7884b 8942c
9041a 10668c 10711b 11321b.
schwarzborstigen 9397.
schwärzen 4914. schwärzt' 3581. ge-
schwärzt 6679. → ein∼.
schwatzen schwatzt 4058 6346. → be∼.
schwätzen. Schwätzen 7261. Schwätzens
3071. schwätzt 2563. → be∼ geschwätzig.
schweben (27). schweben^a Schweben^b
schwebe^c schwebet^d schwebst^e schwebt^f
schwebt'^g schwebtest^h schwebend^j schwe-
bende^k. 27d 348f 394a 428f 475e
1097f 1501a 1864a TT68a 4614j 6594a
7040c 7298j 7785d 7830c 8284a 8622f
8959b 10179h 10243f 10624f 10845g

11683b 11701k 11890d 11992j 12032e.
→ ab∼ auf∼ ent∼ heran∼ her∼
hin∼ nieder∼ Säusel∼ um∼ voran∼
vor∼ vorüber∼ wider∼.
Schwedenkopf 6734.
Schwefel 7955 11744. → Höllen∼.
Schwefelruten 10444.
[Schwefel]–Säure 10083.
Schwefelstank 10083.
Schweif 2498. → Löwen∼ Pfauen∼.
schweifen (8). schweifen^a schweife^b
schweift^c. 1790a 2015c 3062b 4548a
4663c 5511a 10585a 11447a. → ab∼
durch∼ hin∼ über∼ umher∼ um∼.
schweigen (11). schweige^a schweigt^b
schwieg^c. 3142c 3990b 6451b 7993a
8795a 8882a 8882a 8903a 8903a 9133b
11593b. → beschwichtigen still∼ ver∼.
Schweignis 10435.
schweigsam 5795 5887. schweigsamen
7789.
Schweigsamkeit 8669.
Schwein 2079 3966. Schweine *pl* 4873. →
Mutter∼ Wild∼.
Schweiß 380 2451 6164.
schwelgend 6342.
Schwelle (13). Schwelle^x Schwellen^b. 1187
1395 1512 1519 3789 4455 4466 4740
7976b 8510 8533 8655 8978.
schwellen (12). schwellen^a schwillt^b
schwoll^c schwellend^d schwellende^e ge-
schwollnen^f. 1311b 2156f 4654a 5714b
6455f 7304d 7512a 9399e 10083c 10108c
10214b 10288c. → ab∼ auf∼ empor∼
er∼.
schwemmen → Überschwemmung ver∼
weg∼.
schwenkend 10032.
schwer (31). schwer^a schwere^b schweren^c
schwerer^d schwerste^e. 132a 203a 562a
666a 684b 1985a 2719a 2731a 2930a
3137b 3375a 3387a 3403a 3773e 4339a
4570a 4776a 4783d 4928a 4964a 7703d
8587b 9623a 10679a 10684c 10714a
11003c 11026b 11033a 11356a 12025a.
→ be∼en+ blei∼ schicksal∼.
Schwerdtlein 2899. Schwerdtleins 3049.
Schwere 5689.
schwergelöstem 6567.
schwerlich 3150 11491.
Schwert (11). Schwert^x Schwerter^b
Schwertern^c. 3590 4108 5002 9035b
9351b 9670 10464 10483 10516 10551c
10876.

Schwester (13). Schwester[a] Schwestern[x]
3633a 5423 7313 7982 7990 8030 8066
8610 8640 9089 9125 10005 11390.
→ +Geschwister+.
Schwesterchen *sg* 3121 7416.
Schwesterlein *sg* 4416.
schwesterlich 8499.
schwimmen 1499 7307 7496.   schwim-
mend 7287. → an∼ durch∼ her∼
hinüber∼.
Schwimmgebärden 10740.
Schwimmlust 9097.
Schwindel *sg* TT40 8913.
Schwindelstufen 9879.
schwinden (7).   schwinden[a] schwindet[b]
schwanden[c]. 470b 602b 1447b 6394a
9236a 11089c 11395a. → ent∼ hin∼
hinweg∼ ver∼.
Schwinge Schwingen 451 702 5616.
schwingen schwinge 6280. → auf∼.
schwirrend 9263.
schwitzen 681 1326 3643.   schwitzten
5214.
schwören (8). schwören[a] schwör'[b] schwört[c]
schwuren[d] geschworen[e] geschwornem[f].
1989c 2734b 3054a 10389a 10601d
10716c 11290e 11760f. → be∼ ver∼
zu∼.
schwül 2753 10841.
Schwung 181 10061. Schwunges 8427.
Scylla 8813.
sechs 1824 2441 3287. Sechs 2546.
See (*Mask.*) (7). See[a] Seen[b]. 1098b 1481b
1500b 4646a 7665a 9595b 10999b. →
Berg∼ Felsen∼.
Seedurchstreicher *sg* 8857.
seeisch 7510.
Seelchen *sg* 11660.
Seele (27).   Seele[x] Seel'[b] Seelen[c]. 18c
441 490 535 569 735 1112c 1181 1203b
1587 1904b 2022c 2824 3472 3490
3504b 3504 3529 3764 3787 TT46
6894b 8904 9692 11615c 11830 12065.
→ Menschen∼ be∼n ent∼n.
Seelenflehn 488.
Seelenkraft 424.
Seelenlieb' 3054.
Seelenschatz 11946.
Seelenschönheit 10064.
seeverwandt 9826.
Segel *sg* 4009. *pl* 8163 10668 11099.
segeln 6951. → fort∼ heran∼.
Segen *sg* 65 2822 4615 7985. → Rache∼.
segenduftenden 451.

segnen (7). segnen[a] segnet[b] segnet'[c] ge-
segnet[d]. 867b 3583c 6425a 7619a 9181d
11032b 11051a. → ge∼.
sehen (281). sehen[a] sehn[b] Sehen[c] Sehn[d]
sehe[e] seh'[f] sehet[g] scht[h] sieh[j] siehet[k]
siehst[m] sieht[n] sah[p] säh'[q] sahen[r] sahst[s]
sähst[t] saht[u] sehend[v] gesehen[w] gesehn[y].
31f 49a 90b 179n 215b 273s 274n
280e 350f 364e 386t 487a 531n 696e
832j 855h 865n 879a 929j 929j 1076q
1102n 1147m 1148p 1156e 1160f 1161n
1163m 1236f 1247a 1300j 1316m 1388e
1402m 1434f 1556b 1673b 1674y 1816h
1817n 1843b 1873h 1885n 1887d 1950h
1960h 2036b 2037n 2052b 2156n
2160m 2169n 2277h 2317f 2319h
2319h 2330b 2378j 2387p 2419j 2429f
2435b 2439b 2444j 2454b 2490f 2494w
2498m 2504f 2602b 2603m 2610y
2663h 2667b 2729f 2779p 2791y 2808p
2881f 2884a 2890a 2892n 2988h 3028b
3094f 3165n 3172y 3316n 3368n 3470f
3488n 3654n 3665f 3672p 3726j 3750f
3755b 3856f 3876f 3914n 3934w 3973j
4034j 4038f 4046f 4056m 4063b 4066m
4129p 4137p 4168f 4183p 4183m 4206f
4213f 4255h 4307h 4325h 4440w 4454j
4476p 4730f 5020n 5081e 5108a 5158g
5395h 5446h 5511h 5515f 5581b 5582h
5631h 5677h 5715h 5989p 5998p 6009m
6077h 6184b 6241t 6243t 6243t 6245t
6246b 6258e 6285b 6290b 6290b 6319h
6369f 6462b 6503h 6504y 6519n 6533f
6623f 6713f 6723h 6725p 6848h 6864h
6873f 6915n 6923e 7044f 7048j 7051p
7123p 7196y 7215a 7232e 7360y 7383y
7385p 7426f 7442s 7442y 7476f 7576w
7583f 7718n 7819f 7833y 7850b 7930p
7969e 7971y 7991p 7997y 8003h 8023b
8050h 8113p 8160a 8238b 8245y 8271a
8338f 8451f 8566b 8597r 8640f 8645f
8663w 8663b 8675p 8693h 8699w
8713p 8719p 8779v 8846s 8873w 9017b
9028h 9031y 9034p 9039h 9067m 9069h
9098f 9112a 9116m 9148j 9152h 9189p
9191f 9258f 9260f 9273m 9298y 9328f
9365f 9478n 9533m 9576p 9628b 9697h
10014b 10050f 10123b 10127j 10297f
10319f 10324m 10331n 10360m 10578f
10581p 10582f 10594f 10596f 10610a
10656f 10734e 10755y 10838p 10930f
10933n 11082n 11085h 11086h 11246b
11288c 11293f 11296f 11301y 11308f
11346f 11398p 11476k 11579b 11634p

11647f 11763b 11774y 11790b 11971f 11996f 12088j. → an~ Aufseher aus~ be~ drein~ durch~ ein~ +er~ her~ hinauf~ hin~ nach~ +Sicht+ über~ umher~ um~ ungesehen ver~ +vor~ voraus~ wieder~ zurück~ zu~.

Sehne Sehnen 11513.

sehnen (10). sehnen[a] Sehnen[b] Sehnens[c] sehne[d] sehnest[e] sehnte[f] sehnend[g] sehnende[h]. 25b 775b 1217a 1461h 3479d 4704g 5374f 7382b 8470c 9879e. → +er~ hin~.

sehnig 5831.

Sehnsucht 9379.

sehnsüchtigster 7438.

sehnsuchtsvoll 8625 9540. sehnsuchtsvolle 8204.

sehr (41) 37 839 993 1328 1873 1970 2047 2153 2188 2232 2408 2807 2848 2913 2939 3036 3115 3129 3162 3495 3525 4062 4132 4933 4963 5211 5273 5402 5571 6085 6601 6764 7395 8250 10080 10285 10324 10923 11035 11078 11654.

seicht 3310.

Seide 1537 2223.

Seidenfäden 5094.

Seidenflocken 5094.

Seifenblase 4256.

Seile *sg* 7872.

sein (*Verb*) (1984). (→ §9). sein (91). Sein 10715 10716. bin (136). bist (97). ist (859). sei (139). seid (56). seist 3330 6284 8824. sind (247). war (146). wäre (19). wär' (50). waren (13). wären (11). wärest 3281. wäret 2943. warst (6) 4582 4681 5180 7276 7713 7948. wärst 1404 2417 3270. wart 2515 11370. wärt 3040 5346. gewesen (10) 44 663 1033 2679 2683 3011 4091 6154 11111 11601. → Bei~ Da~ Offenbar~ wesen+.

sein (*Adj.*: *Genitiv sv* er) (187). sein[a] seine[b] sein'[c] seinem[d] seinen[e] seiner[f] seines[g] Sein[h] Seinen[j] Sein[k] *Anrede*. 141a 292b 303f 324d 328d 469a 530d 751b 793j 864a 906f 959d 974b 1013e 1015d 1036b 1081e 1093a 1150b 1155e 1161g 1356d 1556d 1676d 1863f 1938f 2157a 2172b 2193e 2214e 2215e 2221a 2229b 2307k 2521b 2761b 2768b 2769d 2924y 2938a 2939b 2940a 2951d 2984a 2985e 2987a 3000f 3314b 3394a 3395c 3396g

3397f 3398f 3400a 3401a 3412e 3420a 3420b 3464f 3477b 3493b 3570f 3595c 3630f 3865k 4063e 4155f 4174d 4200a 4241a 4258b TT21b TT25b TT31f TT54b 4464e 4465d 4625a 4628a 4756e 4815e 4820e 4847d 4866a 4905e 4934a 4960b 5054a 5056e 5068e 5338b 5354f 5364b 5416b 5555b 5557a 5558b 5575a 5672b 5687e 5799b 5891b 5901b 5931a 5953b 6108f 6210f 6285d 6391e 6464d 6511e 6526f 6630e 6630d 6659a 6665e 6673a 6846e 6933a 6943d 7015a 7065a 7304a 7341d 7366f 7452f 7568e 7681f 7727d 7845f 7917a 8083f 8090d 8111a 8119f 8124a 8124j 8334f 8495f 8520a 8525f 8557d 8558d 8742a 8767a 8770e 8830f 8978f 9016b 9017b 9033d 9038e 9332e 9496e 9523e 9526f 9545f 9552d 9656f 9734h 10019f 10120f 10157f 10237d 10336e 10435f 10481a 10483f 10510a 10529d 10580b 10702f 10799d 10802d 10869e 10935d 10979a 11041e 11094f 11165a 11450e 11485b 11536f 11578a 11712e 11812e.

seinerzeit 10957.

seinesgleichen 3484 7356 11444.

Seismos 8361.

seit (11). (*Präp.*)[x] (*Konj.*)[b]. 2502 5494 6491 6756 8098 8146b 8338 8510b 9390 10211 10618.

seitab 3753.

seitdem 6664 10687.

Seite (28). Seite[x] Seiten[b]. 823 3000 4530 4730 4756 5393 5403 5454b 6388 7280b 7466 7857 8255 8534 8947 9226 9357 9361 9590 10168b 10498 10645 10729 10855b 10881 11275 11393 11759. → allerseitig allerseits allseits bei~.

seitwärts 2305 3352 3652.

selber (17) 551 922 1197 2367 2488 4390 4798 5039 5572 5625 5844 6670 6694 7403 8798 9673 11810. → derselbe.

selbst (127). selbst[x] Selbst[b]. 22 96 185 298 353 400 616 632 935 1053 1100 1175 1413 1427 1558 1592 1695 1771b 1774b 1774b 1775 1801 1941 2021 2329 2359 2442 2457 2523 2810 3002 3005 3103 3131 3233 3245 3341 3441 3584 3846 3918 4114 4750 4811 4955 5044 5249 5266 5732 6013 6066 6221 6242 6332 6376 6470 6485 6546 6565 6654 6709 6755 6842 7015b 7124 7132 7143 7194 7305 7342 7427 7436 7568 7576 7858 7864 7970 7990 8011 8013 8076

8097 8108 8143 8147 8553 8663 8693
8822 8836 8875 8880 8881 8911 8955
9025 9031 9268 9353 9441 9497 9669
9856 9917 10097 10160 10199 10213
10220 10231 10260 10276 10393 10467
10611 10733 10743 10848 10890 10913
10915 11001 11027 11470 11489 11541
11951. → da~ hie~.

selbständig 10417.

selbstbewußt 7424.

selbstgefällig 7299.

selbstgesteckten 208.

Selbstsucht 10393.

selbstverirrten 8833.

selbstwillig 8109.

selig (23). selig^a selige^b seligem^c sel'-
gem^d seligen^e sel'gen^f seliger^g selig-
sten^h. 626f 758a 1107a 1505g 1573a
2446a 2984a 3452a 3532a 6082a 6489h
7403a 7567g 8291e 9570d 11149a
11726e 11808a 11820a 11940b 11972g
12059e 12098c. → +un~.

Seligkeit 2694 10253 11925.

selten (10). selten^a seltnem^b seltnen^c selt-
nes^d seltensten^e Seltenste^f. 5636a 7027b
7436d 8134e 8483c 8536a 9199b 9298f
10605f 10868a.

seltsam (6). seltsam^a seltsamer^b seltsames^c
Seltsamste^d. 3916a 7078d 8690b 9368a
9368a 10589c. → wunder~.

senden (8). senden^a sendest^b sendet^c sen-
detest^d gesandte^e Gesandte^f. 908c 1140e
5005a 5631e 6251b 8438d 10622a
11676f. → ab~ ent~ her~ voraus~.

sengen → ver~.

senken 6696. senkt 4689 6449. gesenktem
10636. → grüngesenkt heran~ nieder~
schiefgesenkt ver~.

senk–[recht] 9022.

Sessel sg 2428 7569. Sessel pl 6381.

setzen (18). setzen^a setz^b setzt^c gesetzt^d.
76d 1000d 1760d 1808b 2185a 2401a
2428b 4172a 5491d 6361a 6382c 6908c
8157c 8415c 10486c 10670c 11460a
11542c. → auf~ aus~ be~ entge-
gen~ ent~+ er~ fort~ Gesetz+ nie-
der~ über~.

Seuche 1000.

seufzen. Seufzen 1027. seufzt 6354.

Seufzer pl 3594.

Sibylle 2577 8957.

Sibylle (Eigenname) 3546.

Sibyllengilde 7455.

sich (784). (→ §8).

sicher (17). sicher^a sichern^b sichre^c sicher-
sten^d sicherster^e. 826a 1415a 1991c
3232b 3540a 3626b TT40a 4859c 4984c
5124b 9259a 9375d 9504e 10691b
11100b 11564a 11674a. un~.

Sicherheit 7312 10932.

sicherlich 5439.

sichern (7). sichern^a sichert^b sicherten^c
gesichert^d. 156b 6059d 8976a 9358b
10286c 10927b 10983d. ver~.

sicherstellt 10282.

Sicht → Aus~ durch~ig Ein~ +Ge~
scharf~ig weit(um)~ig Vor~+.

sichtbar 3450. → un~.

sichten 5310.

sie ihrer ihr (445). (→ §9). sie (365).
Sie (11) 2879 2881 2881 2901 2902
2915 2916 2931 4110 4112 4249. ihr
(68). Ihr 2606. ihrer 1941. → ihr
(Adj.).

sie ihrer ihnen (382). (→ §9). sie (368).
s' 5864. ihnen (8) 1208 1665 2847
3567 5351 6215 6981 10326. Ihnen
3524. ihrer 3647 3737 6221 8194. →
ihr (Adj.).

Sieb 2416 2419.

sieben (6). sieben 576 2642 4215 8194.
Sieben 2548 9032.

Siebensachen 2031.

sieden. siedet 3366 4456. siedend 6344
10107. siedendem 11856. → auf~.

siedeln → an~ einsiedlerisch–beschränkt.

Sieg (7) 9447 9838 10298 10421 10536
10722 11944.

Siegel Siegeln 576. → be~n +ent~.

siegen. Siegen 9853. siegend 9267. ge-
siegt 7369. → +be~ ob~ ver~.

Sieger sg 10864.

Siegerschar 9429.

Siegesglanze sg 1573.

Sieglung 10973.

Signatur 10929 10974.

Silber 4966 6090. → Queck~.

Silberbach 1079.

Silberlaut 11072.

silbern 9041 10919. silberne 3238.

Silberrand 8940.

Silberwellen 4656.

Silenus' 10033.

simuliert 10425.

singen (26). singen^a singe^b sing'^{c} singet^d
singte^e sang^f singend^g gesungen^h. 18f
290e 746e 1095e 1439a 1553e 2082e

2108b 2108b 2198a 2591e 2931a 3680c
4177f 4448a 5297a 5389b 6448e 6484h
8173a 8303a 9644f 9695a 9912a 11338g
11928d. → ein~ herab~ heran~
mattgesungen mit~.

Singsang 7155.

sinken (7). sinken^a Sinken^b sinkt^c. 933b
2780a 2781a 4614c 6631a 11143c
11379c. → dahin~ herab~ herein~
hinab~ nieder~ ver~ weg~.

Sinn (78). Sinn^a Sinne^b*sg* Sinne^c*pl* Sin-
nen^d*dat* Sinnen^e*nom, acc* Sinnes^f. 151b
431e 444a 479e 550a 611c 887d 1229a
1232a 1436e 1594c 1624b 1633e 1671b
1805c 2314a 2355a 2399d 2503a 2734e
2857a 2966a 3062d 3096a 3305b 3329e
3352d 3384a 3539a 4347a TT37a TT77c
4801a 5157a 5621a 5624a 5914b 6288f
6487a 7017a 7088a 7291a 7444a 7453a
7459a 7484d 7831a 7851a 7961a 8065a
8124a 8523a 8526a 8584a 8754a 8874f
9374a 9848a 9965a 10005f 10035c
10054a 10302d 10749b 10774h 10889a
10908a 11017a 11019a 11231a 11249a
11399a 11457d 11573b 11886c 11899a
12009a 12100a. → doppel~ig Ei-
gen~ + + ge~t hoch ~ ig Kurz~
leicht ~ ig Mit ~ nach ~ ig Pöbel ~
starr~ig Stumpf~ tief~ig Trüb~
Un~ Wahn~ wider~ig.

sinnen (13). sinnen^a Sinnen^b sann^c
sänne^d sannen^e sinnend^f Sinnenden^g
gesonnen^h. 426b 1037c 1828b 5307a
6783h 8537d 8659a 8677g 8947f 9597f
9927b 10897a 11690e. → aus~ +be~
er~ gesinnt nach~.

Sinnenspiel 6973.

Sinnentanz 7796.

sinnig 5118. Sinnige 7906.

sinnlicher 3534. → über~.

Sinnlichkeit 1750.

sinnlos 9436.

Sippschaft 8815.

Sirenen 7160.

Sitte 9926 10034. → ge~t.

sittelosem 8834.

sittig 9153.

sittlich → über~.

Sittlichkeit 5794.

sitt-[reich] 2611.

Sitz (12). Sitz^a Sitze^b*sg*. 6027a 7408a
7581a 7610b 7627a 7936a 8005b 9169a
9280a 9477a 10529b 11240a. →
+Be~+.

sitzen (32). sitzen^a sitz'^b sitzet^c sitzt^d
saße^e saßen^f sitzend^g. 41a 538d 1024e
1268a 1523d 2121a 2448b 2771e 2849d
3303d 3620e 3626e 3637f 3642a 3959d
4124a 4285b 4566d 4568d 5293c 5399d
6286a 6385d 6712d 6714d 7029d 7245a
8537e 8676a 8681d 9401a 9578g. →
auf~ +be~+ ver~.

Siziliens 10585.

skizzenweise 4276.

Sklaverei 6957 8865.

Skolar 1177.

Skolast 1324.

Skrupel *pl* 368.

Smaragd 9307.

so (654). (→ §8). → al~+ eben~
wie~.

sobald 2062 2062 4153. → al~.

Socken 1808 5546.

sodann 6897 8568 9703 10874.

soeben 6309 11967.

sofort → al~.

sogar (11) 298 2706 3497 4026 5366
6235 6576 8533 8693 10158 11633.

sogleich (37) 228 1515 2227 2276 4525
4736 5182 5466 5473 6062 6126 6183
6193 6352 6440 6889 7053 7868 8024
8522 8664 8866 8945 9020 9050 9271
9275 9903 9996 10002 10483 10623
10833 10871 11506 11515 11566.

Sohle (7). Sohle^a Sohlen^b. 4374b 4983a
5072b 6178b 8979b 9967a 11161b.

Sohn (17). Sohn^a Sohne^b Söhne^c Soh-
nes^d. 1032a 1063a 1384a 1397a 1457c
2214a 2411a 3592d 3720a 4224c 5629a
7329a 8027a 9644b 9722a 10970a
12038d. → Erden~ Hexen~ Götter~
Jungfern~.

Sol 4965.

solang 679 2166 3838 4886 10963.

solch (97). solch^a solche^b solchem^c sol-
chen^d solcher^e solches^f. 100a 104f 108e
128c 606b 877d 1014a 1033a 1069d
1101d 1241a 1257b 1399e 1655e 1688e
1689d 1801a 2279d 3077a 3483b 3844b
4135b 4884b 4899b 4997d 5027e 5048a
5154f 5229b 5352b 5761e 5929c 5951b
5984e 6020a 6043e 6065a 6100e 6114d
6119a 6228b 6356e 6414a 6456c 6497e
6522c 6527c 6580d 6614c 6996a 6996f
7155a 7185d 7186d 7187d 7401a 7408a
7584d 7591d 7732b 7758e 7808a 7860a
7871c 7942b 8004d 8012c 8128a 8158d
8721f 8724f 8797f 8827d 8886c 8893e

9037a 9181e 9194d 9237b 10069e
10112e 10240c 10274d 10352a 10368f
10468e 10533a 10733c 10923d 11027c
11358c 11410c 11468d 11579a 11585c
11713d 11735d.
Sold 4956 6045 6084 10801.
Soldat (9). Soldat[x] Soldaten[b]*pl.* 901b
3120 3775 4946 6107 10409 10822b
10824 10826. → Miet∼.
soldatenhaft 881.
solider 5602.
sollen (196). sollen[a] soll'n[b] Sollen[c] soll[d]
sollst[e] sollt[f] sollte[g] sollt'[h] sollten[j] soll-
test[k] solltet[m]. 75g 78d 135g 226d 227d
312f 334d 499d 533d 613g 630d 631d
660d 661d 670m 850d 873d 1124h
1233g 1238d 1273d 1296e 1416e 1549e
1549e 1649d 1659e 1672e 1719d 1721d
1732d 1769d 1862d 1864d 1964f 2043d
2051d 2066d 2080d 2187d 2242d 2254d
2257d 2264d 2269d 2276d 2302d 2310a
2328d 2332g 2336d 2338d 2416d 2488d
2528d 2532d 2601e 2667d 2738d 2749m
2794g 2850d 2873d 3028f 3160d 3179d
3180d 3262d 3330d 3343f 3413h 3524d
3533d 3574d 3641d 3642d 3649d 3676h
3679f 3703d 3732d 3754d 3756e 3847h
3860d 3869d 4085j 4157m 4228b 4245a
4268d 4289f TT64d 4433d 4463d 4581h
4604e 4769j 4801d 4825j 4869d 4938d
4973d 4981d 5047d 5126d 5296g 5351f
5392d 5532k 5567d 5653g 5672a 5702d
5702d 5727d 5727d 5734d 5735d 5777d
5831a 5967d 5986d 6141d 6192a 6338f
6360d 6410g 6452g 6470h 6632d 6632d
6683h 6701d 6869d 6936d 6948d 6976d
7068d 7068d 7202g 7229d 7289h 7290g
7323d 7438h 7489e 7548d 7763d 7961k
8002h 8169d 8254k 8318d 8657f 8663f
9017m 9052h 9439d 9442e 9462d 9476d
9566d 9577d 9686d 9813d 9893h
10183d 10241d 10252d 10292d 10396d
10438d 10495a 10505d 10526d 10611h
10618h 10667a 10788d 10905d 10937a
10948d 10970d 10973d 11045d 11134d
11239j 11328f 11411d 11471d 11471d
11482c 11518a 11598d 11832d.
Sommer *sg* 5152 6320.
Sommerfeiertagen 1907.
Sommernacht 10752.
Sommervögel 3203.
sonder 8845 9144. → be∼+.
sonderbar 4203.
sonderlich 5429 6538.

sondern (*Verb*) 5082. Sondern 10431. →
ab∼.
sonnbeglänzten 10048.
Sonne (27). Sonne[x] Sonn'[b] Sonnen[c]. 243
279b 911 1455c 1486 1664 2863 3613
4715 4955 5376 6245 6756c 6795 8208b
8304 8601 8908 8909 9224 9353 9514c
9527 9691 11098 11143 11456. →
Abend∼glut Erden∼ Morgen∼.
sonnedurchstrahlten 9660.
Sonneglut → Abend∼.
sonnen sonnt 920.
Sonnenblick 11140.
Sonnenglanz 10362.
Sonnengott 10016.
sonnenklar 10105.
Sonnenschein 8933.
Sonnentage *pl* 7244.
Sonntag. Sonn–[tagen] 860. Sonntags 845.
sonst (47) 23 273 640 771 1874 1919
2076 2249 2683 2929 3371 3478 3516
3577 3865 3939 4020 4346 4371 4488
4492 4529 4578 4862 5916 6077 6358
6670 6838 6859 6976 7118 7191 8034
8673 8792 9250 10428 10559 10868
11088 11317 11336 11408 11618 11623
11761. → um∼.
Sophiste 3050.
Sorge (13). Sorge[a] Sorg'[b] Sorgen[c]. 644a
2572c 4766c 8578a 9894b 10243c
10448a 10543c 10979a 11385a 11391a
11432a 11493a.
sorgen (9). sorgen[a] sorg[b] sorge[c] gesorgt[d].
2094a 2673b 3145a 4522a 6061d 8582c
10313a 10911c 11218a. → unbesorgt
ver∼.
sorgenfreiem 5435.
sorgenlos 8510.
sorglich 6326 10037 11317. sorgliche
11026.
sorgsam 10902.
sorg–[vollsten] 7011.
Sorte 816.
soulagiert 4173.
soviel (6) 1353 1365 2999 3049 4077
4216.
spähn 9229. späht 5557 11758. spähend
9223. → er∼ → über∼.
Spalte 9614. → Felsen∼.
spalten (6). spalten 111 869. spaltet 6395
10546. gespaltne 10034. gespaltenen
4137. → Schädel∼ zer∼.
Span 4760 5293.
Spange 2843 5585. Spang' 8053.

Spanien 2205.

spanische 1913.

spannen → aus~ um~ vierbespannt Viergespann.

Sparta 8995 9476.   Spartas 8501 9463 9569.

sparen (9). sparen[a] spare[b] sparet[c] spart[d] spartest[e] gespart[f]. 2742a 2934d 4751b 4853a 5655a 6228e 6739c 7187f 7674b.

Spaß (11) 77 2478 2654 2832 3733 4049 4973 5369 5492 6176 8305. → Masken~.

spaße 2321.

spat 3112 4958 11339 11416.

spät (10). spät[a] späten[b] später[c] später[d]k spätern[e]. 2189a 3208a 3852c 4698d 5383d 6025e 8126a 8616a 10094a 11349b.

Spaten (6). Spaten sg 2363 5039 10015 11505. Spaten pl 11539 11605.

spazieren 941. Spazieren 3553. → ab~ hinaus~ umher~ vorüber~.

Speer 7896. Speere pl 10594.

speien → feuer~d.

Speise (6). Speise 301 1678 1777 2357 9548. Speis' 1864. → Lieblings~.

speisen 4872 5167. speist 5662. speisenden 803. gespeist 2190.

spekuliert 1830.

Spende 6437.

spenden (6). spenden[a] spend'[b] spendet[c] spendetest[d] spendende[e] gespendet[f]. 4700f 5588b 6155c 7025e 8439d 10213a. → aus~.

spendiert pp 6373.

speeren gesperrt 8958. → ein~.

sperrig 6088.

Spezereien 749.

Sphäre (7). Sphäre[a] Sphären[b]. 484a 705b 767b 1669b 5690a 5989a 12094b. → Bruder~ Traum–[~] Zauber~.

Sphärenlauf 258.

Sphinx 7580. Sphinxe 7083 7549 7806 Sphinxen 7689.

Spiegel sg 615 2599 6912 7284 9999. → Wellen~ Zauber~.

Spiegelflut 700.

Spiegelglas 2887.

spiegelglatt 9024.

spiegeln. spiegelt 7085 10054. spiegelnd 4646. gespiegelt 10588. → ab~ be~.

Spiel (17). Spiel[x] Spiele[b]sg Spiele[c]pl. 175 779c 1681 2724 2737 2737 3180 5731 5984 7735 7761b 8118 9128 9769b

9807 10209 11642b. → Bei~ Bühnen~ Farben~ Flammengaukel~ Fratzengeister~ Freuden~ Karten~ Kinder~ Lügen~ Pfänder~ Ringer~ Ring~ Saiten~ Schau~ Sinnen~ Taschen~ersachen Trauer~ Würfel~ Zauber~.

spielen (10). spielen[x] spielt[b] spielten[c] spielend[d] gespielt[e]. 1546 1635 2010 4218 5095 6017 8500d 9347e 9545b 10245c. → mit~.

Spielmann 4992.

Spindel 143.

spinnen. Spinnen 3563 5305. spann 8515. → ab~ +Gespinst.

Spinnenfuß 4259.

Spinneweben 6573.

spionieren. Spionieren 1581. spioniert pp 3521.

spitz (6). spitz[a] spitze[b] spitzen[c] spitzer[d]. 1539c 5963a 7937a 10138b 11332c 11952d.

spitzbögig 6929. spitzbögiger 6413.

spitzbübisch 7693.

Spitze 1522 10530 10646. Spitzen 10593.

spitzen. _ spitzt 2243. gespitzte 11519. pfeilgespitzt zu~.

Spitzenkragen sg 3758 6731.

spitziger k 11755.

splittern 3943.

sponsieren 5774.

Sponsierer sg 5539. pl 5187 5663.

Spott 3429 8191 10863. → Maskeraden–~.

spottet 668 1941.

Spottgeburt 3536.

spöttisch 3486.

Sprache 3464 6878 7073. → Gespräch.

Sprechart 9372.

sprechen (54). sprechen[a] spreche[b] sprech'[c] sprecht[d] spriche[e] sprichst[f] spricht[g] sprach[h] gesprochen[j] gesprochnes[k]. 59e 212g 353a 425g 442g 1198a 1346c 1718k 1870a 2192j 2347f 2530e 2553g 2576a 2628f 2645d 2834h 2964h 2971h 4897g 4939g 4954g 4971g 5367j 6068h 6211e 6215a 6233h 6249f 6750g 6803g 7073h 7104d 7178e 7397j 7398e 8230f 8536h 8540h 8579h 8813e 8965e 8966e 9049f 9050e 9356a 9377c 10105d 10128b 10980e 11110f 11225e 11423e 11557g. → an~ +aus~+ be~ frei~ los~ ver~ wider~ zu~.

sprengen 5014. sprenge 8236. sprengt

2084. → Be∼ herum∼ her∼ zer∼.

sprießen 5158. → ent∼.

springen (19). springen[a] Springen[b] springe[c] springt[d] sprang[e] sprangen[f] gesprungen[g]. 289d 1171a 1191b 2598d 4125g 4178e 4302a 4337d 6624d 6669f 6840e 6881c 9530d 9599d 9604d 9607c 9613d 9697a 9712a. → ab∼ ent∼ herein∼ hervor∼ über∼ um∼.

spritzen. spritzt 11230 11848. gespritzt 8280.

sprossen 6321. sproßte 8859. sprossende 1471.

Spruch 1272 2049. Sprüche 2530 6228 8982. → An∼ Götteraus∼ Wider∼ Zauber∼.

Sprüchwort 3155.

sprudelt 6095. sprudelnd 3843.

sprühen (8). sprühen[a] sprüht[b] sprühend[c]. 3928a 4018b 5743b 5751b 5928b 10029c 10650c 11308a. → an∼ hervor∼.

Sprung 4263 5817. Sprunge 3985 9605. → Angste∼ Ur∼+.

Spuk 5502 11410. → Liebe∼.

spuken 11450. spukt 3660 4161.

spulen → er∼.

Spur (13). Spur[x] Spuren[b]. 1151 1172 1902 4359 4393 4988 7836 7956 9301 10598b 11583 11682b 11905.

spüren (15). spüren[a] spüre[b] spür'[c] spürt[d] spürte[e] spürt'[f] spürend[g]. 2181d 2256b 2327c 2592a 2821f 2984e 3263a 3848b 3935b 4322d 6459a 7059g 7938f 7980a 11967c. → aus∼ nach∼ ver∼.

Squenz (Peter ∼) 10321.

Staat 4908. Staate 4780. Staaten 4834.

Staatsaktion 583.

Stab (12). Stab[x] Stabe[b] Stabes[c] Stabs[d]. 5472c 5675b 5739 5744 5752d 5796 5972d 9117 10012 10698 10703 10707. buch∼ieren General∼.

Stäbchen sg 4590 5400.

Stadt (18). Stadt[a] Städte[b] Städt'[c] Städten[d]. 820a 848a 917a 2768c 3118a 3739a TT67a 4912a 6077a 8295b 8376b 8525a 8712a 8868a 9036d 10264a 10264a 10590b. → Flammen∼ Vor∼ Haupt∼ Tempel∼.

Städteverwüstenden 8840.

Stadtmauer 3317.

Stadt–[plage] 5356.

Stadtrat 4866.

Stahl 9024 9450 9854 10791.

Stamm (9). Stamm[a] Stämme[b]. 3946b

9515a 9549a 11335b 11343b 11812a 11847a 11847a 11871a. → Fichten∼ Götter∼ Helden–[∼] Nachbar∼.

Stammbaum 8814.

Stammbuch 2045.

Stammverwandte 7224.

stampfend 6304 6304.

Stand 10684. → +An∼+ Bei∼ Be∼+ Ge ∻ nis Puppen∼ selb ∻ ig Wider∼ Wohl∼ Zu∼ zu∼e.

Standarten 10567.

standhalten. halten stand 9509. halt stand 11138. hält stand 6653. haltet stand 11711.

Standsgebühr 2122 11641.

Stange → Thyrsus∼.

Stank → Ge∼ Schwefel∼.

stark (20). stark[a] starke[b] starken[c] starkes[d] Starke[e] Starken[f] stärker[g] stärkste[h] stärksten[j]. 223a 830d 1297g 1321h 5916j 7559a 8849a 9494f 9872f 10464b 10481d 10542e 10608d 10806c 10952a 11007a 11310g 11719a 11741a 11958b. → er∼t.

Stärke 247 267 6281 7629.

stärken (7). stärke[a] stärkest[b] stärkt[c] gestärkt[d] gestärkten[e]. 4631d 5056a 6543e 9287d 9611d 10922c 10952b. → be∼ erstarkt ver∼.

starr (15). starr[a] starre[b] starrem[c] starren[d] starrer[e] starres[f]. 1537e 4192d 7021b 7400f 7704c 7851e 7952b 8120a 9024a 9124c 9658c 9809b 10370d 11148d 11634d.

starren (=stieren) 1862.

starren (= erstarrt sein). starret 9542. starrt 6574 8987 10111. → +er∼.

starrsinnig 9056.

Statt (an . . . Statt) 6119 9656 11094.

statt (17) 414 1161 2186 2562 5381 5602 7210 8643 8799 8895 9104 9192 9193 9227 9227 9228 11949. → an∼.

Stätte 2927 3035 TT68. → bestattet.

stattfinden finde statt 5117.

Statut 10972.

Staub (10). Staub[a] Staube[b]. 334a 403a 653a 654b 656a 763b 5480b 8943b 9886a 11680a.

staubende 8702.

staubigen 6612.

staucht 7505.

Staude Stauden 7259.

staunen (9). staunen[a] staune[b] staunt[c] staunend[d] staunende[e]. 92d 3222e 4977a 6518c 7969b 8157a 9556a 9621a 10045d.

→ er~+.

stechen 7888. sticht 2238 2240 3976. gestochen 2234. → Bestecher durch~ über~.

stecken (6). steck'[a] steckt[b] gesteckt[c]. 398a 1293b 3277b 5328b 10563b 11004c. → ab~ an~ dahinter~ ein~ selbstgesteckt um~ ver~.

Steg 4556.

stehen (139). stehen[a] stehn[b] steh[c] stehe[d] steh'[e] stehet[f] stehst[g] steht[h] stand[j] standen[k] ständen[m] standst[n] stünd'[p] stehend[q] gestanden[r]. 327c 358e 543h 670j 677g 821a 864h 997h 1009h 1018a 1145g 1224h 1229h 1233b 1322h 1345g 1412h 1705b 1847b 1953h 1961h 1971h 2153b 2259b 2349h 2639a 2775j 2794b 2951j 2998a 3006h 3138j 3144b 3316h 3467h 3489h 3565j 3724h 3757b 3784h 3906a 4079h 4099h 4146h 4184a 4189b 4353d TT10c TT10c TT11c 4466j 4543h 4557h 4708b 4907a 4918h 4948h 5021a 5129b 5227a 5290b 5401q 5560a 5580h 5650j 5889j 5924h 5926h 6067n 6180b 6194a 6200e 6286b 6406b 6610b 6629h 6632b 6879h 7075j 7077e 7185r 7195b 7201h 7334g 7385b 7477h 7554m 7684h 7720h 7812h 7815j 8026e 8079b 8156h 8310k 8534b 8555a 8670h 8707k 8790j 8842g 8853n 8947f 8990h 8991f 8994j 9285j 9494b 9590j 9616e 9705a 9936h 9971a 10207j 10498b 10557k 10655h 10658a 10787h 10815g 10842j 10851h 10916h 10962b 10993r 11126j 11148b 11228j 11279b 11313r 11321h 11406p 11418a 11445d 11538j 11580b 11736a 11785h 11789h. → an~ +auf~ bei~ bevor~ be~ da~ entgegen~ ent~ +er~+ frei~ +ge~ +Stand+ still~ über~ umher~ unter~ +wider~+ ver~+.

stehlen 5857. stiehlt 9668. stahl 9292.

steif steife 4319.

Steig → Felsen~.

steigen (20). steigen[a] Steigen[b] steige[c] steigst[d] steigt[e] steigende[f] steigendem[g] gestiegen[h]. 6e 449a 563e 2403e 3920e 3997c 6275c 6295d 6304d 6423e 6865e 8995e 9821a 9851h 9864c 10010f 10168e 10504b 11324a 11979g. → ab~ auf~ aus~ be~ empor~ ent~ +er~+ herab~ heran~ herauf~ herüber~ herunter~ hervor~ hinan~ hinauf~ nieder~ über~ ver~.

steigern. steigerst 12064. steigert 5664 10064.

steil 10353. steile 7951. steilen 5448 11913. steilern 6194.

Stein (16). Stein[x] Steine[b]*sg* Steine[c]*pl.* 1022 3881[c] 3960 4193 4566 4568 5063 5064 7394 7680 9020 9021c 9780b 10656c 10746 10860. → Edel~ +Ge~ Ilsen~ Raben~ Schluß~ Schorn~ Teufels~ Wein~.

Steingeklipp 10371.

Steingerüste *sg* 7546.

Steiß 4174.

Stelle (24). Stelle[x] Stell'[b] Stellen[c]. 686 1645 2433 3509 3649 4737 6208 6263 6526 6549 6931 7120c 7128 7462 7528 7830b 7830 10071 10648 10946c 11047 11227 11485 11740. → Felsen~ Moosge~ Kirchen~.

stellen (9). stellen[a] stellt[b] stellt'[c] gestellt[d]. 1140a 2130d 2733c 3016a 3201b 6792b 10508b 10527d 11305d. → an~ auf~ bein~d be~+ ein~ entgegen~ frei~ heim~ her~ hin~ nach~ um~ vor~ zufrieden~ zusammen~.

Stellung 10080 10297.

stemmen. Stemmen 10731. stemmt 11723. → auf~.

Stempel *sg* 11662.

stempelten 6074.

Sterbebette 2951.

sterben (13). sterben[a] Sterbens[b] sterbe[c] stirbt[d] starb[e] starben[f] sterbend[g] gestorben[h]. 565a 1048f 1714b 2413a 2761g 2767a 2953e 3010h 3722c 4433a 6694c 8927d 9219a. → +er~.

Sterbeklagen 7660.

sterblich. Sterbliche 8744. Sterblichen 738 TT60 6219 8586. → un~+.

Stern (32). Stern[a] Sterne[b]*sg* Sterne[x]*pl* Stern'[d] Sternen[e]. 236 304 422 574 1504 2228a 2863 3445 3678 3990a 4643a 4643a 4763b 4884 5517 6245 6401 6800 6832a 7125e 7127a 7127a 7619a 8452a 9034d 9865a 10450a 10751 10754 11294 11378 11395. → Dauer~ Morgen~.

Sternelein *pl* 1454.

Sternenkranze 11994.

Sternenstunde 6667.

sterngegönnte 6415.

Stern–[scheine] 4380.

stetem 10431. → bestätigen+.

stets (25) 281 647 651 1336 1336 1338
2060 2270 4743 4744 5335 5436 5624
6000 6035 6204 7369 7431 8554 8561
9130 10258 10448 10863 11430.
Steuer 10947.
Stich 3474 4606 11236 11236 11376. →
Reue∼.
Stichelreden 3640.
sticken → er∼.
stieben → zer∼.
Stiefeln 1913.
Stiel Stiele *pl* 5148. → Besen∼.
Stier 9295.
stiften 5347 9959. stifte 10996.
still (40). still[a] stille[b] stilleme[c] stillen[d]
still–[en][e] stiller[f] Stillen[g] stillste[h] still-
sten[j]. 26d 63d 840d 1077b 1193f 2105f
2308a 2372f 3119b 3227d 4043g 4424a
4424a 4676a 4937a 5303f 5887b
6313a 6514a 6596d 6676g 6854d 6953e
7375a 7451d 7479a 7541b 8000h 8048j
8357d 8768d 8854b 8972a 8999a 9446d
9546d 9589c 9741d 10024b 10429a. →
aller∼sten.
stillbewußtem 8364.
Stille 2691. → Sabbat∼.
stillen 435 1751. stillt 567 988. gestillter
6244.
stillschweigen schweige still 8008.
stillstehen. stehest still 1168. steht still
11593 11593.
Stimme (10). Stimme[a] Stimm'[b] Stimmen[c]. 487a 494a 2198c 3952c 4461a
5891b 6878a 8167c 8705a 10002a. →
Menschen∼ tausend∼ig wohl∼ig.
stimmen 3885. gestimmt 2089. → an∼
+be∼ ein∼ ver∼ wohlgestimmt.
stimmig 7097.
Stimmung 218.
stinkt 2524 3548 3961 4018.
Stirn (9). Stirn[a] Stirne[b] Stirnen[c]. 2682b
3046b 3489a 5620b 7236c 8645b 9159a
10056a 11219a.
Stock (7) 1171 2319 3960 4000 9780
10025 10025. → Knoten∼ Masken∼
Wein∼.
stocken (7). stocken[a] stock'[b] stockt[c].
1017c 1225b 1633a 6578c 8233c 9413c
9724a.
Stoff 635. Stoffen 6849. → Menschen∼.
stöhnen → Gestöhn.
stolpern stolpert' 11537. → einher∼.
Stolz 10961.
stolz (20). stolz[a] stolze[b] stolzem[c] stolzen[d]

stolzer[e] Stolzen[f]. 874a 886d 1351b
2178a 3288e 4320d 5396a 5858d 6099d
6915c 7017c 7299a 7970a 8309f 8521a
8563a 9972a 10208a 10225a 10488b.
→ einher∼ieren zierlich–∼.
stopfen. stopf' 8824. gestopft 408.
Stoppel 1147 3957.
stören (10). stören[a] störe[b] störet[c] stört[d]
störende[e] gestört[f]. 521a 646c 1241e
4824f 6267d 6269b 7581a 7913f 10117a
11747d. → ungestört zer∼+.
Störung 9435.
Stoß. Stöße 5204. Stößen 54. → Erde∼
Herzens∼.
stoßen 1640 8221 10566. stößt 4016. ge-
stoßen 10472. → an∼ zurück(e)∼
zu∼.
strack 11672 11870.
stracks 2867.
Strafe 8799. → Höllen∼.
strafen 4805 8787. → be∼ ungestraft.
straff 7537.
sträflich 10985.
Strahl 8298 9450 10986 10990. Strahlen
471. → Abend∼ Augen∼ Bogen∼
Lebe∼ Reiher∼ Wasser∼.
Strahlblitz 10546.
strahlen strahlend 11868. → an∼ son-
nedurchstrahlt ver∼d.
Strahlenblick 8294.
strahlenreich Strahlenreiche 12071.
Strand (6). Strand[x] Strande[b]*sg*. 6552
7378 8489b 8542 10306b 11036.
Strandeszunge 8269.
Strang 5344.
Straße 314 4475. Straßen 926 10144.
sträubig–hohem 8492.
Strauch Sträuchen 4028. → Ge∼e Wei-
den∼.
Strauß (=Blumen∼) 3179.
Strauß (=Kampf) 4623 6363.
streben (23). streben[a] Streben[b] Strebens[c]
strebe[d] strebt[e] strebtest[f] strebend[g]. 317e
697b 767a 912b 1075a 1099e 1353e
1676b 1742b 1858b 4116e 4685a 6412g
6996b 7291e 7536b 7570b 8330d
10044e 10177f 10662c 11013a 11936g.
→ be∼ empor∼ er∼ hinauf∼ hin∼
nach∼ nieder∼ Wider∼.
strebsam 8096.
Strebsamkeit 10956.
Strecke 3924 7542 10215.
strecken 1563 3896 3899. gestreckt 11365.
→ er∼ hin∼ langgestreckt.

Streich 10484 10844 11372. Streichen
6235 10640. → Backen~ Meister~.
streichelte 7422.
streichen (6). streich^a streiche^b streicht^c
streichende^d. 2032c 3628b 3657c 5899c
6244d 6349a. → auf~ ein~ hin~
Seedurchstreicher.
Streifen *pl* 910 5977 9041. → blumen-
streifig Nebelstreif.
streifen 1147 3090. streifst 7478. → ab~
an~ nieder~.
streifig 9091. → blumen~.
Streit (11). Streit^a Streite^b*sg* Streite^c*pl*.
4229a 6956c 7309a 7465b 7871a 9428a
10570a 10644b 10773a 10886a 11760b.
→ Wechsel~ Wider~.
streiten (6). streiten 1997 6554 6962
10360 10466. Streitenden 10859. →
er~ unbestritten.
streitig 1352.
Streitkraft 10522.
streng (10). streng^a strenge^b strengem^c
strenger^d strenges^e strengste^f. 30b 2537d
3239b 7444a 8021f 8171a 9247a 10903a
11507e 11543c. → geistig–~ ge~.
Strenge 11553.
strengen strenget 9648. → an~.
streuen (6). streuen^a streuten^b gestreut^c.
2152a 3576a 4403a 11367c 11711a
11947b. → aus~ zer~+.
Strich 6349.
stricken 3111. → +um~.
Stroh (6) 1839 2075 2868 2953 4422
11368.
Strohmann 5670.
Strom (9). Strom^a Ströme^b Strömen^c.
50a 903a 1079b 1212a 1720c 4719c
8441b 10382a 10727a. → Feuer~
Flut ~ Lebens ~ Pappel ~ Walle ~
Wasser~.
strömen (8). strömen^a strömt^b strömende^c.
1127c 1355b 3955b 4039b 5505b 10108c
10732b 11011a. → nach~ über~.
Strudel *sg* 62 4116. → Feuer~ Zeiten~.
Strudeleien 10104.
strudeln. strudelt 5256. strudelnd 7483.
Strumpfband 2662.
Stück (10). Stück^x Stücken^b. 99 99b 2204
3113b 4215 4215 5102 5102 6548 6580.
→ Kunst~ +Meister~ Schau~ Wag~
zer~eln zer~en.
Stückchen *sg* 6993. → Brocken~.
Student 6637. Studenten *pl* 1177.
Studien 600.

studieren 1982. studiert *pp* 357 10426.
→ durch~ ein~ fort~.
Stufe (11). Stufe^a Stufen^b. 4454b 4749b
6194b 7314a 7472a 7928b 8609b 8685b
9168b 9178a 9178a. → Schwindel~.
stufenweis 4701. stufenweise 10730.
Stuhl 2325 2623. Stühle 6381 11609. →
Blut~ Predigt~ Web~.
stumm 3637 4494 4595 11107 11446. →
edel–~ ver~en.
stümmeln stümmelte 9058. → ver~.
stumm–freundlich 11850/51.
stümpern → Gestümper.
stumpf 9351 stumpfe 4258 10707. stump-
fer 11886. stumpfes 5825.
Stumpfsinn 10454.
Stündchen *sg* 2887 3503. → Viertel~.
Stunde (35). Stunde^a Stund'^{b} Stunden^c.
15c 1068a 1100c 1437a 1553a 1956c
2170a 2527a 2642c 2710c 3137c 3567a
4232c 4650c 4696a 4949b 5331c 5343c
5372c 6415c 6832a 7126a 7862c 7933c
8287a 10013c 10209a 10449b 10699c
10925a 10930a 10980a 10981a 11630c
11689c. → Feier~ Geister~ Morgen~
Schäfer ~ Sternen ~ Vaterfreuden ~
viertel~chen.
Sturm (11). Sturm^x Stürme^b Stürmen^c
Sturmes^d. 150 259b 466c 1367c 2657
3228 4666 4721 7218 8047d 8711d.
→ Feuerwirbel~ Taten~.
stürmen. Stürmen 895. stürmten 7418.
→ be~ durch~ fort~ um~.
sturmerregte 10649 11049.
Sturmgewalt 5519.
stürmisch 10960.
Sturz (6). Sturz 4718 6698 9719 11331
11869. Sturzen 4718. → Kaskaden~
Wasser~.
stürzen (19). stürzen^a stürzt^b stürzte^c
stürzend^d gestürzte^e gestürzten^f. 1473b
1475a 1611b 1754a 2779a 3229d 3843b
TT56c 5852a 7120f 7495b 7899b 9021d
9530a 10517b 10538b 10637e 11738a
11876b. → ab(e)~ be~ ein~ fort~
herab~ hinab~ nieder~ zusammen~.
stutzen stutzt 4739. → auf~.
stützen 4905. stützt 4796.
Stygischen 8653.
Stymphaliden 7220.
Subsidien 4832.
suchen (24). suchen^a such^b suche^c such'^{d}
sucht^e suchtet^f sucht'^{g} gesucht^h. 131e
134b 548d 666h 762e 882d 1383c 1937e

3061c 3749e 6271d 6345g 6766f 7055e
7193e 7355e 7695e 9480e 9592f 9829a
10705b 11100a 11408f 11430h. → auf∼
aus∼ be∼+ heim∼ ver∼+ vorteil∼d.
Sucht 10180. → Eifer∼ Sehn∼ +
Selbst∼.
Sud 5741 5925. → Be∼elung.
Sudelköcherei 2341.
Süden 9225.
südöstlich 6951.
sühnen → versöhnen ver∼.
Sultans 2975.
summen 6594. Summen 742. summt'
10846. → um∼.
Sumpf 11559. Sumpfe 4375. Sümpfe
7420.
Sünde (10). Sünde[a] Sünd'[b] Sünden[c].
1342a 2622c 3579c 3584a 3768c 3821b
4900a 6974c 7973c 11033b.
Sünder *sg* 7701. Sünder *pl* 11654. Sün-
dern 11679.
Sünderhemdchen *sg* 3569.
Sünderinnen 12061.
sündige 10986. → ent∼n ver∼n.
Suppe → Bettel∼.
süß (23). süß[a] süße[b] süßem[c] süßen[d]
süßer[e] süßes[f] Süßes[g]. 783d 1510d 1584a
2275d 2636b 2687e 2689b 2746b 3179a
3276e 3328d 3565a 4023e 4198b 4469d
4531f 4636b 4638d 5385g 6455a 8467b
9544c 11532b.
Sylphe 1275 1288.
symmetrisch 5101.
Symptome 8470.
System 1998.
Szene 4226. Szenen 6920. → Geister∼.

T

Tabak *sv* Toback.
Tadel *sg* 7009.
tadeln. Tadeln 8993. getadelt 9334.
Tafel 6342 10894 10907.
Tag (113). Tag[a] Tage[b]*sg* Tage[c]*pl* Tag'[d]
Tage[e]n Tages[f] Tags[g]. 9c 53b 226a 233a
250a 266g 270a 282a 666a 672a 701a
849c 858a 990e 994a 996e 1072a 1087a
1556a 1672a 1697a 1719e 1784a 1893b
1918a 1956a 2142a 2161a 2441c 2614c
2640d 2791c 2851a 2921d 2969a 3119c
3144b 3256a 3261a 3319c 3463b 3746b
3749f 4092a 4389a 4440a 4579a 4580a

4580a 4580a 4631a 4641f 4668a 4765e
4812e 4853c 4854c 5031a 5034b 5145f
5303c 5317e 5353b 5430e 5856a 5948a
6054e 6177e 6434f 6663e 6797a 6876b
6896a 7030c 7197e 7362c 7377a 7862a
8006a 8081a 8286g 8363e 8909g 8931a
8958a 9090a 9414a 9554b 9638f 9878a
9909a 9913e 9933b 10013c 10042e
10054c 10336a 10840a 10869a 10975a
11054c 11123g 11126a 11349c 11412a
11464b 11489c 11555b 11630d 11686a
11734a 11834e 12093a. → Ahnherrn∼
Blüten∼ Erde(n)∼ Ernte∼ +Feier∼
Freuden∼ Friedens∼ Gala∼ Gerichts∼
heutzu∼e Himmels∼ Hochzeit∼ Jam-
mer∼ Krönungs∼ Lebens∼ + Mit∼
Mond−[∼] Oster∼ Sams∼ Sonn(en)∼
Weihe∼ zu∼e.
tagen tagt 7058 9692. → grau∼d.
Tagesblick 4653. Tagesblicke *sg* 3685.
Tageslicht 9985 10586.
Tageslüften 5904.
Tageswelt 6035.
Tageszeit 2741.
Tagewerk' 3287.
täglich (6). täglich 847 1687 2704 4855
11576. täglicher 6646.
Tagslauf 8293.
Takt 2479 6401 6450. Takte *sg* 4294
9697.
Tal (32). Tal[x] Tale[b] Täler[c] Tälern[d]
Tales[e]. 191c 905b 1051d 1078 3841c
3925 4225 4654c 4688 4688 5836e 7010
7042 7543e 7686 7691 8997 9203 9464
9788 9885 9885 10102 10293b 10346
10494 10730 10782 11000 11001 11012
11878. → Gebirg∼ Waldes∼.
Taler *pl* 5657. → Löwen∼.
Talente 9960.
Talgebirg 8994.
Tand 658. → Glitzer∼.
tändeln. tändelnd 9420. tändlend 9993.
→ Getändel.
Tannen 11891.
Tanz (13). Tanz[a] Tanze[b] Tänzen[c]. 949a
1575b 3759b 4127a 4177a 4586b 5313c
5578a 5820a 5828a 6341a 8960b 10027a.
→ Gaukel∼ Narren−[∼] Sinnen∼
Teufels−[∼] Toten∼ Wirbel∼ Zir-
kel∼.
tänzelnd 3143.
tanzen (15). tanzen[a] Tanzen[b] tanzt[c]
tanzte[d] tanzten[e] tanztest[f] Tanzende[g]
getanzt[h]. 824c 953d 966e 966e 1494g

4058c 4147c 4150a 5189f 5484c 6331b 6599h 7719c 9044a 10596a. → vor∼ durch∼.

Tänzer *sg* 1017. **Tänzer** *pl* 9044.

Tanzplatz 3554.

Tapeten 6383.

tapfer (7). tapfer[a] tapfrer[b] tapfres[c] tapfersten[d]. 3370a 3577a 5894c 8495d 9493a 10731c 10883b.

Tapferkeit 2976.

tappen 10036. tappt 2031. → hin∼.

Täppischen 5733.

Tasche 6148. Taschen 2932 9303.

Taschenspielersachen 2267.

Tasse 2531.

tasten. tastet 4918. tastend 11474. tastenden 4067. → an∼.

Tat (20). Tat[a] Taten[b]. 215b 632b 712b 1237a 1600b 1629b 5261b 5705b 6151b 6299a 7361b 7371a 7882b 8100b 8108a 8831a 10182b 10188a 10364a 11341a. → Helden∼ Misse∼+ Wohl∼+.

Tatensturm 501.

tätig 801 6888 7876. → be∼en.

tätig–frei 11564.

Tätigkeit 340 705 4882 10143. Tätigkeiten 5456. → Un∼s–Entschuldigung.

Tatzen 7149.

Tau 397 2690 3283 4629 7514. → be∼t Honig∼.

taub 4678 4814 11370. → über∼en.

Tauben 5352 8341 8351 10673.

Taubenpost 10677.

tauchen tauch' 5741. → auf∼.

taugen. tauge 5364. taugt 1784 7714. taugte 6972. getaugt 6530.

Taumel 1766.

tauml' 3249.

taumlich 10035.

Tausch 10942 11371.

tauschen 6121. → ver∼.

täuschen. täuscht 10058. getäuscht 16 11834. → Augentäuschung.

tausend (32). tausend[x] Tausend[b] Tausende[c] Tausenden[d]. 190 661 777 1053c 1375 1561 1776 1924 1927 2369 3591 3981 3983 3993 TT34d 4718 5993 6002 6058 6598d 7242 7683 8325 9288b 9992 10169 10294 10364d 10465b 11488 11510 11868. → aber∼ fünf∼ hundert∼ Jahr∼ zehn∼mal.

tausendblumiger 7020.

Tausend Einer 6032.

tausendfach 2025. tausendfachem 658.

tausendfacher 4499. → ver∼t.

tausendfältiger 1128.

tausendfärbig 3901.

Tausendkünstler *pl* 6072.

tausendmal 11774. → zehn∼.

tausendstimmigem 4687.

Taygetos 8996.

Tegel 4161.

Teich 4558.

Teig 5785. → Sauer∼.

Teil (15). Teil[x] Teile[b]*pl* Teils[c]. 1335 1345 1349 1349c 1350 1938b 2967 2978 6272 6659 7062 7372 9529 11200 11204. → An∼ be∼igt Beute∼ Endur∼ Erb∼ Teufels∼ Vor∼+ zu∼.

Teilbesitz 9062.

teilen (8). teilen[a] teile[b] teilet[c] teilt[d] geteilt[e]. 1238a 5514c 6442e 8613c 8614c 9894b 10046d 11373d. → ab∼ aus∼ mit∼ unteilbar ver∼ voller∼ zu∼.

teilhaftigen 8734.

teilnehmen. nimmt teil 10485. teilgenommen 11939.

Teller Tellern 5019 6096.

Tellerlecker *sg* 5258.

Tempel *sg* 1992 6448 7470 8511. Tempel *pl* 7983.

Tempelbau 6404.

Tempelhaus 7477.

Tempelstadt 8149.

Teppich (10). Teppich[a] Teppiche[b] Tepp'che[c] Teppichen[d]. 2705a 5396d 6373b 6394c 8943a 9169a 9343a 9343b 10789a 10852d.

Terassen 6097.

Terrain 10352.

Testament 1219.

teuer (6). teuer[a] teure[b] teurer[c] Teuren[d]. 1910c 2038c 2302a 4483a 9722b 10957d. → ver∼n.

Teufel (64). Teufel[x]*sg* Teufel[b]*pl* Teufeln[c] Teufels[d]. 343 353 369 565 1408 1410b 1428 1509 1528 1651 1675 1866 2010 2181 2321 2376 2377 2496 2585 2643 2809 2810 2859 3005 3281 3362 3373 3541 3700 3701 3709 3864d 4061 4171b 4274 4326c 4345 4346b 4357c 4361 4900 6238 6258 6400d 6565 6577 6591 6790 6791 6792 6817 7725 7725 8033b 10081b 10123b 10125 10445 11615 11696b 11714b 11725b 11839 11948b. → Wasser∼ ein∼n.

Teufelchen *sg* 10563.

Teufelsbrücke 10121.

Teufelsfaust 1381.
Teufelsfesten 10777.
Teufels–Liebchen *pl* 6201.
[Teufels]–Korne *sg* 11638.
Teufelspack 4160.
Teufelsschrot 11638.
Teufelsstein 10121.
Teufels–[tänzen] 5066.
Teufelsteile *pl* 11813.
teuflisch 3066. teuflischen TT10 4468. →
über~.
Text → Grund~.
Thalamos 8685.
Thales 7859 7881.
Theater *sg* 4213 6396.
Theben 9032.
Theologie 356 1982.
Theophrast 5137.
Theorie 2038.
Theseus 8848.
thessalisch. thessalische 6979 7920 8035.
thessalischen 6977. → alt~.
Thetis 6025.
Thron (21). Thron˟ Throne^b*sg* Thro-
nen^c Thrones^d Throns^e. 2448b 4749d
4905 4952 6029 7915 7928d 8472 9168
9272 9321 9405e 9572c 9969b 10247
10304 10378 10467 10851 10878 10983.
→ Muschel~ Väter~ Wagen~.
thronen (8). thronen^a thront^b. 1568b
3311a 6213a 6427b 7242b 8005a 8207b
8373b. → über~.
Thule 2759.
Thyrsusstange 7777.
tief (71). tief^a tief^eb tiefem^c tiefen^d tie-
fer^e tiefes^f Tiefe^g tiefer^h*k* tieferm^j tief-
ste^k tiefstem^m tiefster^n Tiefste^p Tiefsten^q.
67e 195b 254e 256d 262m 594a 644d
652a 742f 1179b 1468a 1567a 1772p
2288e 2616a 2780a 3051h 3223b 3234b
3472e 3507a 3513c 3812q 3918d 4506b
4648m 4676h 4676h 4892p 5035e 5467g
5467a 5836a 5922m 5930a 6112a 6117a
6220p 6274a 6284m 6344m 6396a 6475a
6487a 6578h 7346k 7906q 8095m
8282q 8538c 8757a 9076d 9124b 9233c
9374m 9936a 9975e 10007h 10039k
10060m 10076k 10609q 10951n 10961n
11003a 11271e 11475h 11499h 11499a
11849k 11867j. → aller~ste ver~en.
tiefauflauerndes 8894.
tiefbewegte 307.
Tiefe (10). Tiefe^a Tiefen^b. 1330a 1750b
TT29a 4689b 8046a 8665a 9596b

10076b 10226a 10450a. → Lebens~.
tiefsinnig 1950.
tiefstens 7989.
tiefverruchten 11689.
Tier (17). Tier˟ Tiere^b*sg* Tiere^c*pl* Tie-
res^d. 238 286 1149 1167 1271b 1293b
1831 2139 2386c 2426 2466 2468 3207
6845 8588d 10033 10627. → Un~.
Tier–[brut] 1369.
Tierchen *sg* 4261.
Tiergeripp' 417.
Tierheit 9603.
tierische 1204. tierischer *k* 286.
tinke! tinke! 5268 5276 5284 5292.
Tinte 6574.
Tiresias 8817.
Tisch (8). Tisch^a Tische^b*sg*. 2287a 2705a
4868b 4875a 5262b 5294a 11079a
11609a. → über~t.
Titanen 7560.
Titel *sg* 2029 11613. → Ehren~.
toastet 5292.
Toback 830.
toben (9). toben^a Toben^b tobt^c getobt^d.
435b 947a 1052d 2812a 4812c 4827b
5233a 6006c 10582a. → her~ um~.
Tochter (8). Tochter^a Töchter^b Töch-
tern^c. 7451a 8028b 8136b 8352ab 8369a
8647a 8729c 8858a.
Tod (27). Tod˟ Tode^b Todes^c. 518 1571
1572 2922b 3049 3126 3344 3592 3616
TT71 4411 4423 4539 6077 8115 8598
8598 8927 9069 9080 9102 9211c 9888
9892 11397 11401 11632.
Todesnot TT31.
Todesschlaf 3774.
tödlich 694. tödliches 9896.
Tokayer 2276.
toll (11). toll^a tolle^b tollen^c toller^d Tol-
les^e. 953a 2337b 2533b 3259a 3975d
4026a 6513a 6867a 7136e 7807a
10104c. → allzu~ kindisch–~ zau-
ber~.
tollen → fort~.
Tollheit 303 3302.
Ton (=Tonerde) 2414 5781.
Ton (18). Ton^a Töne^b Tönen^c Tons^d.
27c 742a 1202c 1584a 2009d 3264a
4240c 4469a 6445c 7159c 7174a 8044c
9101a 9132d 9369a 9964b 10767a
11339a. → + Ge~̈ Geister~ Glok-
ken ~ Himmels ~ Leier ~ Miß ~
Schmeichel~.
tönen (18). tönen^a Tönen^b tönet^c tönt^d

tönte^e tönend^f. 243d 768d 1030d 1626a 3801d 3889d 4050a 4667f 6620b 6819d 7067f 7260d 8044c 9100a 9101a 10861d 11013d 11402e. → er∼ fort∼ +Getön voran∼.

Topf 2422 2424. Töpfe 5037 6612 8220. → Gold∼ Sauer∼.

topp! 1698 3634 3634.

Tor (=Pforte) (6). Tor 670 918 6689 9235 10146. Toren 10268. → Felsen∼.

Tor (=Narr) (21). Tor^a Toren^{b}sg Toren^{c}pl. 127c 301b 358a 549a 2558c 2862a 3367a 4199a 4742a 4954a 5062c 5079b 5087a 5215c 5727c 5783a 6544a 6762a 9807b 11443a 11766a. → +be∼en.

Torheit 10191 10191 11842.

töricht 591 2758 9127.

törig 5374 7723. töriger 9601.

tosen. Tosen 8702 10776. tost 8832. → Getöse.

tot (17). tot^x tote^b Toten^c Toter^d. 318c 444 2871 2916 2917 2918 2988 3012 3121 3509 3718 4195c 4735 6692d 6788 6931 8305b.

töten. tötet 2957. tötete 7890. töteten 10263. → er∼.

Totenbein 417.

Totenglocke 1703.

Totenköpfe 6613.

Totenreich 10472.

Totenschein 2872.

Totentänzen 5066.

totgekämpften 9055.

Totschlag 7454 10268.

totschlagen 6789. totschlägt 8375. schlägt tot 10796.

Trab 11350.

Trabanten pl 10853.

traben → heran∼.

Tracht → Kohlen∼ Zwie∼.

trachten trachtet 1330. → be∼+ niederträchtig.

trächtig 9544.

Tragaltar 8939.

Tragebutten 10026.

tragen (53). tragen^a trag'^{b} traget^c trägt^d trug^e trüg'^{f} trugen^g trügen^h trugst^j trugt^k getragen^m. 179d 465a 492e 1104a 1123f 1724d 1967a 2066a 2284d 2880a 3756a 4000d 4000d 4001d 4001d 4135d 4207a 4767a 5092a 5109c 5203a 5218g 5221a 6104a 6106d 6405e 6408h 6733k 6986a 7071e 7327m 7335a

7405e 7406j 7413j 7546d 8127e 8138d 8145m 8168a 8288d 8316d 8493e 8928d 9032g 9167a 10108e 10319d 10607d 10804b 11871d 11881e 11955a. → ab∼ an∼ auf∼+ be∼ durch∼ empor∼ entgegen∼ +er∼ feil∼ fort∼ heran∼ hin∼ hinüber∼ hinweg∼ über∼ ver∼ vor∼+ zurück∼.

Träger pl 5237.

Tragewerk 10041.

Trallern 7175.

Träne (9). Träne^a Tränen^x. 29a 29 777 784a 1027 1555 3609 3771 12039.

Tränenlust 9690.

Trank (7). 172 301 1864 2367 2578 2603 3512. → Erquickungs∼ Ge∼e.

tränken 3131 3141 4443. tränkt 459. → er∼.

transpirieren 2594.

Traube (7). Traube^a Trauben^b. 1472a 1603b 2284b 2317b 2319a 2335b 5055b.

trauen (7). trauen^a traun^b traue^c traute^d. 4076a 4268a 4653c 5929b 6705d 8856d 11137c. → an∼ be∼ +ver∼+ zu∼ traun! traut.

Trauerhöhle 1589.

trauern traurend 8826.

Trauerspiel 523.

traulich 4705 5082 12023. → ver∼ Raben∼keit.

Traum (21). Traum^x Träume^b Träumen^c. 1089 1528 1565b 1595c 2040 2711c 4128 4136 4511 4783 5592 6933 7253c 7275b 8844 8880 9233 9414 9883 11268 11655. → Liebes∼.

Traum–[bild] 8840.

träumen (9). träumen^a träume^b träumet^c träumt^d träumte^e geträumt^f. 121c 6784f 7022e 9575a 9835d 9836b 9836a 10421f 10794f. → fort∼.

Träumereien 10019.

Traumgespinst 11413.

Traumgestalten 1510.

Traum–[sphäre] 3871.

traun! 6169.

traurig (7). traurig^a traurige^b trauriger^c trauriges^d. 2920b 3851a 5639a 8417a 8611a 8745d 9639c.

traut. trauten 3632 7128. Trauten 7737.

treffen (21). treffe^a treff'^{b} trifft^c traf^d trafen^e treffend^f Treffende^g getroffen^h Getroffnen^j. 650c 1403h 3206b 3937c 4678c 4960c 5471a 5710b 6265c 7448c 8155c 8952d 9257a 9259g 9259j 9262f

9366c 10990d 11036c 11536h 11948e.
→ be~.

trefflich (8). trefflich[a] treffliche[b] trefflichen[c] trefflicher[d]. 584c 1177d 1997a 1999a 2199a 2577b 3714a 6869a.

treiben (22). treiben[a] treib[b] treibt[c] trieb[d] getrieben[e]. 113c 159c 160c 302c 776d 947e 1920e 2307a 3086a 3198a 3518c 3585d 4838c 5798a 6182c 7143a 8103b 8658a 9610c 10510c 10978e 11602c. → ab~ an~ empor~ Erde~ fort~ Getreibe heraus~ über~ umher~ +ver~.

trennen (14). trennen[a] trennst[b] trennte[c] getrennt[d] getrennten[e]. 1113a 4020d 6257b 7228d 7689a 7838a 8945e 9910a 10366a 10715a 10957a 11188a 11492a 11961c. → ungetrennt.

Treppe 4733 6621. → Felsen~.

treten (11). treten[a] trete[b] tret'[c] tritt[d] traten[e] trat'st[f]. 2943a 3496a 3778f TT27b 8007d 8913c 9454e 9621d 11139a 11209d 11515a. → auf~ +be~ einher~ ein~ herab~ heran~ herein~ hervor~ hinein~ nieder~ ver~ vor~ zer~ zurück~ zu~.

treu (27). treu[a] treue[b] treuen[c] treuer[d] treues[e] Treuen[f] Treu's[g] Treusten[h]. 751f 2760a 2917b 2983g 3529b 6250b 6294d 6741c 7188a 8507a 8556a 8829d 9270a 9359b 9416a 9496a 9609b 10017c 10256h 10383d 10390b 10498a 10877e 10940f 10963b 12058a 12078d → ge~.

Treue (6). Treue 1724 8418 9984 10506. Treu' 2968 3056.

treu–gemeine 10116.

treulich 1507 5919 8400.

Tribut 9009.

Trident 9669.

Trieb (10). Trieb[a] Triebe[b]sg Triebe[c]pl Triebs[d]. 194c 437a 1085a 1101a 1110d 1182c 3057b 9740c 10432a 11870b. → Jugend~.

triefen 4693. trieft 9549. triefendem 3274.

Triglyphe 6447.

trinken (27). trinken[a] Trinken[b] trinke[c] trink'[d] trinkt[e] trank[f] tränke[g] tränk'[h]. 1086a 1920b 2073a 2245g 2273e 2334g 2526e 2766f 2776e 2779a 2782f 3549e 4058e 5267d 5267c 5267c 5275c 5275c 5275c 5283d 5283c 5283c 5291c 5291c 5662e 6147d 6511a. → aus~ be~ +Trank+ Trunk+ ver~.

Trinkers 727.

trippeln. trippelst 4265. trippelnden 9115. → ein~ nach~.

Tritt (10). Tritt[x] Tritten[b]. 655 1924 3200 6333 6339 9153 9295 9342b 9343 10759. → Ein~ Fuß~ Schemel~ Zu~.

Triumph 333.

triumphiert 7468 11811.

trocken (7). trockne[a] trocknen[b] trocknes[c] Trocknen[d]. 426c 521a 1376d 2009b 8575a 10443b 10720b.

trocknen trockneten 12044. → ver~.

Trödel 658.

Trog 4010. → Wasch~.

troglodytisch 5903.

Troja 8597. Trojas 6538 8116.

Trommel Trommeln 4332 10234.

trommetet 4672.

Trompete 891 9063 9424.

Tropf 2423 5600 6749. Tröpfen 11735.

Tröpfchen sg 1737.

Tropfen sg 2301 2782 4865. Tropfen pl 989 3511.

tropfen → hernieder~.

Tropfenei 9310.

Tröpflein sg 6579.

Trost 6662 8895. → ge~.

trösten. tröste 3367. tröstet 9615. → ungetröstet.

tröstlichen 746.

trotten → her~.

trotz 12040. → Trutz.

trotzten 7465. → trutzen.

trüb (13). trüb[a] trübe[b] trüben[c] trüber[d] Trüben[e] trüber[f]k. 2c 401a 679b 3304a 3917d 3991b 4094b 4324e 6367b 6572f 6721b 9913c 9931b. blutig–~.

trüben. trübt 6561 6872. Getrübte 12074. → be~.

Trübsal 34.

trübsel'ger 391.

Trübsinn 1069.

Truchseß → Erz~.

Trug (10) 193 637 1596 5667 6063 6176 7033 10300 10891 11655. → Be~.

trügen trügt 10047. → be~.

Truggesichter 5409.

Trümmer Trümmern 1614 1661 3359. → Gebirgsge~ über~t.

Trunk 567 735 986 2580. Trunks 2186.

trunken 732 4735 8490. Trunkne 10036.

Trutz 8837 9469.

trutze TT11.

Tuch Tücher 753. → Hals~.

tüchtig (12). tüchtig[a] tüchtige[b] tücht'-gen[c] Tüchtige[d] Tüchtigen[e] Tüchtig-sten[f]. 3966a 4102c 5818a 6781d 7182b 7364f 9483a 10278e 10485b 11446e 11578a 11750a.
Tüchtighaften 8250.
Tücke 8893.
tückisch 1382 5353. tückische 11535. tücki-scher 11152.
Tugend 4772 6998.
tugendlich 3658.
tugendreich 2611.
tümmeln → Getümmel.
Tumult 5766 10127. Tumulte 10037.
tun (128). tun[a] Tun[b] Tuns[c] tu[d] tue[e] tu'[f] tust[g] tut[h] tat[j] tät[k] tatem[m] täten[n] getan[p]. 58d 225p 385f 813g 848h 973d 1057h 1183b 1269j 1295p 1362p 1652h 1659a 1693p 1738h 2027h 2138k 2145k 2506p 2582p 2589a 2781n 2853h 2866p 2869k 2870k 2880k 2937h 2983p 3017h 3037a 3161h 3255a 3469h 3482f 3514f 3519p 3520a 3569a 3578k 3583j 3674h 3695h 3723p 4077p 4085m 4111p 4111p 4155h TT30j TT75a 4438p 4515p 4578p 4771p 4848a 4856h 4996h 5101p 5270p 5278p 5286p 5294p 5704a 5748p 5808p 6000p 6052p 6076j 6116h 6159f 6181a 6207p 6247g 6283h 6300p 6481a 6560g 6780p 6783p 6866p 6900a 6901a 6988a 7144g 7181h 7356h 7410g 7683p 7765g 7842d 7882h 8293p 8317p 9059j 9059j 9060a 9182a 9278a 9282p 9347h 9563p 9594g 9799e 9873p 10135p 10257p 10474g 10505p 10619c 10638p 10710a 10710p 10722p 10795p 11031h 11062b 11066p 11110d 11117k 11175p 11246p 11382p 11527j 11618p 11654h 11793p 12109p. → ab~ an~ auf~ Eilig~ hinein~ hin~ um~ unter~ + ver~ Vornehm~ wohl~ zu~.
Tüpfchen *sg* 6994.
Tupfen *pl* 6328.
tupfen getupft 6324. → be~.
Tür (16). Tür[a] Türe[b]. 1246a 1391b 2081a 2258b 3485a 3576a 3683a 4543a 6354a 6626b 6689b 6830b 8639b 11355b 11386a 11537a. → Bäcker~ Keller~.
Turban Turbans 5565.
Türbank 3566.
Turm 9199 9235. Turme 11290. Tür-men 11013.
turmbeladen *pp* 5446.

türmen 10199. → auf~ hochgetürmt um~.
Türmer *sg* 11340.
Türners TT76.
Turnier 10414.
Turkei 862.
türkisch 2974.
Türpfosten *pl* 6669.
Tyndareos 8497. Tyndareos' 8990.
Tyrannei 6957.
Tyrannenart TT61.

U

Übel 4781 5347 9246. Übeln 4781.
übel (6). übel 1970 2087 3149 3574 9010. Übels 3170.
übelfertig 5792.
üben (7). üben[a] üb'[b] übt[c] übende[d] ge-übte[e]. 760d 2198e 6650c 9216b 9375a 10943a 11427b. → aus~ ver~.
über (60). (*Präp.*)[x] (*Adv.*)[b]. 390 468 910 1035 1088 1094 1096 1098 1098 1282 1493 1498 1500 1568 1616 2165 2626 2627 3293 3317 3430 3579 3743 3949 3960 TT34 TT51 TT67 TT72 4428 4555 4614 5078 5168 7034 7041 7816 8624 8626 8712 8756 8766 8768 8871 8940 9172b 9349 9399 9405 9760 9788 9952 10009 10042 10462 10517 10913 11444 11537. → dar~ drüben her~ + hier~ hin~ + ~n ~s vor~+.
überall (16) 662 882 912 1761 3158 3555 4149 5008 5437 5981 7032 7796 9248 9970 10741 11734.
überallmächt'gem 3057.
überbleicht *pp* 7009.
überbreitet 1127.
überbrütet 4781.
überdrang 4489.
Überdruß 3071.
überdrüssig 7563.
übereilen. übereile 1231. übereilt *pp* 5336. übereiltes 1858.
überessen übergessen 2838.
überfällt (*untrennbar*) 8924.
überfliegen (*untr.*) 10220.
überfließen 3289. überfließt 9379. über-geflossen 3307.
überflüssig 12051.
überfüllen. überfüllt *pp* 10036. über-

füllten *pp* 5775 9121.
übergeben 2809 6238. übergeben *pp* 1866 TT13 4605.
übergehen gingen über 2765.
überglänzte 10063.
Überhang 9621.
überhaupt 4088.
überirdisches 3282. Überirdische 1216.
überkleistern 7089.
überladen *pp* 933.
überlassen 8017. überlaß 1848 6969. überlassen *pp* 323.
überlästig 6410.
überläuft (*untr.*) 3187.
überlebt *pp* 1072.
überlebendige 9739.
überlegen (*untr.*) 10976.
überlustiger 817.
übermächtig 3306 7376 10453. übermächtiger 9624.
übermannt 3495.
Übermaß 6111 7008 10092. → Flammen~.
Übermenschen *sg* 490.
übermorgen 3662.
Übermut 8765 9349 9895 10202.
übermütig 10224. übermütiges 9410.
übern (=über den) 2757 3968.
übernehmen. übernähm' 3123. übernommen 6471.
überneigen neigt über 6511.
überquer 9131 9262.
überraschen. überrascht 8916. überraschend 6604. überrascht *pp* 11826.
Überraschung 8646.
Überredung 533.
überreichen 2045.
übers 5488 6465.
überschaun 11247.
überschlug (*untr.*) 10273.
überschnappt TT37.
überschreitet 8979.
überschweifen 5339.
Überschwemmung 7247.
überschwenglich 9994.
übersehen übersahst 10130.
übersetzen (*untr.*) 1227.
übersinnlicher 3534.
übersittlich 11798.
überspähn 9201.
überspringen (*untr.*). überspringt 1859. übersprang 8609.
überstach 9521.
überstehen 4441 7061. überstandener 11280.

übersteigt (*trennbar*) 3308.
übersteigen. übersteigt 2030. überstiegen *pp* 5070.
überströmend 8114.
übertäuben 9602. übertäubt 10035.
überteuflisch 11754.
überthronen 9476.
übertischten *pp* 114.
übertragen 1223 8013. übertrug 1058.
übertreiben 1735. Übertriebne 6535.
übertrümmerten *pp* 3950.
übervoll 5966.
überwächst (*untr.*) 12076.
überwallt (*untr.*) 9172.
überwaltet (*trennbar*) 4785.
überwiegen 8131. überwiegt 7370.
überwindet 2835. Überwundne 10863.
überzählig 6081.
überzeugen 7852. überzeugt 4972.
Überzeugung 6856.
überzieht (*untr.*) 10214.
übrig (9). übrig^a übrige^b übrigen^c. 2932c 3520a TT31c 4520a 4840 4967b 9268a 9945a 10357a.
Ufer (14). Ufer^{a}sg Ufer^{b}pl Ufern^c Ufers^d. 701c 7314d 7334a 7506a 7541d 8112a 8127a 8295b 8544a 10201d 10229a 11116a 11222a 11223a.
ufernetzend 7512.
Uferzug 10010.
Uhr 1705 11593.
uhu! 3889.
Ulyß 7186 7203 7210. Ulyssen 8122.
um (139). (*Präp.*)^x (*Konj.*)^b (*Adv.*)^c. 6 15 55 56 84b 137 259 394 438 472 475 561 597b 683b 717 747 952 1124 1125 1135 1137b 1153 1159 1423b 1546b 1547b 1574 1652 1693 1714 1814 1971 2013b 2032 2035 2638 2703 2736b 2746b 2772 2905 3090c 3090c 3514 3595 3638b 3657 3681b 4012 4033b 4048 4060b 4288b 4399 4429 4445b 4635 4658 4694 4846b 4872 4929b 4949 4956 5342 5527 5583 5650 5748 5780 5869 6011 6019 6107b 6180b 6214 6237b 6330 6648 6895b 6962 6984 7029 7066b 7137b 7174 7176 7497 7518 7726 7835b 8246 8340 8380 8380 8466 8466 8698 8832 8968 8990 9060 9141 9159 9282 9451 9510 9619 9762 9857b 9885 9887 9957 9998 10008 10017 10038b 10077c 10077c 10103b 10179 10301b 10330 10592 10681 10713 10722 10979 11053b 11124 11236 11317 11345b 11807b 11851 11874 11966 12013

12017. → d(a)r~ +her~+ rings~
~s wieder~.
umändern umgeändert 8981.
umarmen 9777. umarm' 7348.
umarten 12099.
umbaumt *pp* 6953.
umbestellt *pp* 10163.
umbringen. bringst um 4519. umgebracht
4413 4446 4507.
umbuscht *pp* 6953.
umdrängen 5114 8836. umdrängt 5692.
umdunkelt *pp* 7924.
Umfang 10197.
umfangen (6). umfängt[a] umfangen[b]*pp.*
1592a 3355b 4660b 7444b 8762a 11254a.
umfassen 1203 3284. umfass' 347. um-
faßt 6542 11226. → Allumfasser.
umflicht 5486.
umfreit *pp* 7432.
umfriedet *pp* 7479.
umführen 10612.
Umgang 5747.
umgarnt *pp* 8111 11416.
umgaukelt 1510.
umgeben (17). umgeben[a] umgeb'[b] um-
gebet[c] umgibt[d] umgab[e] umgeben[f]*pp.*
416d 607e 2721d 4683a 4773d 5402d
5453d 5876c 6903f 7786c 8548f 8913e
9027f 9050b 9505e 11986a 12084f. →
freud~ grün~.
umgehn (*trennbar*) 2517.
Umgestaltung 6287.
Umhang 9170.
umher (8) 262 4724 4877 6608 8991
9111 9613 10852. → rings~.
umherdrehen dreht umher 252.
umherklingen klingt umher 764.
umherlagern lagert umher 4609.
umherschauen 9200 11243. schaut umher
5526.
umherschweifen 5976.
umhersehn 5833.
umhersenden umhergesandt 5631.
umherspazierte 2982.
umherstehen stehen umher 4977.
umhertreiben umhergetrieben 6226.
umhüllen 3512 5029. umhüllt *pp* 10852.
umkehren (6). kehre um 916. kehrt um
4086 6395. [kehrt] um 4086. kehrt'
um 960. umgekehrt 6251.
umkränzen → schilfumkränzt.
umkreist 7481.
umlagert *pp* 8790.
umlaubt *pp* 7822.
umleuchten → feuerumleuchtet.

umnebeln TT77. umnebelnd 3458 11264.
umrascheln raschelt um 10025.
umrauschen 10011.
umringen umrungen 11577.
umrinnen umronnen 8478.
ums (7) 1482 2520 3337 7021 7691
11185 11185.
umschauen. umschaut 6208. schaut um
9089. schaut' um 9591.
umschlagen umgeschlagen 6984.
umschließt 11347 umschloß 8851.
umschlingt 4710. → angtumschlungen.
umschränken → grünumschränkt.
umschreiben 9566. → rundumschrieben.
umschranzen 6329.
umschuppte *pp* 5681.
umschwärmt 4292.
umschweben (8). umschweben[a] um-
schweb'[b] umschwebet[c] umschwebt[d] umschwebt[e]*pp.* 4621d 5877c 6289e 6429a
8297d 9745b 10055d 11818a.
umschweifst 510.
umsehen (6). sehe um 11445. seh' um
882 9484. umsieht 11279. sieht um
6517 9380.
umsichtig → weit~.
umsonst (8) 426 1865 3218 3677 5193
8624 8692 11123.
umspannt (*untr.*) 1588.
umspringen (*untr.*) 1160.
umsteckt (*untr.*) 405.
umstellend 7891. umstellt *pp* 406.
umstrickt (*untr.*) 10687. → netz~.
umstürmte (*untr.*) 8509.
umsummen 5601.
umtoben 8772.
umtun umgetan 1874 10410.
umtürmter 8868.
umwallt 11883.
umwandeln umgewandelt 10910.
umweht 689. umweht *pp* 8362.
umwenden wendest um 9073.
umwerben umworben 8853.
umwimmelt *pp* 9429.
umwinden (*untr.*) 4711. umwanden 741
754.
umwittert 8. umwittert *pp* 496 9450.
umwölkte *pp* 8702.
umziehn 10631. umzieht 11543. umzo-
gen *pp* 8481.
umzieren 5159.
umzingeln 10011.
umzirkt *pp* 4074.
unabhängig 4837.
unanständig 7086. Unanständiges 3172.

unaufhaltsam 9923 11481.
unausgesprochnen 1307.
unaussprechlich 3190.
unausweichlich 10909.
unbändig 10033. unbändiger 10219.
unbarmherzig 5746.
unbedeutend 154.
Unbedeutenheit 1861.
unbedingt 1855 6004. unbedingte 341.
unbefriedigt 11452.
unbegreiflich 249 251 775. unbegreifliche 6660.
unbegrenzten 9845.
Unbehauste 3348.
unbehülflich 6411.
unbekannt (7). unbekannt^a unbekannten^b Unbekannte^c Unbekannten^d Unbekannter^e. 21b 1161c 7740c 7986e 8011a 9416d 9576a.
unbelohnt 9334.
unbemerkt 9288.
unbequem 5669. umbequemer 10080.
Unberührbaren 12020.
unberührt 6664.
Unbeschreibliche 12108.
unbesiegten 9267.
unbesonnenen 11372.
unbesorgt 2167.
unbestimmten 27.
unbestritten 8028.
Unbetretene 6222.
Unbewegliche 8681.
unbewußt → grenz~.
unbezwinglich 12005.
und (2042). (→ §8). → vierundzwanzig.
Undanks 8131.
Undene 1274 1286.
Undinen 10712.
undurchdrungnen 1752.
unendlich (8). unendlich^a unendliche^b unendlichen^c unendlicher^d unendliches^e Unendliche^f Unendlichen^g. 455b 1040c 1815g 3065a TT20d 4864e 11153a 11345f.
Unendlichkeit 8871.
Unerbetene 6223.
Unerfahrnen 9596.
Unerforschlichen 9969.
unerforschte 9596.
unerfreulich 9980. unerfreulichen 9119.
unergetzlich 8959.
unerhört 4158 4163 9055. Unerhörtes 4674.
unerklärter 412.
unerlaubt 6466.

unermeßlich 5576.
unermüdet 7478.
unerobert 9859.
unerquicklich 556.
Unerreichlichen 8205.
Unersättlichkeit 1863.
unerschlossen 6490.
unerschöpften 8869.
unerschüttert 7815.
unersteiglich 9001.
unerträgliche TT12.
unerwartet 5890 7034 8595 10401.
Unfall 9719.
Unflat 8819.
unfruchtbar 3989 10213. unfruchtbaren 9977.
Unfruchtbarkeit 10213.
Unfug 9789.
ungebändigt 194 1857.
ungebundne 9457.
Ungeduld 7832.
ungeduldig 4819 6308 10568. ungeduld'ge 11341.
ungefähr 1405 2999 3460.
Ungeheuer 3528 TT72 7194 8814.
ungeheuer (13). ungeheuer^a ungeheurem^b ungeheuren^c ungeheures^d Ungeheure^e. 4138d 4712a 5249a 6063c 6274e 7570b 7866a 7916a 7938d 10084e 10441a 11756a 11912b.
ungekannt 6218.
ungekränkt 108.
ungeleitet 2608.
ungemeßnen 10130.
ungemischter 2357.
ungemünzt 4894.
ungenügsam 10132.
ungenutzt 6113.
ungenützt 5186.
ungerechtes 2823 2840.
ungern 1245 6212.
ungesäumt 8605 9458 10508 10871.
Ungeschick 5934.
ungeschickt 6332.
ungescholten 10423.
ungesehen 1926. ungesehnen 9338.
Ungesetz 4785.
Ungestalt Ungestalten 5677 8219.
ungestalt 5788.
ungestört 2563 4333 5838 10943.
ungestraft 6065.
Ungestüm 4820 8827 9436.
ungestümen 1183 3935.
ungetrennten 9443.
ungetröstet 1845.

Ungetüm 8894 8937.
ungewiß (8). ungewiß[a] ungewisse[b] ungewissem[c] ungewissen[d] Ungewisse[e]. 629b 1160a 6204e 6821e 7729c 10381d 10642c 10759e.
Ungewitter *sg* 4907.
ungezogen 964.
ungleich 5372 5372.
Unglück 2155 2940 4279 11461. Unglücks 9129.
unglücklich 2941. unglückliche 11757.
Unglücksbotschaft 9437.
unglückselig. unglücksel'ge 5946. unglückseligsten 9933.
Unglücksmann 4620.
ungreifbarer 9120.
unharmon'sche 144.
Unheil 4852 4883 8537.
unheiligen 10662.
unheimlich 4990.
unhöfliches 2426.
unhold 3259.
unison unisonen 4334.
unleidlicher 7527.
unmächtig → ohnmächtig.
Unmensch 3349.
unmittelbar 6032 9968.
unmöglich (8). unmöglich[a] Unmögliches[b]. 1226a 2044a 6086a 6420a 7488b 8965b 9003a 11237a.
unmündiges 11826.
unnütz 9337. unnützes 4598. unnützeste 5321.
Unrat → Kriegs~.
Unrecht 3482 4944.
unruhig 646. unruhige 7230.
unruhvoll 2849.
uns *sv* wir.
unsäglich. unsäglichen 8634 8746. unsäglicher *k* 8270.
unschätzbarn 9951.
Unschuld 3102 3777 4798.
unschuldig 2624 TT60. unschuldig's 3007.
unselig (6). unselige TT7 11487. unseligen 7498. unsel'ger 8835. Unseliger 6566. Unseliges 5379. → Ewig-~.
unser (*Adj.* : *Genitiv sv* wir) (121). unser[a] unsere[b] unserem[c] unseren[d] unserm[e] unsern[f] unsers[g] unsre[h] unsrer[j] unsres[k] Unsern[m]. 36j 50j 65k 231f 559a 632h 632k 633k 1159h 1194j 1196e 1552a 1594h 2250e 2888h 2974a 3109h 3202a 3733f 3847h 3862a 4148e 4305f 4373b TT36k 4851h 4923h 5098b 5205e 5219h 5240h 5320j 5431e 5650a 5862h 5903a

5933e 6131a 6137k 6172k 6975f 7063e 7114h 7143j 7149h 7151c 7207f 7211f 7223f 7243h 7541k 7603h 7619f 7663f 7670k 7734e 7735a 7766h 7977j 7983h 8057j 8159k 8210a 8241f 8241e 8345a 8394e 8404a 8465d 8766a 8960b 8968h 8997a 9037h 9108j 9174j 9372j 9382a 9385j 9491f 9573a 9588e 9588j 9765h 9802a 10003h 10129j 10289a 10351h 10354m 10369j 10386h 10470f 10471j 10476f 10491j 10519j 10522m 10537h 10552e 11595j 10641h 10646g 10655a 10681j 10717h 10819h 10820a 10823f 10825e 10857f 10862h 10911h 11119f 11132h 11132a 11176j 11527h 11695f 12005a.
unsereins 3563 7242.
unsicher 7029 9266. unsichre 7788.
unsichtbar 3450 8368. unsichtbares 5762.
Unsinn 1976 2573 10127 11468.
unsinnig 6188. unsinniger 5755.
unsterblich 8406 9552. Unsterblichen 8531.
Unsterblichkeit 8388.
Untätigkeits–Entschuldigung 10391.
unteilbar 9061 10968.
unten (8). unten[x] Unten[b]. 1670b 2729 7944 8115 8280 8494 10082 11659. → dr~ hier~.
untenhin 7147.
unter (27) 274 777 983 1088 1640 2318 3337 3463 3545 3761 3790 4454 4455 5174 5359 6334 7320 7363 7447 7685 8337 8888 9012 10039 10379 10578 11373. → dar~ [her~]+ hin~+ mit~.
untere. Untre 5052 6651. untersten 4987. Unterste 10090.
Unter–[backen] 10512.
unterbrechen 595. unterbrochnen 7253. unterbrochner 9532. → ununterbrochen.
unterfangen *pp* 3167.
Untergang 5957 9105 9390. Untergange 6242.
untergehn 7820 11584. [geht] unter 11456.
untergraben (*untr.*) 3360.
unterhalten (*untr.*) 3078. unterhält 3079. unterhielten 10244.
Unterhaltung 6288 11025.
Unterirdischen 7900.
Unterkommen 6773.
unterm (7) 2028 4207 4868 5294 5565 5880 7168.
untermengt *pp* 10444.
untern (=unter den) 5786.

unternehmen. unternommen 1365. unter-
nommene 11556.
Unternehmung 36.
Unterpfand 5761 11984. Unterpfande
5124.
Unterricht 9367.
unters (=unter das) 4677.
unterscheiden 1987 6906.
Unterschieden 10676.
unterschrieben *pp* 6066.
unterschworner (*zu* schwären) 8829.
unterstehen (*untr.*) 2306. unterstehn 3160.
untersteht 4144.
untertan 10900.
untertänig 7389 11134.
unterweil 2991.
unterweist 423 2704.
Unterwelt 5017 6139 9948.
unterwinden 3436.
unterzeichnen 11022. unterzeichnest 1737.
Untier TT20.
ununterbrochen 187.
Unveraltete 7902.
unverändert → all∼.
unverdrossen (6) 445 5030 5084 5447
8306 10337.
unvergleichlich. unvergleichlichen 7272.
Unvergleichlichen 8202.
unverletztem 4790.
unverloren 74.
unvermeidlich 8926.
unvermerkt 11919.
unvernünftigen 9650.
unverschämt 7083.
unversehrt 6571.
unversöhnlich 10775.
Unverstand 8811.
unverständig 8811.
unverzüglich 224 10401.
unvollkommen 7031. unvollkommne 3851.
unvorbereitet 2526.
unvorgesehn 10374.
unweigerlich 4879.
unwiderstehbar 8184.
unwiderstehlich 5803 7404.
unwiederbringlichen TT12.
unwillkommnem 11686.
unwissend 3215.
Unzahl 6060.
unzählig 7648. unzählige 8449.
unzufrieden 2178.
unzugänglich 9077. unzugängliche 9083.
Unzulängliche 12106.
üppig 5314.
Urahn → Ur–∼.

uralt 7574 8177. uraltes 5023. → Ur–
Urälteste.
Urbeginn 8650.
Urenkelin → Ur–∼.
Urgebirgs 10317.
Urian 3959.
urkräftigem 536.
Urmenschenkraft 10317.
Urquell 324.
Ursprung 6847 7095.
ursprünglicher 7812.
Urteil → End∼.
Ur–Urahnen 9038.
Ur–Urälteste 8950.
Ur–Urenkelin 8818.
Urväter–Hausrat 408.
urväterlicher 9635.
urverworfnen 7973.

V

Vampir → Fledermaus–∼.
Vampiren–Zähne 8823.
Vasallen *pl* 10296.
Vater (30). Vater[x] Väter[b] Väterne Va-
ters[d]. 677 682d 723c 998 1015 1032
1034 1060 3117 3126d 3593 4414 4607
6205 6599 7452 8394 8404 8424 8497
8553 8812 9019b 9600 9609 9615 9673d
10984 11527b 11894. → Ur∼–Haus-
rat+.
Väterburg 10880.
Väterchen *sg* 6879.
Vaterfreudenstunde 8150.
Vaterhaus 8633. Vaterhauses 8615.
Vaterkraft 9555.
Vaterland 2265 9525.
vaterländisch. vaterländische 8493. vater-
länd'scher 8837.
väterlich 8110. väterliches 10979. →
ur∼+.
Vätersaale 2773.
Väterthron 2697.
Vaterwille 8856.
Vehikel 4328.
venedisch 10921.
Venerabile 1021.
Venus 4957 7999. Venus' 8144.
verachten 7002. verachte 1851. verachtet
1328. veracht't *pp* 5860.
Verächtliches 5367.
Verachtung 9791.
veralten → Unveraltete.

veränderlich 10046.
verändern 2314. → allunverändert.
verauktioniert *pp* 6125.
verbergen (19). verbergen[a] verbirg[b] verbirgst[c] verbirgt[d] verborgene[e] verborgnen[f] verborgnes[g]. 469d 1986g 2569e 3539f 3821b 3822e 3991d TT15c 4846a 5933d 6601d 7162a 7294d 8644c 8775e 9076a 9336d 9617e 10242e.
verbessern 11880.
verbieten. verbiete 4823. verbietet 1394. verbietend 8827. verboten 316. verbotnem 7492.
verbinden (14). verbinden[a] Verbinden[b] verbinde[c] verbind'[d] verbindete[e] verband[f] verbanden[g] verbunden[h]. 1656a 1672c 1683e 1798a 4054c 4234h 5369h 8879f 9493f 9705h 10431b 10871d 10994g 11393d.
Verbindungen 1927.
verbitt' 2505.
verbleiben. verbleibe 8080. verblieb 9142.
verblenden 10761.
verborg' 9961.
verborgen–goldnem 6766.
Verbot 6673.
verbräunt *pp* 6928.
Verbrechen *sg* 4408 6065.
Verbrecher *sg* 4806.
verbreiten (8). verbreiten[a] verbreitend[b] verbreitet[c]*pp*. 2562a 4724b 5970c 6478c 7032b 8712b 10942a 11728a. → hinan~.
verbrämt → gold~.
verbrennen 365. verbrennt 4898 5943. verbrannt 593.
verbringen. verbringt 11577. verbracht' 8988. verbrächte 10172.
verbündete *pp* 9005.
Verdacht 5412.
verdächtig 5504 7757.
verdammen (8). verdammen[a] verdammt[b] verdammt[c]*pp* verdammte[d]*pp* verdammten[e]*pp* verdammtes[f] Verdammte[g]. 715b 1369e 2466f 8097c 11151f 11649g 11780d 11803a.
verdanken 8400. verdankt 6131.
verdauen 2840. verdaut 1779.
verdeckt *pp* 6099.
verdenken verdächt' 9385.
Verderben (7) 894 TT47 TT56 4434 5384 8863 9425.
verderben (*intrans.*) TT16. verderbtem 4915.
verderben (*trans.*) (9). verderben[a] ver-

derbe[b] verderbt[c] verdirbt[d] verdorbene[e]. 4912a 5380b 5492e 6693b 7735d 8134c 10336d 10616e 11242a.
Verderber *sg* 1334.
verderblich 7164. verderblichen 739. Verderbliches 5498. Verderblichstes 7923.
verdichtet 3940.
verdienen (14). verdienen[a] verdienest[b] verdienste[c] verdient[d] verdient[e]*pp* verdiente[f]*pp* verdienten[g]*pp*. 707b 1176d 5052a 6996d 7772c 8799g 8802d 9211g 9307d 9444d 10185a 11575d 11739f 11835e.
Verdienst 5061 9984. Verdiensten 155.
verdienstlich 5096.
verdoppeln. Verdoppeln 10004. verdoppelt 11636.
verdrehten *pp* 11758.
verdrießen (8). verdrießen[a] verdrießt[b] verdroße[c]. 2646a 3676a 4352a 7090a 8239a 10202c 10350b 11341b. → unverdrossen.
verdrießlich 145. Verdrießliches 8983.
Verdruß 1757 1767 6322 7527 11154. → Haupt~.
verdunkelt *pp* 6654 10571.
verdüstert 8899.
verehren (14). verehren[a] verehre[b] verehre[c] verehr'[d] verehret[e] verehrend[f] verehrt[g]*pp* verehrte[h]*pp* Verehrteste[j]. 211a 265a 692d 4306a 4963a 7813b 7962a 7984j 8147g 8177h 8581a 8662f 10154g 11932e.
Verehrer *sg* 9364.
Verehrung 1012 10378. → Hoch~.
Verein 5482 9710 9736. → All~ Ring~.
vereinen (11). vereinen[a] vereinet[b] vereinte[c] vereint[d]*pp*. 156b 1642d 4883a 5233d 6137c 6587d 7066a 7281a 8053a 8142d 9940c.
vereinigen 10905. vereinigt *pp* 9530 10693 11821.
vereinzelt 3927.
verengen (6). verengen[a] verenget[b] verengte[c]. 657b 10230a 10458c 10550a 10852c 10862a.
verfahret 11524.
verfangen 5195 6719.
verfänglich 10354 10655.
verfaulen 4290. verfault *pp* 5025.
verfehlend 9195. verfehlt *pp* 9207.
verflechten. verflöchte 5141. verflochten *pp* 162 5942.
verflogen *pp* 5186.
verflucht (21). verflucht[a] verfluchte[b] ver-

fluchtes^c. 399c 1591a 1593a 1595a 1597a 1599a 2390b 2466b 2468c 2997b 4051a 4144c 4364b 5954a 7710a 10990b 11233b 11263b 11409b 11431a 11783c.
verflüchtige 11863.
verfolgen 8756. verfolge 6804. verfolgt 9248.
verfügen 7208.
Verführbaren 12022.
verführen (13). verführen^a verführet^b verführt^c verführend^d verführende^e verführt^f*pp* verführte^g*pp* verführter^h. 2644a 4108f 4199h 5160a 5954f 6535c 6566f 7711g 8469f 8777f 8777e 9251d 11782b.
Verführer *sg* 5540.
vergaffen 873.
vergällen 5371 11260. vergällt *pp* 3381.
Vergangenheit 575 8897 9563.
Vergängliche 12104.
vergeben 11679. Vergeben 5389. vergäb' 2958. vergeben *pp* 2959. Vergebne 8833.
vergebens (14) 459 856 1316 1382 1810 2015 3858 4439 6379 7393 7394 7805 9141 10663.
Vergebung 3769.
vergehen (sich ~) verginge 9053.
vergehen (10). vergehen^a vergehn^b vergeh'^c vergeht^d verging^e vergangen^f vergangnen^g Vergangne^h. 1887d 2734b 2918c 3413a 4518h 4518f 6230g 6591f 10611a 10835e.
vergessen (15). vergessen^a vergesse^b vergess'^c vergeßt^d vergißt^e vergaß^f vergessen^g*pp*. 1707a 2219d 2614c 2968g 3333a 4114b 5341a 9054g 9065e 9242f 10449f 10628a 10987f 11522g 12066g.
vergeuden 10869.
vergießen. vergießt 2292. vergoßnen 7026.
Vergifterin 2146.
vergilbt *pp* 6574.
vergleichbar 7218 8677.
vergleichen. vergleiche 8730. vergleicht 9641. → unvergleichlich.
verglommner 8675.
Vergnügen 3282 3297 4355 5069 6915. → Fest~.
vergnügen 8130. vergnüge 5287. vergnügt *pp* 2167 11172.
vergnüglich 5768 10399.
vergönnen (7). vergönne^a vergönnest^b vergönnst^c vergönnte^d vergönnt^e*pp*. 136e 3223b 5143d 9213c 10879e 10943e 12092a.
vergraben *pp* 2979. vergrabnen 6060. →

alt~.
vergriffnen 3779.
Verguldung 6529.
verhaftet *pp* 1354.
verhalten verhielt' 5881.
Verhängnis 7889 10679.
verhängnisvoll 8509.
verharrend 8974.
verhaßt 1571 2535 3472. verhaßter 946. → Gott~e.
verheeren. Verheeren 263. verheerten 10379. verheert *pp* 4826.
verheimlicht *pp* TT9.
verheißen. verheißt 5604. verhieß 7213. verheißenden 805. verheißener 9104.
verhindert 6331.
verhöhnen 1205. verhöhnt 276 5835. verhöhnend 9791. verhöhnt *pp* 6127.
verhüllen 4047 8242. verhülle 61. verhüllten 188. verhülltes 8676.
verhungert 11462.
verirren 130. verirrt pp TT6 5279. → selbstverirrt.
verjagen 1534. verjagt *pp* 4744.
verjährter 9477.
verjüngen 2348 2361.
verkappt *pp* 11696.
verkaufen → marktverkauft'.
verkehren 6231. verkehrt *pp* 4193.
verkennend 8952.
verketten 5061.
verklagt 4982. verklagt *pp* 4746.
verklären. verkläre 7453. verklärt 8474. verklärte *pp* 8165. Verklärte 3829. → gottverklärt.
verklungen 20. → halb~.
verkohlt → halb~.
verkörperlicht *pp* 8252.
verkörpert 7115.
verkümmern 1069 11270. verkümmere 6693. verkümmert 6378.
verkünden (15). verkünden^a verkünd^b verkünde^c verkünd'^d verkündet^e verkündete^f verkündend^g verkündenden^h verkündet^j*pp*. 779f 4696a 5007a 5152e 5406c 5606a 5628d 5948a 8596j 8958b 9102h 9105c 9151e 9625g 11882a.
verkündigen 11017. verkünd'gen 11117. verkündiget 744.
Verkündung 6038.
verkürzen 3362. verkürzt 3840 11913.
verlangen (16). verlangen^a Verlangen^b verlange^c verlang'^d verlanget^e verlangst^f verlangt^g. 2255d 2340d 2913c 3424b 3600e 3835f 4820g 5055g 5355a 6884g

8321b 8572g 9775a 9983g 10747g 10908g.

verlängen. verlängt 11556. verlängt *pp* 10147.

Verlaß 4842.

verlassen (11). verlassen^a verlasset^b verläßt^c verließ^d verließeste^e verlassen^f*pp*. 1178f 2956a 3087c 6715d 7963d 8510d 8558d 8638b 8868e 8994f 10658f. → zuverlässig.

verlästern 7008.

Verlaub 287.

verlebt *pp* 9415.

verlechzten *pp* 11108.

verleg' 4112.

verlegen (=befangen) 44 2060.

Verlegenheit 6215. Verlegenheiten TT62.

verleiden 6896.

verleihen (17). verleihen^a verleih^b verleihe^c verleihst^d verleihte^e verliehen^f*pp* verliehn^g*pp*. 2265e 5605e 5740b 7165e 8291d 8410a 9230f 9506f 9587f 9960a 10700e 10703a 10876c 11036g 11037d 11061e 11116g.

verleiten 10914.

verlernen 11405. verlernt *pp* 4486.

verletzen 5352. verletzt 5794. verletzt *pp* 5490 7349 10479. → unverletzt.

verleugnen 7751. verleugn' 4069.

verlieben (9). verlieben^a verliebt^b*pp* verliebte^c*pp* verliebtem^d verliebtere^e verliebtes^f Verliebte^g. 1767d 1800a 2121c 2862e 3323b 6359b 6836f 11757g 11792g.

verlieren (37). verlieren^a verlier^b verliere^c verlier'^d verlierst^e verliert^f verlor^g verlorst^h verloren^j*pp* verlorne^k verlorner^m Verlorneⁿ. 312a 651e 843a 1094j 1170c 1616k 2083j 2503c 2545b 2556j 2665a 3127j 3260a 3333a 3533j 4003m 4312a 4597j 5753j 5996g 6829c 7175j 7411d 7467f 7871f 8936j 9066g 9615j 9917j 9949h 10269j 10671j 11475f 11548j 11632g 11697a 11900n. → her~ unverloren.

verlocken. Verlocken 10914. verlockt 6974.

verlöschen. verlischt 5639. verloschen *pp* 4650.

Verlust 2922.

verlutieren 6852.

vermählen 10284. vermähle 8320. vermählt *pp* 1043.

vermaledeit 3763. vermaledeiter 3699.

vermehren (8). vermehre^a vermehrst^b vermehrt^c vermehrend^d vermehrt^e*pp* ver-

mehrten^f*pp*. 1062b 1980e 6252a 6573e 8554d 8561f 10037c 10969c.

Vermehrer *sg* 6646.

vermeiden 4809. vermeid' 5121. → unvermeidlich.

vermerken → unvermerkt.

vermessen 623. vermesse 710. vermaß 621. vermessen *pp* 1709 8785.

vermißt *pp* 10412.

vermittelt 6102. vermittelt *pp* 7550.

Vermögen (=Besitztum) 3117.

vermögen (7). vermag^a vermagst^b. 2043a TT80a 4774a 4970a 5910b 6969b 11965a.

vermummt 9932. vermummter 5737.

Vermummungen 5425.

vermuten 9215. vermutend 8679.

vernarrt *pp* 7713.

vernehmen (17). vernehmen^a vernehmt^b vernimm^c vernimmst^d vernimmt^e vernahmst^f vernahmt^g vernommen^h. 2832h 3522h 6944h 8094e 8167b 8247h 9586b 9634h 9869e 10437h 10584f 10673h 10926g 11220d 11424a 11516h 12034c.

vernehmlich 5776 9049.

verneinen 338 6683. verneint 1338.

vernichten 1360 9244 10986. vernichtet 655. vernichtet *pp* 11342.

Vernichterinnen 8782.

vernichtigen 4800.

Vernichtung 5421 11550 11690.

Vernunft (6) 87 285 1198 1851 1976 6416.

vernünftig 5961 6233 6765 11412. → un~.

verpassen 226.

verpestet 11560.

verpfänden 7773 10474. verpfändet *pp* 4874 11830.

verpflichtet *pp* 6046 10447 10603.

verpraßt *pp* 680.

verpufft 2862.

verquält 11886.

verrammelt *pp* 4849.

Verräter *sg* 5382.

verraten *pp* 5706.

verräterischer TT8 10851.

verrennen verrannt 11442.

verriegelt *pp* 6626.

verrucht. verruchten 11815. Verruchter 3326. → tief~.

verrücken verrückt 10052.

verrückt (7). verrückt^a verrückte^b verrückten^c. 2456a 3329c 3383a 5079c 7447a 7484c 7933b.

verrufen. verrufene 7482. verrufnen 11035.
versagen. versagt 4984 5828 9407 9694.
versagt *pp* 9608.
versammeln (6). versammeln[a] versammelt[b] versammelt[c]*pp*. 4729c 6371a 6648a 7028b 9442c 9996a.
versäumen. versäume 7461. versäumst 2467. versäumt *pp* 6237 10422.
Versäumnis 8919 9206.
verschafft 2266 9447.
verschallen. verschollen 10493. verschollner 10599 11268.
verschämen → unverschämt.
verscherzen 137. verscherzt *pp* 8606.
verscheuchen. verscheucht 7752. verscheucht *pp* 5760 9311.
verschieben verschoben *pp* 2811 6625.
verschieden. verschiedne 57. verschiednem 10325. verschiednen 10324.
verschimmelt *pp* 6077.
verschleiert *pp* 8910.
verschließen (7). verschließen[a] verschließt[b] verschlossen[c]*pp* verschloßnen[d]. 443c 1747b 1769a 6313c 11386c 11572a 11625d.
verschlingen (=verschlucken) (7). verschlingen 4300 5714 6352 8262. verschlingt 70. verschlungen 8055 8282.
verschlingen (=umwinden) 12013. verschlinget 11926. verschlungen 8381.
verschmacht' 3250.
verschmähen (6). verschmähn[a] verschmähe[b] verschmäht[c] verschmäht[d]*pp* verschmähten[e]*pp*. 982c 1746d 2805e 7849a 8516b 11757d.
verschonen 4870. verschone 10240. verschonten 9250.
verschränken. verschränkt *pp* 6442 10443. verschränkten *pp* 7258. → holzverschränkt.
verschreiben 11042. verschrieben *pp* 6577.
verschrumpfen. verschrumpftem 7150. verschrumpfter 7179.
verschüchtert *pp* 6913 11418.
verschüttet *pp* 8360.
verschweigen 11029.
verschwemmt *pp* 3624.
verschwenden 236. verschwendet 5575.
verschwenderisch 10816. verschwendrisch 9846.
Verschwendung 5573.
verschwinden (23). verschwinden[a] verschwinden[b] verschwinde[c] verschwinde[d] verschwindet[e] verschwand[f] verschwunden[g] verschwundne[h]. 32f 1275a 1283c

1527e 1685e 2344g 3290g 3712a 4159e 4219d 6493d 6660b 7033e 7818e 8072g 9142g 9329g 9414g 9614g 9691a 9810h 9956g 10637e.
verschwören. verschwuren 4817. verschworen 11549.
versehen. versieht 165 10916. versah 5648. versehen *pp* 3110.
versehren → unversehrt.
versendenden 11700.
versengen. versenge 1317 9806. versengst 2467. versengt *pp* 5746 5758.
versenken. versenkt 1511. versenkt *pp* 4691 8000.
versetzen (7). versetzen[a] versetze[b] versetz'[c] versetzt[d] versetzte[e] versetzt[f]*pp*. 571a 3810e 6164d 7184d 9314c 10205f 10917b.
versichr' 6034.
versiegen 1212.
versinken. versinke 6275 6304. versank TT30.
versitzen 3273.
versöhnen. versöhnet 11541. versöhnt 43 5368 11281. versöhnt *pp* 11222. → unversöhnlich.
versorgt *pp* 10912 11608.
Versprechen *sg* 1721.
versprechen (11). versprechen[a] versprechen[b] verspreche[c] versprich[d] versprichst[e] verspricht[f] versprach[g] versprochen[h]. 189g 1416f 1743c 2338e 2847g 3414d 4832h 4945f 5155b 5908f 6188a.
verspürt *pp* 10315.
Verstand (10). Verstand[x] Verstande[b]. 87 550 2503 4778 4881 6569b 6764 7847 7994 9323. → Un~.
verständig (7). verständig[a] verständigen[b] verständ'ger[c] verständiger[d]k. 3099d 3100a 5333a 6379b 6858a 8842a 9012c.
verständlich 10128. → un~.
verstärken 10542. verstärkt 11921.
verstecken (8). verstecken[a] versteckte[b] versteckt[c]*pp*. 2487c 3761a 4934b 5150c 6609a 8032a 10355c 11364c.
verstehen (27). verstehen[a] verstehn[b] verstehe[c] versteh'd[d] verstehst[e] versteht[f] verstand[g] verstandnen[h]. 1206b 1942a 2033f 2195f 2516b 2540b 3161f 3162d 3186e 3278e 3537f 4110f 4665f 4885f 4951b 6157d 6168d 6402b 6718g 6818a 7113c 9683a 9890f 10062h 10312c 10715a 11399b.
versteigen → hinauf~.
verstimmen 7098.

verstrahlend 6827.
verstümmeln. verstümmelte 9056. verstümmelt *pp* 9430.
verstummt 9934.
Versuch 2057 6983.
versuchen (12). versuchen[a] versuch[b] versuch'[c] versucht[d] versuche[e]. 3c 5777c 7065a 7133b 7142b 7760b 7998c 8019a 8129d 8159a 9215e 11671d
versühnen 5051.
versünd'gen 11115. versündigt *pp* 11005.
vertan *sv* vertun.
vertauschte *pp* 8783.
vertausendfacht *pp* 6072.
verteidige 9467.
verteilen. verteilt 6433. verteilt *pp* 9534.
verteure 6273.
vertiefen. vertieft 11528. vertieften *pp* 7282.
vertrackt *pp* 7793.
vertragen 1533 4243 6898.
vertrauen (31). vertrauen[a] vertraun[b] Vertrauen[c] Vertraun[d] vertraue[e] vertrau'[f] vertraust[g] vertraut[h] vertraut'[j] vertrauend[k] vertraut[m]*pp* Vertrauen[n]. 973m 2021h 2022a 2062g 3729c 4878c 4978a 5318m 5357a 5694g 6118c 6133m 6437c 7206a 7835d 7921c 8102h 8867k 9016j 9590n 9805g 9973m 10197e 10915h 10923h 10926d 10971f 11142b 11622a 11812h 11931a. → an∼.
vertraulich 2029.
vertraut–bequeme 10171.
vertreiben 1433 5796. vertreibe 8081. vertreibt 8375. vertrieben 10263. → Zeitvertreib.
vertretend 8688.
vertrinken. vertrinkst 6156. vertrinket 205.
vertrocknend 1132.
vertun vertan 4759 4828 5057 11837.
verüben 6341.
verwahrt *pp* 8796 10093. → alt∼ wohl∼.
Verwaltung 11026.
verwandeln (6). verwandeln[a] verwandelt[b] verwandelt[c]*pp* verwandelter[d]. 6056c 7745a 8153a 10488a 11426d 11489b.
verwandt 4916 5107 5848 8010. Verwandter 7987. → an∼ erde–[∼] Himmels∼e nah∼ see∼ Stamm∼e.
Verwandtschaft 7100 7749.
verwebt *pp* 9416.
verwegen (8). verwegen[a] verwegne[b] verwegnen[c] verwegner[d] Verwegne[e] Verwegnen[f] Verwegner[g]. 881f 6418b 6544d

6699a 7454c 7489g 9435b 9718e.
verwehren 2104.
verweigerst 12062.
verweilen (9). verweilen[a] Verweilen[b] verweile[c] verweilet[d] verweilste[e] verweilte[f] verweilendem[g]. 1700c 5699e 7203f 7457b 7566b 8425d 9153g 9828a 11582c.
verwerfen. verworfnes 1304. Verworfnen TT27. → urverworfen.
verwerflich 8787. Verwerfliche 8747.
Verwesung 798.
verwickelt 11413.
verwirkt *pp* 9209.
verwirren (19). verwirren[a] verwirre[b] verwirrt[c] verwirrt'[d] verwirrende[e] verwirrenden[f] verwirret[g]*pp* verwirrt[h]*pp* verworren[j] verworrene[k] verworrenem[m] verworrnen[n] verworrnen[p] verworrner[q] Verworrene[r]. 131a 308j 665g 3905f 3948m 4909q 5408n 5691j 6380k 7407h 8690c 8721r 8874b 9254d 9965e 10421h 10644a 10753p 11885j. → vielverworrner.
Verwirrung 8157 10741.
verwöhnen 7156. verwöhnte *pp* 11389. verwöhnter 2188.
verwunden. verwundet 11152. verwundet *pp* 9261 10479.
Verwundrung 10639.
verwünschen. verwünschenden 8752. verwünscht *pp* 4743.
Verwünschung 11496.
verwüsten → Städte∼den.
verzagen 3754.
verzapfen 4866.
verzehren 10396. verzehrend 4106.
Verzehrerinnen 8781.
verzeihen (22). Verzeihen[a] Verzeihn[b] verzeih[c] verzeihe[d] verzeih'[e] verzeihst[f] verzeiht[g] Verzeihenden[h]. 275c 522g 570g 2001g 2489g 2865e 2898b 2903g 3166f 3482e 3762g 4219g TT32h 5987f 6109d 6656g 7929g 8228e 10598c 11035c 11351g 12068a.
verzettelt *pp* 2938.
Verzicht 10501.
verziehen 7248.
verzweifeln. verzweifelt 2919 3373. verzweifelnd TT5 11480.
Verzweiflung 610 3193 10218.
Vettel 9963.
Vetter (7). Vetter[a] Vettern[b]. 2193b 6885a 7002a 7739a 7743b 10376a 10711b.
Vieh 2358 2358 6167.

viel (109). viel^x viele^b vielen^c vieler^d
vieles^e. 46 91e 97e 127 168c 171 218
525 601 722b 726c 1214 1270 1362
1371b 1582 1965 1986 2001c 2030
2032b 2116 2162 2183 2193 2194
2280 2502c 2581c 2738 2822 2855
2940 2983 3019 3038 3087 3108
3417 3519 3993 4241b 4287 4355
4839 5307 5307 5347 5604 5638c 5651
5658 5988 5993 6484 6545 6702 6849
6861 6972 7104 7117c 7118 7205e 7638b
7745e 7760b 7791 8012 8026 8259 8268
8338c 8488 8488 8504c 8513 8606
8697e 8699e 8816 8867e 8989 8994b
9005 9146c 9150b 9188c 9317b 9366
9707d 9767b 9805 10179 10339 10389b
10614 10756 10797 11025 11362 11563c
11607 11611b 11614b 11640b 11640b
11652e 11653. → so∼ +zu∼ mehr.
vielfache 9365.
vielfältige 4882.
vielgeliebter 94 8027.
vielgeschaukelt 8126.
vielgestaltet 8650.
Vielgewandtem 11235.
vielleicht (25) 69 661 2180 2699 2739
2786 2871 2979 3541 4947 6585 6750
6998 7140 7780 8679 8732 9004 9142
9145 9205 9397 10290 10661 10700.
vielverworrner 9964.
vier (10). vier^a viere^b Vier^c Vieren^d.
53d 1272b 1292b 2545c 2980^a 4626a
8487a 10872a 10933a 11398a.
vierbespannt 5512.
vierfach 9255.
Viergespann 5640. Viergespannes 5613.
vierte 8187 11182. Vierte 1931. Viert'
1933.
Viertelstündchen *sg* 1849.
vierundzwanzig 1827.
vierzehn 2627 2640.
vierzigjährigen 12057.
Viktoria 5460. Viktorie 5455.
Virtuos 2201.
visierte 2991.
Vlies 6716 8215 8217 8888. Vliese *sg*
6629.
Vogel (7). Vogel^a Vögel^b Vögeln^c Vo-
gels^d. 238c 1103d 7152b 10667b 11101b
11217b 11415a. → Sommer∼.
Vogelfang 8929.
vogelfrei 2312.
Vogelsängen 10001.
Vogelschar 8344.
Vöglein *sg* 3318. → Wald∼.

Voland 4023.
Volk (45). Volk^a Volke^b Völker^c Völ-
kern^d Volkes^e Volks^f. 43f 82e 863c
938e 2161b 2295a 4078a 4090a 4092a
4144a 4777a 4932a 5464a 5738a 5815a
5998c 6070e 6076b 7090a 7246c 7358a
7498a 7714a 7794a 7872a 7885b 7904e
8046a 8109a 9013a 9157a 9372c 9409e
9577a 9934a 9996a 10094d 10116a
10156a 10569a 10854c 11031a 11250c
11580b 11826a. → Arimaspen – ∼
Berg∼ Gezwerg∼ Griechen∼ Hei-
den∼ Helden∼ Menschen∼ Satyr∼
Zauber∼.
Völkchen *sg* 2181 12016.
Völkerschaft 11568.
Volkeswogen 9426.
Volksgedräng' 983.
Volksgefahr 10392.
Volksgewicht 9283.
voll (44). voll^a volle^b vollem^c vollen^d
voller^e volles^f vollsten^g. 122f 167b
320d 333e 386e 591f 952a 1708f 1869a
2174d 2255a 2531a 2700d 2710b 2846a
3261a 3530a 3624c 3629b 3678e 3777a
4649b 5037a 5564e 5851d 5916a 6084c
6326g 6359a 6437a 6454e 6512a 7832a
8277d 8346a 9120d 10254a 10276a
10395a 10721b 10787a 10963d 11350c
11410a. → ahnungs∼ bedeutungs∼
ehren∼ ehrfurchts∼ gedanken∼ ge-
heimnis∼ grauen∼ greuel∼ hoff-
nungs∼ huld∼ kummer∼ liebe∼
schauder∼ schmerzen∼ sehnsuchts∼
über∼ unruh∼ verhängnis∼ wonne∼.
vollbringen (12). vollbringen^a Voll-
bringen^b vollbringt^c vollbracht^d voll-
brachte^e*pp* vollbrachter^f. 2549d 3691d
4632c 5763d 6422c 8100e 8264b 8589a
8831f 11437d 11501a 11594d.
vollenden (11). vollenden^a vollende^b vol-
lendet^c vollendetest^d vollendet^e*pp* vol-
lendeter^f. 72f 246c 5004a 5574c 5910a
8345e 8441d 8584a 10473a 11509b
11945a.
vollerteilen 9400.
vollführen 7136 8073 9003. vollführ' 5705.
vollgepfropft 407.
Vollgewinn 11979.
vollgültig 10949. vollgültigen 9991. voll-
gültigsten 8068.
völlig (9) 1738 5771 6589 6641 8131
8332 9243 9620 10967.
vollkommen (9). vollkommen^a vollkomm-
nen^b vollkommner^c vollkommnes^d Voll-

kommnes^e. 2557c 3240e 6472a 6539a
8021a 8025a 10298a 11457b 11597d.
→ un∼.

vollziehn 9496. vollziehend 8572.

vom (123) 8 16 114 116 130 203 242
260 260 304 452 473 782 903 947
1029 1074 1116 1140 1228 1768 1978
2113 2124 2256 2275 2342 2659 2690
3044 3142 3268 3308 3636 3837 3866
3986 4133 4185 4192 4692 4703 4788
4891 5042 5250 5375 5389 5646 5685
5922 6021 6038 6099 6280 6394 6460
6505 6530 6602 6649 6679 6680 6961
6966 7178 7189 7228 7284 7397 7454
7743 7854 7954 8141 8230 8282 8360
8361 8434 8478 8489 8491 8540 8687
8709 8931 8934 9128 9199 9203 9284
9450 9549 9564 9678 9842 10208 10229
10322 10415 10464 10669 10709 10715
10860 10939 10978 10991 11031 11109
11223 11225 11257 11266 11503 11558
11637 11637 11657 11805 11935 12084.

von (425). (→ § 8). → vom.

vor (131). (*Präp.*)^x (*Adv.*)^b. 16 53 91
175 369 441 572 650 711 714 819
1009 1083 1087 1207 1345 1577 1606
1727 1747 1749 1786 1864 1948 2059
2158 2258 2586 2602 2750 3016 3021
3022 3118 3213 3226 3235 3245 3295
3329 3480 3576 3608 3683 3854 3854
3965b 4120 4121 4170 TT22 TT23
TT26 TT31 4504 4610 5085b
5366 5448 5610 5627 6154b
6184 6194 6235 6354 6382
6479 6513 6519 6536 6652 6702 6806
7049 7185 7186 7226 7247 7301 7385
7487 7989 8032 8047 8354 8501 8519
8523 8598 8607 8738 8807 8808 8854
8917 8976 8988 9014 9032 9069 9074
9081 9324 9352 9354 9409 9483 9492
9514 9576 9622 9820 9998 10022 10164
10268 10701 10733 10837 10844 10845
10904 10937 11153 11160 11363 11406
11715 11717 11810. → be∼+ da∼
her∼+ ∼m zu∼.

voran 1445 10536.

vorangehen. geh voran 9077. geht voran
10796.

voranschweben schwebt voran 9116.

vorantönen tönt voran 8520.

voraus (7) 1591 3979 3981 4872 10316
10565 10920.

voraussagen sagt' voraus 8122.

voraussehen 10537.

voraussenden vorausgesandt 8525.

vorbehalten *pp* 1377.

vorbei (14) 1706 4229 4404 4404 4565
5049 9682 9752 10807 11595 11595
11596 11597 11600.

vorbeiführen führst vorbei 3225.

vorbeigehen. ging vorbei 2620. geht vorbei 4096.

vorbeikrächzen 7214.

vorbeilaufen vorbeigelaufen 9790.

vorbeireisen vorbeigereist 2191.

vorbeischleichen schlich vorbei 2623.

vorbeischmiegen schmiegt vorbei 10223.

vorbeiziehen. ziehen vorbei 11991. vor-
beigezogen 5188.

vorbereiten → unvorbereitet.

vordem 7935.

vordern 8539.

voreilend 9342.

voreinst 6495.

vorempfinden 8968.

vorerst 1954.

voressen vorgegessen 4875.

vorflammen flammt vor 263.

vorfühlen fühl vor 4652.

Vorgefühl 11585.

vorhalten hält vor 4740.

Vorhang 4220.

vorhanden 6130 11315. Vorhandnen 6278.

vorher 851 1958 8763.

vorkommen. komm' vor 6763. kommen
vor 11768. kommt vor 4200 7315
11262.

vorlallen vorgelallt 68.

vorlegen. legst vor 11022. vorgelegt 101.

vorleuchten leuchte vor 6987.

vorlügen 3298. vorgelogen 1528.

vorm 2485 TT39 6242.

vormachen macht vor 2892.

vormals 995.

vorn 7085 8322. vorne 6959 8271. vor-
nen 1523.

vornehmen vornehmen 2902 10145.

Vornehmtun 3548.

vornehm–willkommnen 9151.

vornenan 5769.

vorpreisen gepriesen vor 3623.

Vorrecht 8556.

vorsagen sagt vor 2573.

Vorsatz 6867 10345.

vorschieben vorgeschoben 6971.

vorschnell 9127.

vorschreiben. vorgeschriebne 245. vorge-
schriebnen 10403.

vorschreiten vorgeschritten 10067.

Vorschrift 6990.

vorschweben schwebt vor 7692.

vorsehen vorgesehn 5814. → unvorgesehen.

Vorsicht 6991 8680 10424.

vorsichtig 9534.

Vorstädte 10147.

vorstellen. stellt vor 3369 6469. vorgestellt 5874.

vortanzen tanzt [vor] 7692.

Vorteil 1014 3176 10237.

vorteilhaft 10354.

vorteilsuchenden 9664.

Vortrag 546. Vortrags 8971.

vortragen 6053. trag' vor 10881. trägt vor 550.

vortreten 7450. trete vor 7986.

vorüber 2554 4228 6787 8426.

vorübereilte 7204.

vorübergänglich 9185.

vorüberrücken 3877.

vorüberschleicht 711.

vorüberschweben schwebet vorüber 1460.

vorüberspazieren spazier vorüber 2887.

vorüberziehen. Vorüberziehn 11118. ziehen vorüber 8426.

vorwärtsdringt 1093 1857.

vorwärtsgehn 4153.

vorwärts gelangen 3874.

vorwärtsschauen schaut vorwärts 9381.

Vorwelt 2695 3238 6810.

Vorwerk 10900.

Vorwurf 108 8984. Vorwurfs 4624.

vorzeigen. zeigen vor 8393. zeige vor 8552.

vorziehn 9188. zieh vor 9525. zög' vor 4808.

vorzüglich 3072.

W

Waage *sv* Wage.

waagerecht *sv* wagerecht.

wach 3891 5881.

Wache 4740. → Leib~.

wachen (9). Wachens^a wache^b wach'^{c} wacht^d wachte^e. 2106d 3663d TT78b 4571d 5496c 7023e 7271b 7680d 11062a. → auf~ er~ fort~ heran~.

Wachfeuer *pl* 7025.

wackelt 4569.

wacker (12). wacker^a wackere^b wackern^c wackre^d wackrer^e wackres^f. 828c 2680a 3912a 4224d 5237c 6735a 8334e 8356c

8421d 10370b 10438e 11052f.

Wachs 1729 2266.

wachsen (14). wachset^a wächst^b wuchs^c wachsend^d wachsende^e wachsendem^f wachsenden^g wachsendes^h. 163b 3745b TT16g 4717f 4794h 4855b 6261b 8500c 8515d 10103b 10214b 10270c 11009e 11919a. → aus~ ent~ er~ heran~ über~.

Wachstums 6476.

Wächter *sg* 9364. Wächter *pl* 4426. Wächters 9242.

Waden 2502.

Waffen (8) *pl* 7632 9067 9484 9871 10319 10371 10764 11695. → bewaffnet.

Waffensäle 10556.

Wage 10462.

Wagen (6) *sg* 2064 5512 5583 5685 8365 8380. → Feuer~ Muschel~.

wagen (26). wagen^a wage^b wag'^{c} wagest^d wagst^e wagt^f gewagt^g. 464a 767c 1671a 2280g 2434b 2605a 4575c 5137a 6379f 6545e 6558g 6657b 6666c 6674a 6743f 6858a 7060g 7238a 7781g 7967b 7983b 8736d 9071a 10220f 10233b 11377b. → heran~ herein~ hervor~ hinein~.

wägen wägt 4921. → gewogen.

Wagenthron 8149. Wagenthrone *sg* 5553.

wagerecht 9022.

Wagner (*Eigenname*) 6643.

Wagstück 8847.

Wahl 1733 10348 10901.

wählen (8). wählen^a wähle^b wähl'^{c} wählt^d. 734b 1897d 1968d 2264a 5111b 10280a 10899c 10920c. → er~.

Wählerinnen 9394.

Wahn (11). Wahn^x Wahns^b. 4 637 1511b 1722 4162 4209 4408 5735 7817b 8838 9269.

wähnen 10738. Wähnens 9650. wähn' 8819. wähnst 6193. wähnt 8775. → er~.

Wahnsinn 6500.

wahr (19). wahr^a wahre^b wahren^c wahrer^d wahres^e Wahren^f wahrer^gk. 213b 938d 2739c 3679e 4019e 4920a 5257b 5628e 5952a 6856g 6856g 7353b 7920a 8253d 8434f 8457a 8754a 11731c 11781c. → für~ ge~.

wahren. wahrt 9984. wahrten 591. → +be~ ge~ +ver~.

währen 5047. währt 3301. → be~ ge~.

wahrhaftes 9127.

wahrhaftig 833 2171 2938 3750 4296.

Wahrheit (14) 171 193 615 667 1346 2562

3014 5734 5735 6364 6744 6751 9643 11804.

wahrlich (8) 580 2829 2869 3260 4084 4213 6586 6715.

wahrnehmen nehmt wahr 1955.

wahrscheinlich 7057.

Wald (20). Wald^x Walde^b Wälder^c Wäldern^d. 689 776 1102 3228b 3311d 3941c 4556 4687 5962 6169 7578 9595 9788c 9827 10162 10575 10997 11096 11295 11875. → Alt~ Gipfel~.

Waldestal 5802.

Waldgebüsch 9812.

Waldquellen 6932.

Waldung 11844.

Waldvöglein *sg* 4419.

Wall 9467. Wälle 9855.

wallen (=pilgern) 11894. wallt 10011. wallend 10007.

wallen (=sprudeln). wallet 8698. wallt 5712. wallend 5980 6008. → ab~ auf~ über~ um~.

Wallestrom 7256.

Walpurgis 2590.

Walpurgisnacht 3661 4032 6941.

walten (11). walten^a Walten^b waltet^c waltenden^d. 5a 4986d 6378b 7271a 8180a 8404b 8437b 9560c 10343a 10461c 11923c. → + Gewalt + Jugend~ über~ Verwaltung.

Walz' 669.

wälzen 5718 9343. Wälzen 11912. wälzt 4718 8938. → auf~ herauf~ herum~.

Wams 2485.

Wand (8). Wand^a Wände^b Wänden^c. 656a 3639c 6013b 6373b 6382a 6392b 6695b 10164c. → Felsen~ Leimen~.

Wandel 3279.

wandeln (=umändern) (11). wandeln^a wandelt^b wandle^c wandl'^{d} wandelnde^e. 3246b TT20c TT21c TT25d 5386a 5782a 5937b 5983b 6302a 9572a 10046e. → um~ ver~.

wandeln (=wandern) (12). wandeln^a Wandeln^b wandelt^c wandle^d Wandelnden^e. 241c 266b 4032a 5433a 5447c 6331b 6444a 6805d 7686d 8159a 8670e 11449d. → an~.

Wanderjahren 6863.

wandern 810. Wandern 2995. → durch~.

Wanderschaft 11046.

Wandersmann 10269.

Wandrer (6). Wandrer^x*sg* Wandrers^b. 655b 3900 TT23 8347 8768 10120. → Reihen~.

Wandrung 1023.

Wange 2613 9551. Wangen 320 4968 5564. → Kinder~.

Wangenrot 9312.

Wänglein *pl* 7758 9160.

wanken. wanke 5499. wankt 7899 11474.

wann 3010 5588 8892 11631.

Wanst 1838. Wänste 10036.

wanstige 11656.

Wanzen 1517.

Wappen *sg* 2513. Wappen *pl* 9030 9030.

Ware 5115 8783 9432. Waren 4098 5172.

warm (7). warm^a warmem^b warmen^c Warmen^d. 968a 1376d 1799c 2713b 2754a 3492a 8357c. → rauch~ er~en.

wärmen 2385. wärme 7129. wärmet 1107. wärmt 5245. wärmend 10023. → auf~ er~.

Warnegeist 10978.

warnen. warnt 1235 11417. warnend 12056. gewarnt 8110.

warten (7). warten^a wart^b warte^c wartet^d. 1844d 2196c 2302b 2310b 3024a 4478a 9133d. → auf~ +er~+.

Wärterinnen 9649.

warum (=worum) 3218.

warum (29) 410 412 686 688 808 1212 1388 1409 2366 2506 3465 3663 3708 TT38 TT46 4487 4765 4769 6898 7969 8862 9367 10075 10096 10833 11521 11538 11596 11778.

was (513). (→ § 9). was (510). Was 5572 6992 11185. → et~.

waschen 3988. → ab~.

Waschtrog 3144.

Wasser (15) 237 649 1171 1374 3133 3227 3633 6353 7169 7499 7505 8435 8436 8482 8574. → +ge~ Röhren~.

Wasserboden *sg* 11137.

Wasserdrachen *sg* 8141.

Wasserfällen 7119.

Wasserfräulein *pl* 10717.

Wasserfülle 11877.

Wasserhof 811.

Wasserkrüge 8941.

Wasserlügen 10734.

wässern 10007 11878.

Wasserschlacht 7288.

Wasserstrahlen 10167.

Wasserstrom 11911.

Wassersturz 3350 4716.

Wasserteufel *sg* 11547.

waten. wateten 7421. watend 7287.

weben (8). weben^a Weben^b webt^c. 395a 447c 506b 1119a 2715b 3449c 3845c

4399a. → Gewebe Spinne∼ dichtgewebt durch∼ her∼ hin∼ ver∼.
Weber *sg* 5344. **Weber** *pl* 1935.
Weber–Meisterstück 1923.
Webstuhl 508.
Wechsels 6796.
Wechseldauer 4722.
wechseln (13). wechseln[a] wechselt[b] wechselt'[c] wechselnd[d] wechselnde[e] gewechselt[f]. 214f 253b 506d 1758a 3002c 4712d 5392b 8244a 8374d 8950a 9602d 9622d 11588e.
Wechselnot 8791.
Wechselrede 9376.
Wechselstreites 8827.
wechselsweis 8734.
Wechsler *sg* 6123.
Wechslerbänke 6088.
wecken. weck' 9577. weckt 1181 7254.
weder (10) 369 374 2607 2607 2850 5499 5499 8371 8372 9249.
Wedel *sg* 2427. → Pfauen∼.
wedelt 1165.
Weg (29). Weg[a] Wege[b]*sg* Wege[c]*pl* Wegen[d] Weges[e] Wegs[f]. 326b 329e 564a 812a 1190b 1985a 3837a 3840a 3869c 3968a 3974a 3974a 4553a 5006a 6222a 6222a 6223a 6797d 6890c 7334f 7803d 7829f 8688a 8756a 8758e 8769a 11473e 11616b 11913a. → Aus∼ aller∼s Erde∼ Fels∼ halb∼ keines∼s Kreuz∼ Schnur∼.
weg 3521 3561 3808 7166 7166. → hin∼+.
wegen wegt 8374. → +be∼+ ver∼.
wegen → meinet∼.
wegfluchen weggeflucht 7191.
wegführen. führt weg 1121. weggeführt 7107.
weggehen. weg ging 2971. weggegangen 6311.
weg jucken 2236.
wegkehren kehr' weg 4703.
wegkrümmen weggekrümmter 498.
wegnehmen weggenommen 8020.
wegpatschen weggepatscht 11831.
wegraffen weggerafft 9918.
wegräumen weggeräumt 11361.
wegschieben 6225.
wegschleichen schleicht weg 6516.
wegschnappen weggeschnappt 11694.
wegschwemmen 10732.
wegsinken 1084.
wegweichen 5393.
wegwerfen wirft weg 5600.

Weh (6) 465 1773 2024 5549 6056 7904. → Kopf∼.
weh (43). weh[x] wehe[b]. 398 485 1295 1607 1607 1977 2083 2343 2456 2917 3469 3603 3603 3603b 3674 3711 3794 3794 3824 3832 TT51 4423 4423 4493 4583 4856b 4996 5748 6339 6339 6563 6563b 6956 7382 7770 8925 9109 9109 9109 9247b 10807 10807 10814.
wehen 11147. **Wehen** 51. **Wehn** 8711.
weht 7668 8265. → herab∼ um∼.
wehren 4463 6542 6965 10271. → Gewehre ver∼.
Weib (29). Weib[a] Weibe[b] Weiber[c] Weibern[d]. 648a 1598a 2023c 2340b 2366a 2436b 2437a 2505a 2604b 2758a 2956a 2996c 3029a 3149c 3156a 3327a 3724c 3767a 3979c 3981a 4107a 4787a 5655a 5772a 5789d 5835a 8111a 8676a 11782a. → an∼en Wurzel∼.
Weibchen *sg* 5184 5271. *pl* 4284.
Weiberkünste 10714.
weiblichem 6915. → Ewig–Weibliche.
Weibsgebild 9127.
Weibsgeschlecht 5646.
weich (6). weich[a] weiche[b] weiches[c]. 30a 111c 764b 5309a 5786a 8265b.
Weichen (=Flanken) 5396.
weichen (17). weichen[a] Weichen[b] weiche[c] weicht[d] wichen[e] weichend[f] gewichen[g]. 499a 713d 1072d 3704g 3753a 4506d 5499c 5759d 7522a 7692f 8048e 8657g 10350b 10506a 10641a 11239a 11947e. → +aus∼ ent∼ er∼ weg∼ zurück∼.
weichlich 6463 12043.
Weichling 10017.
weichwollig 9161.
Weide (=Weideland) 1833 10998.
Weiden (=Weidenbäume) 9977.
weiden 2671. weidet 3337 TT47.
Weidensträuche 7251.
weidlich 1326.
Weife 5335.
weifen 5337.
weigern → unweigerlich ver∼.
Weihe 148 8659.
weihen (6). weihen[a] weih'[b] weihend[c] geweihten[d] Geweihten[e]. 1766b 2825a 4403a 8285e 8588c 11852d. → ein∼ ent∼ hochgeweiht wohlgeweiht.
Weiher *sg* 7646. → Friedens∼.
Weihetag 11015.
Weihrauchduft 6424.
Weihrauchsdampf 6473.
Weihrauchsnebel 6302.

weil (17) 38 230 677 94$\dot{1}$ 1139 1161 3072 4094 4770 4899 5773 5775 5878 6003 6639 10462 10909.
weiland 12045.
Weile 2493 TT22 4626 7871 8336. → derweil dieweil Lange ~ + unter ~ zu~n.
weilen (6). weile^a weil'^{b} weilest^c weilt^d weilende^e. 1017d 4479a 4480b 4480c 9907c 11684e. → ver~.
Wein (23). Wein^x Weine^bsg Weine^cpl Weins^d. 463 1476c 2206d 2244 2246c 2268 2273c 2282b 2286 2287 2332 2334 2996 3556 4861 5026 5027c 5055 6122 6353 6814 10912b 10922d. Rhein~.
Weinberg 11287. Weinberge pl 2317. → Berg' *4863.*
weinen 180 1555. weine 3606. wein' 3606 3606. → aus~ be~.
Weinfaß 2308.
Weinstein 5026.
Weinstock 2284.
weise (19). weise^a weisen^b weiser^c Weise^d Weisen^e weiseste^f. 442d 572c 1175c 3428d 4730e 4954d 5030d 5063e 5064d 5080a 6316e 8103d 8128b 8221e 8802a 8951a 8957f 9484a 11440a. → nase~ welt~.
Weise (12) 243 300 1036 1150 2169 4622 5528 7343 7366 7616 10580 11920. → faden~ gleicher~ kreuz~ reihen~ reim~ scharen~ skizzen~ stufen~ wechsel~.
weisen 3869. weist 1333. gewiesen 11672. → an~ Beweis be~ er~ hinaus~ hinweg~ unter~.
Weisheit (8) 1892 2042 3080 4892 6646 10118 11221 11574.
weislich 8133.
weiß (8). weiß^a weiße^b weißen^c weißes^d Weißes^e. 911e 1966a 5461c 6322b 6828d 8163b 8342a 10615c. → blendend–~ Lang–Schön–Weißhalsig.
weissagt 3539.
weißhalsig → Lang–Schön–Weißhalsig.
Weißnichtwie 6445.
weit (100). weit^a weite^b weitem^c weiten^d weites^e Weite^f weiter^g$_k$ weitreh^h Weitre^j Weitres^k weiteste^m. 31d 230g 293g 418b 510b 532d 547a 573a 574a 680a 862a 977a 1052a 1152c 1225g 1329a 1631a 1667g 2006a 2008g 2166g 2742h 2878a 295$\dot{4}$a 3094d 3116a 3837a 3875d 4005a 401$\dot{4}$a 4080a 4435a 4527a 4541g 4755f 4755a 4783b 4834d 4888g

5018d 5556g 5593d 5657a 5974b 5999d 6113m 6135d 6269g 6356a 6371d 6417a 6481g 6653g 6700g 6790g 6845g 7010a 7049d 7061g 7070g 7107a 7116g 7201a 7291g 7548g 7697g 7850g 7852k 7869g 8160d 8203g 8260d 8513a 8547e 8582g 8612f 8658g 8760g 8889a 9043a 9425a 9548a 9822g 9866g 9954a 9954a 10144b 10231a 10628a 10750d 10776a 10942j 10997a 11090a 11162a 11197g 11243a 11245b 11517e 11755a. → aller~este +er~ern.
Weite 4729 8327 11103. Weiten 10130. Erd–[~] Himmels~.
weitergehen 3907. weitergeht 1896.
weitereilen eilen weiter 10005.
weiterhin 8268.
Weit–eröffnen 8503.
Weiterschreiten 11451.
weiterziehn ziehe weiter 8543.
weitgedehnten 10630.
weithinleuchtend 9999.
weitläufig 10747. weitläufiger 7987.
weitsichtig 11329.
Weitumsichtigen 8964.
welch (89). welch^a welche^b welchem^c welchen^d welcher^e welches^f. 430b 454a 489a 742a 742a 1011a 1253a 2053e 2053c 2099a 2282c 2316f 2319a 2319b 2378a 2429a 2620b 2693b 2694b 3721b 3770b 3786b 3937d 3968d 4034b 4201a 4201a 4671a 4710a 4852a 5015d 5015d 5192f 5545a 6031a 6363a 6453a 6577e 6620a 6620a 6750e 6836a 6911a 6912a 7034a 7436a 7523a 7525a 7525f 7527a 7662a 7662a 7770a 7926a 7926a 8030b 8339a 8464a 8474a 8526d 8615b 8676a 8728b 8775a 8863a 8875b 8908b 8924a 9206a 9247a 9595b 9616a 9785a 9785a 9789a 9789a 9843b 9891a 9891f 9978d 10441a 10563a 10785a 10981c 11306a 11319a 11338a 11783a 11890a.
welk. welke 458 2701. welkes 9330.
welken 8948. → hin~.
Welle (28). Welle^a Well'^{b} Wellen^c. 1088c 1367c 1489c 6009c 6241b 6241a 6551a 6910a 7072a 7261a 7305a 7503a 7853a 8276c 8295a 8315a 8412a 8474c 9511c 9816c 9886c 10000c 10216b 10216a 10649a 11049a 11428a 11542c. → Silber~ Zitter~.
wellend 7305.
wellenförmigem 10355.
Wellengeflechte 8367.
Wellenreich 8161.

Wellenspiegel 10010.
welsche 2652.
Welschhühner 4858.
Welt (109). Welt[x] Welten[b]. 24 141 173
188 242 279b 281 375 382 409 409
464 491 510 531 586 636 778 1077
1115 1142 1364 1548 1609 1631 1661
1720 1829 2012 2052 2058 2131 2402
2495 2569 2614 2867 2905 2993 3043
3062 3080 3090 3204 3355 3372 3380
3741 4042 4045 4045b 4095 4103 TT71
4595 4686 4786 4799 4828 4889 4966
5087 5342 5420 5696 5839 5873 5913
5918 6079 6092 6231 6273 6490 6644
6782 6794 6862 6875 6993 7024 7340
7553 8002 8248 8442 8911 9043 9254
9561b 9565 9589 9694 9919 9957 10131
10246 10257 10283 11226 11291 11307
11409 11433 11446 11454 11977 11997
12052b. → Geister~ Mit~ Narren~
Motten~ Nach~ Ober~ Tages~ Un-
ter~ Vor~.
Weltall 6883.
Weltbesitz 11242.
Weltenräume 9594.
welt-[gemäß] 11907.
weltgewandte 5077.
weltlicher *k* 11788.
weltweise 8243.
wem *sv* wer.
wen *sv* wer.
Wendehals 7233.
wenden (18). wenden[a] wende[b] wend'[c]
wendet[d] wendete[e] gewandt[f]. 1138f
2747a 5611c 5660d 5789d 6107a
6346d 7841b 7901c 8639d 9191b 9591e
10621a 10696a 11354d 11496b 11799a
11801d. → ab~ ent~ +gewandt
her~ hernieder~ hin~ inwendig notwendig um~ +verwandt+ zu~ zu-
rück~.
wenig (41). wenig[x] wenige[b] wenig'[c]
wenigen[d] weniges[e] weniger[f]*k* wenig-
sten[g]. 105 170 283 339g 551 590d
680e 681d 1020 1022 1032 1402 1660
1823f 1906 2162 2213 2266 2845f 3260
3545 4526 5366 6070 6207 6214f 6812
7449 8790f 8935d 9009d 9012c 9183b
10017 10388 10489 10489 10521 10708
11241 11796.
wenigstens 2095 2463 2640 9961.
wenn (256). wenn[x] Wenn[b]. 24 50 71
75 102 113 142 144 199 200 202 204
248 276 308 310 313 327 332 423 429
528 530 534 535 543 545 552 569 605

636 640 643 689 725 862 1060 1062
1094 1096 1134 1141 1174 1194 1228
1334 1347 1398 1430 1562 1583 1599
1601 1658 1738 1803 1812 1824 1932
1944 1988 2007 2021 2027 2085 2113
2165 2182 2197 2203 2238 2240 2246
2254 2264 2327 2343 2433 2434 2441
2458 2459 2526 2565 2591 2636 2649
2678 2796 2810 2963 2999 3039 3051
3059 3124 3142 3228 3244 3318 3335
3422 3452 3466 3482 3498 3505 3549
3563 3578 3620 3675 3738 3740 3755
3762 3869 4012 4069 4073 4122 4143
4154 4157 4174 4219 4221 4245 4349
TT38 4482 4488 4613 4615 4631 4634
4663 4704 4780 4810 4862 4925b 4965
4983 4984 4989 4990 5004 5005 5063
5141 5142 5152 5203 5214 5278 5364
5428 5524 5575 5620 5622 5645 5767
5794 5827 5884 5890 5898 6035 6093
6109 6136 6201 6242 6305 6327 6457
6494 6656 6657 6697 6721 6744 6771
6791 6813 6845 6849 6977 7165 7201
7344 7380 7719 7724 7800 7847 7968
7975 8009 8183 8215 8217 8238 8357
8420 8438 8537 8569 8624 8664 8749
8763 8824 8969 9007 9182 9379 9692
9755 9759 9909 9933 10152 10152
10331 10333 10395 10411 10455 10480
10495 10534 10535 10542 10878 10892
10894 10915 10931 10985 11057 11172
11412 11450 11602 11630 11765 11779
11792 11811 11812 11958 12006 12095.
wer wessen wem wen (159). wer[x] wem[b]
wen[c] wessen[d]. 77 81 97 112c 146 148
150 152 154 156 182 482 515b 589 630
873 1013 1049 1064 1225 1277 1335
1428 1530 1711d 1723 1724 1936 2081
2446 2470 2472 2564 2570 2679 2795b
2835 2893 2980 3069 3207 3370 3426
3432 3433 3435 3596 3698c 3720 3789d
3964b 3995 4002 4076 4088 4118 4119
4182 4382 TT55 4427 4450 4497 4505c
4747c 4748c 4782 4823 4831 4835c 4847
4895 4930 5035 5053 5054 5055 5056
5151 5154 5392 5406 5704 5745 5749
5860 5932 5967 6064 6097 6152 6172
6315 6452 6485b 6486b 6527 6559 6568c
6643 6801 6809 6809 6861 7024b 7060
7152 7317 7364c 7654 7684 7712 7725
7983 8242 8658 8771 8773 8784 8824
8843 8978 9155d 9380 9384 9385 9482
9500 9730b 9836 9839 9931b 9981
10112 10252 10295 10467 10511 10513
10603b 10606b 10671c 10825 11040

11178 11261 11421 11443 11453c 11604
11608 11766 11818c 11832b 11833
11895 11936 12026 12030c. → weshalb.
werben 892. → +er~ Gewerb~ um~.
Werber *sg* 4071.
Werdelust 789.
werden (356). (→ § 9). werden (25).
Werden 185. werde (13). werd' (16).
werdet (12). wirst (23). wird (193).
ward (32). würde (14). würd' (5)
283 943 1802 3516 7502. wurden (6)
968 968 2229 3523 4844 12080. wür-
den (4) 3508 7206 7217 10683. wür-
dest (3) 2726 3280 5549. würdet 5348.
Werdende 346. Werdender 183. ge-
worden (6) 1935 3747 5415 6924 7791
8331. → los~.
werfen (10). werfen[a] werfe[b] werfet[c]
wirf[d] wirfte[e] warf[f]. 2222a 6006d 8140a
8610c 9622a 9943b 10727e 10730e
11050f 11814e. → fort~ hinunter~
+ ver~ + weg~.
Werk (22). Werk[a] Werke[b]*sg* Werke[c]*pl*
Werkes[d]. 177a 249c 269c 1522a 2371b
5004a 5763a 6052a 6110a 6187a 6282b
6425a 6675d 6834a 6854a 7628b 8305c
8936a 11017a 11023b 11509a 11945a.
→ + Blend-[~] Gaukel~ Hand~+
Lock-[~] Mauer~ Tage~ Trage~
Zauber~.
Werkzeug 110 2259 11505.
Wert 3103 4964 5034 5730 9332.
wert (17). wert[x] werten[b] werter[c]. 1033
1340 2249b 2943 3032 3095c 3156
5697b 6058 6165 6769 7487 7593 8224
8416 10468 11407. → bemerkens~
beneidens~ glaubens~ liebens~ wün-
schens~.
wesen west 8198.
Wesen (22). Wesen[x]*sg* Wesen[b]*pl* Wesens[c].
144b 1304 1330b 1331 2911 4351 5050
5607 5929 6303 6964 7401 7440 7444
7768 7798b 7839 9687 10194 10400c
10510 11113. → Erfahrungs~ Kup-
pler-[~] Verwesung Zauber~ Zigeu-
ner~.
Wesenheit 8016.
weshalb 8283.
Wespennest 4824.
West (=Westwind) 1136.
Westen 7620 9282. → nordwestlich.
Wette 259 331 1698 9510.
wetten wette 2179. wettet 312.
Wetterbuben *pl* 11767.
Wetter → Ungewitter.

wetterleuchten. Wetterleuchten 5983 10750
10753. wetterleuchtet 7889. wetter-
leuchtend 6623.
wettern. Wettern 9423. → durch~.
Wettgesang 244.
wichtig 1148. wichtigen 10372 10676.
wichtigste 10972. Wichtigstes 6988. →
+Gewicht.
Wichtchen *sg* 4260.
Wickel Wickeln 9648.
wickeln → ein~ ent~ ver~.
wider (6) 62 1186 2598 3797 **7307 10466.**
→ er~n un~steh+ zu~.
Widerdämon 9072.
widerdonnern 9885.
Widergehn 6179.
widerhallen hallet wider 3888.
Widerklang 20.
widerklingen 2200.
Widerlaufen 10150.
widerlich 10029 10215 11194. widerlichst
6036.
widern 6949. widert 9782. → er~.
Widerrutschen 10149.
Widersacher *pl* 5413.
widerschallt 2085.
Widerschein 7026 10600.
widerschwanken [schwanken] wider
10590.
widerschweben schwebet wider 1264.
widersinnigen 5701.
widerspenstig 6964. widerspenstige 9797.
widersprechen 6657. widerspricht 9130.
Widerspruch 2557 6234. Widerspruchs
4030.
Widerstand 4910.
widerstehn 10538. Widerstehn 11269. wi-
dersteht 2337. widerstand 11591. →
unwiderstehbar+.
Widerstreben 7526. Widerstrebens 6014.
Widerstreit 5121.
widerwärtig (7). widerwärtig[a] widerwär-
tige[b] widerwärtigen[c] Widerwärtigen[d].
5791a 6235c 7182d 7523a 8085b 9435a
9798c.
wider–widerwärtig 10780.
Widerwillen 8645.
widmest 11023.
Widmung 9359.
widrig (7). widrig[x] Widrige[b]. 1041b
3475 6928 7090 10194 11262 11482.
wie (610). (→ § 9). wie (606). Wie
(4) 4925 5572 6992 11185. → Weiß-
nicht~.
wieder (63) 1 271 1195 1198 1199 1213

1530 1620 1881 2010 2044 2247 2347
2875 2880 3163 3254 3300 3310 3322
3329 3366 3366 3521 3662 3806 4123
4214 TT21 TT25 TT36 4447 4475 4503
4713 4999 5923 5925 6156 6162 6304
6363 6617 6726 6959 7066 7284 7391
7698 7820 8312 8506 8760 8914 9118
9616 9761 9937 10074 10235 10377
11279 11635.

wiederaufstehen stand wieder auf 10272.

wiederbringen → unwiederbringlich.

wiederfinden 1658 11045. wiederfinde
7239. find' wieder 7806.

wiedergeben gib wieder 184.

wiederhaben hat wieder 784.

wiederherkehren kehrt wieder her 8640.

wiederholen (8). wiederholen^a wieder-
holt^b wiederholt'^{c} wiederholt$^d pp$ wie-
derholten$^e pp$. 13b 51e 7012c 7013a
9607d 10209b 10484b 10640e.

wiederkehren (8). (kehren wieder)^a (keh-
ret wieder)^b (kehrt wieder)^c wieder-
kehrend^d wiederkehrende^e. TT69e
7054b 7503c 8498d 8557d 8980d 8987d
10726a.

wiederkommen 2904. wiederkommt 6306.

Wiederkunft 6662.

wiedersehen (7). wiedersehen^a wiedersehn^b
Wiedersehn^c (seh' wieder)^d (sehn wieder)^e. 1525b 2504d 3210c 4410a 4585b
7000d 9954e.

wiederum 8804.

Wiege 1778 3138.

wiegen (=schaukeln) (7). wiegen^a wieg'^{b}
wiegst^c wiegt^d. 646d TT14c 4639d
5883a 6171b 7934d 9404a. → hin~.

wiegen (=wägen) → +gewogen über~.

Wiese (10). Wiese^a Wies'^{b} Wiesen^c.
395c 776c 4699c 8545a 9595a 10008a
10162c 11001c 11095b 11095a. →
Asphodelos–~ Mittel~.

Wiesengras 8948.

wieso 3471 3548.

Wild 9772.

wild (25). wild^a wilde^b wildem^c wil-
den^d wildes^e wildsten^f Wildeste^g. 70d
126b 1081b 1182b 1565b 1860b 3247e
4812d 5060b 5691a 5801b 5864d 5993b
6006f 8384a 8772a 9793g 10400d
10625c 10651a 10733d 11084a 11366d
11372d 11874e.

Wildbret 843.

wildentbrannten 11323.

Wildernis 6236.

Wildschweine pl 4857.

Wille (15). Wille^a Will'^{b} Willen^c Wil-
lens^d. 62c 1210c 2747b 3518c 4881a
5431c 7017c 8241c 9743c 9799c 9802a
10196c 10254c 10964a 11255d. → eigenwillig Mut~+ selbstwillig Vater~
Wider~.

willen 1652 1714 6675 9060. → deinet~
meinet~.

willenlose 9924.

willig (6). willig 1890 5949 8933 11224
11375. willigen 10464.

Willigkeit 4779.

Willkomm 2031 9193. Willkommen
11941.

willkommen (21). willkommen^a will-
kommne^b willkommner^c willkommnes^d
Willkommne^e. 1193c 1572c 2687a
4743a 4762a 4943b 5348b 5437b 6592a
6592a 6831a 6832a 7171e 7194a 7476a
7844a 8121d 8496a 9068a 10459a
10832c. → un~ vornehm–~.

wimmelhaft 5845.

Wimmelhaufen → Ameis–~.

wimmeln. Wimmelns 6014. wimmelt
6078. → +Gewimmel um~.

Wimmelscharen 7599.

Wimmern 11338.

Wimpel pl 11147.

Wind (7). Wind^a Winde$^b sg$ Winde$^c pl$
Windes^d. 2980c 3990a 4397a 7853b
8072a 8162d 9815c. → Abend~ Ne-
bel~ Schauder~chen Winter~.

Windeln pl 9647.

winden (8). winden^a winde^b windet^c
windenden^d gewundne^e gewundnr^f.
1274a 1574c 3895a TT31d 5243e 5473b
5997f 8449c. → ent~ Gewinden über~
um~ unter~.

Windesbraut 5612.

Windgetüm 7927.

Windsbraut 3936.

Wink 1657 5190 6799 10553. Winkes
9495. → Blitzes~.

Winkel sg 1401. Winkeln 11652.

winken. Winken 6630. winke 5362. win-
ket 203. winkt 4570 5684.

Winter 906.

winterlich 3849.

Winternächte 1106.

Winterwinds 7218.

Winzer sg 10024. Winzers 10013.

Wipfel pl 10009.

wir uns unser unsrer (709). (→ § 9). wir
(410). uns (295). unser 1780 4970
8001. unsrer 7760. → unser ($Adj.$).

wirbeln 10035. → auf⌣.
Wirbelrauch 4038.
Wirbelsturm → Feuer⌣.
Wirbeltanz 204.
wirken (24). wirkenᵃ Wirkenᵇ wirkeᶜ wirketᵈ wirktᵉ wirkteᶠ wirktenᵍ wirkendeʰ. 57e 109a 230d 343e 346e 441h 448e 509c 525e 645d 1232e 3847a 4985b 5207g 5961a 7380e 8323b 9686a 10024f 10429a 10453e 10778e 10875c 11683d. → ein⌣ ent⌣ gegen⌣ goldgewirkt ver⌣.
Wirkenskraft 384.
wirklich 1385 5596 6537 6848 7606.
Wirklichkeit 1249. Wirklichkeiten 32 6553.
Wirksamkeiten 9592.
Wirkung 262 2592 10619.
wirren → +ver⌣+.
Wirrwarr 11490.
Wirt (6). Wirt 2166 2248 2259 5281 6048. Wirte *pl* 11051.
Wirtin 5281.
Wirtschaft 3109.
Wisch → Fleder⌣.
wischen → ab⌣ ent⌣ heraus⌣.
wißbegierig → all⌣.
wissen (161). wissenᵃ Wissenᵇ weißᵉ weißtᵈ wisseᵉ wissetᶠ wißtᵍ wußteʰ wußt'ʲ wüßteᵏ wüßt'ᵐ wußtenⁿ wüßtenᵖ gewußtᑫ. 43c 81c 231g 279c 310c 364a 371a 381c 601c 601a 860c 875m 1066c 1067c 1366h 1749b 1840a 1941c 1971c 2058h 2062d 2099g 2117a 2120c 2193j 2343d 2351a 2445c 2527g 2678m 2738c 2755c 2806k 2850c 2870c 2960c 2980c 3038a 3049q 3051k 3077c 3175h 3288c 3518c 3538c 3601d 3663c 3714c 4313m TT66e 4400c 4505d 4735c 4876d 4887c 4892c 4930c 5006m 5119e 5295g 5310j 5317g 5365a 5370c 5377c 5426c 5503m 5509m 5533k 5606d 5616j 5647c 5805a 5805c 5809c 5809c 5813a 5893c 5967c 6057a 6120c 6159c 6207c 6312c 6360c 6362a 6409m 6467g 6590a 6637c 6661c 6674c 6708n 6709n 6752c 6760q 6770d 7016c 7024c 7056p 7063m 7124c 7205j 7317m 7350j 7486c 7607a 7616c 7676j 7684c 7714c 7718c 7744c 7931c 8009p 8058a 8077a 8196p 8230c 8530c 8607c 8666f 8724c 8875c 8935a 8953d 8975c 8989c 9069g 9075c 9129g 9144c 9234m 9284h 9445c 9574c 9823c 9911p 9987a 10075c 10106c 10113c 10193d 10195c 10232j 10295c 10425d 10481c

10696c 10788c 10835c 10839c 10848a 11109a 11178c 11411c 11459c 11491c 11667c 11689g 11769a. → all⌣d allwißbegierig +bewußt gewiß+ un⌣d.
Wissenschaft (7) 1062 1851 1901 1984 2370 2568 6998.
wissenschaftlich 2015.
Wissensdrang 1768.
Wissensqualm 396.
wissenswürdig 6761.
wittern (7). witternᵃ Witternᵇ witterᵗᶜ wittreᵈ. 6229c 6263a 6623b 7036d 7254b 7524b 11725a. → Ungewitter hinein⌣ um⌣.
Witterung 9128.
Witwe 9056.
Witwenschaft 8862.
Witz (6). Witzᵃ Witzeᵇˢᵍ Witzesᶜ. 731a 1848b 2162a TT37c 6101a 6172a. → Aber⌣ Menschen⌣.
witzeln witzelt 4981. → be⌣.
witzten 5211.
wo (160) 64 65 149 169 400 455 456 490 491 494 607 764 1333 1411 1467 1491 1633 1691 1924 1995 2037 2064 2316 2327 2491 2498 2732 2890 2979 2980 3010 3368 3378 3496 3621 3784 3914 4021 4059 4231 TT37 4462 4478 4480 4495 4557 4618 4691 4693 4731 4758 4766 4784 4798 4879 4881 4884 4889 4932 5138 5280 5287 5289 5354 5463 5465 5557 5589 5659 5693 5695 5699 5699 5770 5844 5889 5893 6006 6132 6139 6248 6355 6610 6619 6671 6703 6705 6775 6776 6926 7056 7070 7075 7095 7173 7193 7231 7368 7370 7486 7511 7513 7522 7679 7684 7695 7717 7779 7801 7801 7806 7843 8005 8006 8008 8180 8195 8207 8214 8227 8233 8489 8547 8758 8792 8892 8981 8996 9135 9291 9560 9823 9907 10011 10012 10024 10077 10140 10146 10262 10312 10465 10544 10745 10786 10786 10815 10993 10994 11005 11080 11125 11230 11533 11609 11631 11825 11885 11894 12054. → irgend⌣.
Woche Wochen 5366. → Aschermitt⌣.
Wochenblättchen *sg* 3012.
wodurch 138 139.
Woge (18). Wogeᵃ Wog'ᵇ Wogenᶜ. 6551b 7010a 7305c 7535b 8041c 8127a 8280a 8280a 8480c 9204a 10200c 10207a 10732a 11084b 11084a 11090a 11848a 11848a. → Ge⌣ Volkes⌣ Zitter⌣.
wogen (6). wogt 4793 6441 8412 10363.

wogte 11875. wogende 61. → zu~.
wogenhaft 10046.
woher (7) 768 4946 7413 7608 7829
10096 10554.
wohin (21) 2051 2051 3602 4471 4472
4836 5615 5813 6012 6190 6222 6360
6948 7184 7334 7336 7413 7463 7841
10382 10815. → dort~.
Wohl 1773 5549 6056 6131 9479.
wohl (161) 3 35 88 135 329 529 547
565 585 765 875 1157 1172 1230
1387 1415 1544 1548 1707 1763 1912
1958 1959 2033 2035 2041 2047
2153 2189 2201 2209 2293 2295 2332
2342 2369 2384 2516 2527 2539 2555
2588 2785 2789 2799 2833 2866 2892
3005 3008 3008 3032 3073 3089 3108
3122 3207 3209 3210 3253 3336 3491
3522 3524 3541 3664 3672 3866 4088
4189 4331 TT59 4885 5140 5198 5462
5555 5645 5653 5707 5739 5807 5932
6076 6153 6158 6165 6170 6243 6258
6281 6334 6407 6456 6461 6464 6480
6517 6523 6526 6544 6637 6733 6757
6770 6773 6907 6979 6994 6999 6999
7111 7128 7176 7447 7457 7676 7712
7840 8015 8058 8191 8198 8231 8333
8335 8347 8677 8788 8796 8802 8838
8885 8912 8915 8980 9008 9024 9072
9485 9632 9804 10071 10075 10093
10133 10177 10180 10249 10318 10424
10474 11042 11111 11171 11517 11532
11654 11713 11903. → Lebe~.
Wohlbedacht 7039.
wohlbedächtig 10040.
wohlbehagen 3759. Wohlbehagen 9550.
wohlbekannt 5849 5865. wohlbekannte
1126 8982.
Wohlempfang 9138.
wohlerwogen 10345.
wohlerworbene 8405.
wohlfeil 7790.
wohlgebaut 2019.
wohlgebildeter 9011.
wohlgefallen. Wohlgefallen 9707. wohl-
gefällt 9212 10888.
wohlgehn 8977.
wohlgemeint 5854 7221.
wohlgemeßnes 2978.
wohlgemut 5926 9621 10360 10971.
wohlgenährten 10286.
wohlgeputzt 853.
Wohlgericht 10904.
Wohlgeruch 12042.
wohlgesinnter 4803.

wohlgeschliffnes 8577.
Wohlgestalt 6495.
wohlgestaltet 5350 6502.
wohlgestimmten 7159.
wohlgeweihten 2927.
Wohlstands 8782.
wohlstimmig 8831.
Wohltat 1976 6073 10620.
wohltätig 7456 8887.
wohltun 8099. Wohltuns 11058. wohl-
getan 993 3093 8091 9749.
wohlverwahrt 7605. wohlverwahrten 6135.
wohnen (19). wohnen[a] wohnet[b] wohnst[e]
wohnt[d]. 1112a 1566d 4407d 4676a
6428d 6981a 7479c 8004a 8373d 8757d
8816a 9474a 9538a 9570a 9859a 11387b
11458a 11564a 11666a. → be~.
wöhnen → ent~ + ge~ + ver~.
Wohngewinn 11250.
wöhnlich 10774.
Wohnung 6010 6023 6220 8975 11346..
Wölbedach 5880.
wölben 5902. wölbt 3442 4722 9537. →
+Gewölb.
Wölbung 2200. Wölbungen 1448.
Wolfesgrimm 8888.
Wölkchen *pl* 5979 8339 11970 12014. →
Morgen~.
Wolke (11). Wolke[a] Wolken[x]. 1453 3316
6245 8277 8438 8651 8767a 8909
10041a 11395 11444. → Kranich~.
wölken wölkt 468. → um~.
Wolkenart 6441.
Wolkenkränze 9173.
Wolkenzug 4395. Wolkenzüge 6279.
Wolle → Baum~ schaf~ig weich~ig.
wollen (218). wollen[a] will[b] willst[c] wolle[d]
wollt[e] wollte[f] wollt'[g] wollten[h] wolltest[j]
wolltet[k]. 76f 78b 90b 223a 229b 365b
611f 810a 883b 913b 1023a 1113b
1204b 1209b 1313b 1336b 1385a 1530b
1634a 1642c 1644b 1656b 1666b 1667b
1675c 1702b 1730c 1771b 1785b 1839c
1878f 1883b 1894b 1936b 2003e 2073b
2074b 2080e 2098a 2103b 2109b 2117b
2137f 2252a 2264b 2268b 2306b 2309c
2351b 2369g 2371b 2418g 2471e 2525b
2564b 2586c 2664b 2665a 2666b 2719c
2756g 2806g 2825a 2850b 2899f 2904b
2914g 2942b 3016b 3024a 3025b 3025b
3047e 3069b 3110b 3159f 3195a 3255g
3265b 3293b 3411g 3420b 3453c 3484f
3765e 3858c 3867b 4043a 4060c 4069b
4087h 4148b 4154k 4168b 4243a 4301b
TT39c TT77b 4464b 4490j 4521b 4532b

4543d 4560b 4603b 4604b 4709h 4768h
4799b 4823h 4837b 4847b 4853a 4913c
4924c 4927e 4944f 5003b 5022b 5033b
5053b 5054b 5160a 5195h 5298f 5313k
5376b 5417f 5427e 5470b 5485g 5493h
5671b 5774a 5781b 5879b 6123b 6128b
6183b 6184b 6186b 6206c 6255a 6268c
6315b 6318b 6432b 6515b 6775b 6791b
6868a 6875a 6875b 6897f 6900b 6934g
6945g 7036b 7108a 7138b 7156e 7207j
7231e 7336c 7381c 7399b 7459b 7485b
7750b 7838b 7848c 7850a 7851b 7881b
8187f 8203a 8242b 8419a 8423a 8465b
8581b 8659b 8983c 9074b 9278a 9683b
9723b 9773c 9819j 9859e 9929j 9981b
10047b 10185c 10255b 10275f 10280b
10610b 10613g 10622b 10743e 10953b
10983b 11022b 11243g 11273c 11302d
11359h 11365f 11371g 11371f 11555b
11612b 11626b 11662b 11675b 11743c
11795b. → hinaus~.
Wollenherden *pl* 9533.
womit 1592 7958 8276 10907 11033.
wonach 8821. → wornach.
Wonne (11) 430 805 1485 3191 3241
4201 8346 9222 9796 11463 11729. →
Götter~.
Wonnebrand 11854.
Wonnegraus 2709.
wonnevollem 9568.
Wonnezeit 10895.
wonniglich 3284. → liebe~.
woran 5375 6585.
worauf 8685.
woraus 567 4376.
worin 10921.
wornach 10177 10908. → wonach.
Wort (72). Wort^x Worte^b*sg* Worte^c*pl*
Worten^d Worts^e. 214c 275c 385d 553d
1224 1226 1328 1718 1728 1953 1989c
1990c 1993b 1996 1997d 1998d 1999c
2000 2313a 2565c 3005 3063d 3079
3461d 3545 3580c 4488d 4751c 5118b
5542 5628 5776c 6136 6180 6187 6266
6267 6319 6416 6547 6739c 6815b 6833
6891 7094b 8107 8118 8229c 8536
8666d 8691 8754 8842 8880c 8896e
8950 9048 9051 9370 9413 9631 9939
10523 10927 11041 11339 11370c 11374
11374 11502 11595 11731c. → Ant~+
Blumen ~ Donner ~ Frevel ~ Herr-
scher~ Jammer~ Lobes~ Losungs~
Mannes ~ Rätsel ~ Reim ~ Schelt ~
Sprüch~ Zauber~.
Wörtchen *sg* 2004.

Worthauch 3246.
worum → warum.
wozu 1322 6144 8982 10788.
Wucherklauen 6042.
wuchert 10620.
Wuchs → halb~ig Linden~.
wühlen 6344. wühlet 3597. wühlt 6912
11310. → durch~ er~ Gewühl.
wulstig 5869.
wund Wunden 7347.
Wunde Wunden 3973.
Wunder (23). Wunder^x*sg* Wunder^b*pl*.
57 189b 766 1753 2289 2336 3234b
5056b 5476 5688 6518 6519 7074 7324
7508 8474 8687 9365b 9579b 9629
10119 11109 11111. → Meer~.
wunderbar (11). wunderbar^a wunder-
bare^b wunderbaren^c wunderbarer^d wun-
derbarsten^e. 2375b 2785a 4736d 5907a
6270e 7181a 7274a 9137c 9225a 10723d
10767d. → Häßlich-~.
Wunderdingen 7069.
Wunderflor 5133.
Wunderflugs 8353.
Wundergäste 7950.
Wundergestalten 8716.
Wunderglanz 7027.
Wunderklängen 10861.
Wunderkraft 6403 6627.
wunderlich (10). wunderlich^a wunder-
liche^b wunderlichen^c wunderlicher^d
Wunderlichs^e wunderlicher^f$_k$ Wunder-
lichste^g. 282a 1384d 2169c 2350a 3896b
5812g 6217a 8226f 9582e 10736b.
Wundermann 6421 8152.
wundern wundert 6085 7995. → be~+
Verwundrung.
wundernswürdige 9183.
wundersam (6). wundersam 7295 7531
8075 8248 9146. wundersamen 5927.
Wunderschatz 10923.
wunderschön 10762.
Wunderschoß 8665.
wunderseltsam 5146.
Wunderwürdige 6438.
Wunsch (9). Wunsch^x Wünsche^b. 1547
1557 2747 4658 4658b 4705 5302 10233
10497.
Wünschelrute 5900.
wünschen (26). wünschen^a wünsche^b
wünsch'^{c} wünschet^d wünschte^e wünschte^f
wünscht'^{g} gewünscht^h. 37f 83e 875e
987b 1898f 1983f 2260d 3836f 3850f
4295a 4776a 5405e 5571e 5988b 6438e
6581g 8133e 9140c 9140c 9356b 9367g

10352e 11159g 11240g 11438h 11590e.
→ er~ ver~+.
wünschenswert 6492 10250.
Würde (7). Würde^a Würden^b. 4306b
6138b 6844a 7962a 9213a 10953a
11641b. → Mannes~.
würdig (26). würdig^a würdige^b würd'-
gen^c würdiger^d Würdige^e Würdigen^f
Würdiges^g würd'ger^hk würdigste^j Wür-
digste^k. 1108a 1218h 1359c 1433a 4905a
5114a 5127a 5562e 6117a 6134j 7121a
7997k 8302d 8388d 8946a 9180a 9180a
9180a 9250g 9327a 9618a 10259k
10872f 11011b 11025d 12010a. →
alt~ Ehren~ste ehr~ erstaunens~
hoch ~ liebens ~ lobens ~ merk ~
nichts~ wissens~ wunder(ns) ~.
würdigtest TT45.
Würfel *pl* 6148 10295.
würfeln würfle 2394.
Würfelspiel 2997.
würgte 7577.
Wurm (7). Wurm^a Wurme^b Würme^c
Würmer^d. 403c 498a 653b 707a 2176d
TT21a 11661a. → Funken~ Regen~.
Würmchen *sg* 3131.
Wurst → Hans~.
Wurzel (7). Wurzel 11334. Wurzeln
3894 3947 7346 7952 9592 11846.
wurzelauf 9993.
Wurzelkräften 7458.
wurzeln wurzelt 7978. → ein~.
Wurzelweibern 7352.
würzt 3844.
wuseln → her~ hin~.
Wust 2339 6614 6925 7045.
wüst wüsten 4136 8874 9963 10215 11027.
→ Städtever~enden.
Wüste 1134. Wüsten 12058.
Wut 7894 11645. → Fieber~ Liebes~.
wüten (12). wüten^a Wüten^b wüte^c wütet^d
wütende^e wütenden^f wütender^g. 150a
261e 2137b 3351e 3955g 4780d 4827e
9446b 10516c 10539f 10650a 11258c.

Z

zacken zackt 9543. → Dreizack.
Zackenhaupt 9527.
zackig 8279. zackigen 10548.
zagen 467. Zagen 4411 4598. zagt 1262.
→ ver~.
Zahl 989 10999. → Doppel~ Fünf~
Un~.
zahlen 851 1824 4869. → be~.
zählen 5343. zählt' 2768. → er~ überzählig unzählig.
Zahler *sg* 5656.
zahm 2155 3711 9350. → be~en zudringlich–~.
Zahn (8). Zahn^a Zähne^b Zähnen^c Zahns^d.
TT43b 5397c 8014a 8019a 8031b 8396a
8733d 11648b. → Eck~ ein~ig Gei-
ster~ Kinder~ Raff~ Ratten~ Vam-
piren~e.
Zange 6682 9672.
zapfen → ver~.
zappeln 1862. zappelt 4561 8929. zap-
pelte 3135.
Zappelfüßigen 7588.
zart (20). zart^a zarte^b zarten^c zarter^d
zartes^e Zarten^f zarteste^g. 1439c 1506c
2386c 2714c 3922d 4289a 5181a 5308c
6677g 6840b 7298a 7375a 7441a 7756a
8142g 10055d 10883a 12002a 12016e
12097f. → zierlich~.
zärtlich 6880. zärtliche 176 8385.
Zauber 1512 7909 9962.
Zauberbild 4190.
Zauberblätter 6157.
Zauberblendwerk 10300.
Zauberchor 3992.
Zauberduft 2721.
Zauberei (6). Zauberei 2311 2352 4199
4982 10454. Zaubereien 5502.
Zauberer *sg* 10988. Zaubrer *sg* 4061 6142.
Zauberfluß 3399.
Zauberfrauen *pl* 8035.
Zaubergesang 3955.
Zauberhauch 8.
Zauberhüllen 1752.
Zaubermantel 1122.
Zauberpferde *pl* TT79.
Zaubersphäre 3871.
Zauberspiegel *sg* 2430.
Zauberspiegelung 6496.
Zauberspiel 1441.
Zaubersprüche 11405.
zaubertoll 3868.

zertreten *pp* 10029.
zerzaust *pp* 10635.
zerzerrt *pp* 10635.
Zettel *sg* 6058. → ver~t.
Zeug 1369 2533 7225. Zeuge *sg* 603. →
Fahr~ Werk~.
Zeugen *pl* 3013.
zeugen (=Zeugnis ablegen) zeugten 7122.
→ be~ über~+.
zeugen (=hervorbringen). Zeugen 6838.
zeugt 7391 7621 9937. gezeugt 9938.
→ +er~.
Zeugnis 3009 3033 3042 5622.
Zeus 7137 8411. Zeus' 8647 9673.
zickzack 3862.
Ziege 9529.
Ziegenbock 2285.
Ziegenfuß 5830.
Ziegenfüßlern 10032.
Ziegenfüßlerinnen 10032.
ziehen (50). ziehen^a ziehn^b zieh^c zieh'^d
ziehst^e zieht^f zog^g zogst^h gezogen^j ge-
zognen^k. 62f 743f 1014a 1154f 1159t
1174j 1400j 1584g 2175d 2290f 2530c
2827g 3316b 3742f 3920a 3956b 4012b
4017f 4028f 5038c 5078f 5501a 5762d
6071h 6173e 6245a 6369b 6446b 6455k
7051b 7439b 7825f 8709g 8968a 9226g
9470b 9508a 9533b 9762b 10180g
10198j 10290f 10404f 10647f 10686j
11099a 11144a 11395a 11436b 11759f.
→ ab~ an~ auf~ aus~ bei~ da-
hin~ davon~ ent~ +er~ fort~ her-
ab~ heran~ heraus~ herum~ her~
hinan~ hin~ nach~ über~ um~ ungezogen ver~ unverzüglich voll~ vor-
bei~ vorüber~ vor~ vorzüglich wei-
ter~ zurück~.
Ziel (15). Ziel^x Ziele^b*sg*. 130b 203b 208
1000 1063 1760 3837b 5050 5459 7121
8845 9763 9810 10208 10527.
ziemen (10). ziemen^a zieme^b ziemet^c
ziemt^d ziemte^e. 105b 585a 6053d 7496d
8150d 8507d 8915c 8915d 9192e 9590c.
→ ge~.
ziemlich 2019 3119 3371 4860 6529.
Zier 3636 5093 8562 11297.
Zierde 5131 7667 11016.
zieren 311 3671 9995. ziere 9742. →
auf~ aus~ um~.
zierlich (8). zierlich^a zierlicher^b zier-
liches^c. 2378c 5545c 6465a 6873b 8139a
9158b 9645a 9651a.
zierlich–stolz 9095.
zierlich–zarte 5399.

Zigeunerwesen 3030.
Zikaden 288.
Zikadenschwarm 8779.
Zimbeln 10030.
Zimmer *sg* 1238 2666 6663. Frauen~.
zingeln → um~.
Zinne 5449 8626 9235. Zinnen 885.
Zins 10947 11038. Zinsen 11024.
Zipfel *sg* 3912 4316 10087. Zipfeln 5736
9947.
Zirkeltanz 2163.
zirken zirkt 9567. → be~ Bezirk um~.
zirkuliert 1372.
zischen (7). zischen^a Zischen^b zischt^c
zischt'^d. 3951a 4017c 7225c 7926b
10169c 10754a 10846d.
Zither *sg* 3702.
zittern (8). zittern^a Zittern^b zittert^c. 497c
3600c 6622b 7255b 7523b 7583a 9413c
10398a. → Flüster~.
Zitterperle 4693.
Zitterwellen 7511.
Zitterwogen 8038.
Zitterzweig → Pappel~e.
Zofe 2233.
zögern → heran~.
Zoll 9684 10947.
zollen zolle 6500.
Zopf 6733 7775.
Zorn 8834 9245 10487.
zu (→ § 24) (1058). (→ § 8). →
all~+ da~ Glück~ heut~tage wo~
~m ~r.
zubereiten 10902.
zubringen. bring' zu 987. zugebracht
725 736 7285 7318.
Zucht → Ge~̈.
züchtig 2990.
zucken 471. zuckt 4593 11710. zuckt'
2144. → achsel~d hinab~.
zückt 4594. → +ent~.
zudecken deckt zu 647.
zudenken zugedacht 10925.
zudrängen drängt zu 5.
zudringlich 5083.
zudringlich–zahm 6917.
zudrücken drück zu 8022.
zueilen eile zu 8684.
zuerst 1911 8825.
zufahren fahren zu 10632.
Zufall 1403 10206. Zufälle 10859. Zu-
falls 6868.
zufallen fielen zu 6160.
zufällig 161.
Zufallswörtchen *sg* 3643.

zufrieden 98 939 8788 9553. → un~.
Zufriedenheit 2692.
zufriedenstellen 10155.
zuflüstern flüstern zu 7270.
Zug (15). Zug^x Zuge^b Züge^c Zügen^d
Zugs^e. 8 440d 728 2962d 7182c 8271
8766 8971 9155 10044 10102 10242b
10966a 11684e 11793. → Aus~ Fe-
der~ Heeres~ Hügel~ Masken~ Na-
mens~ Römer~ Schwärme~ Ufer~
Wolken~.
Zugaben 8955.
zugänglich → un~.
zugeben geb' zu 342.
zugegen 10106 11902.
zugehen. geht zu 2894 3147 4942. ging
zu 11113.
Zügel sg 5522. Zügel pl 8805.
zügeln 10768.
zugesellt pp 9977.
zugestaltet pp 9558.
zugestehn 7551.
zugleich (17) 2612 2770 5157 5176 5362
7944 8403 9051 9258 9504 10251 10824
10843 10941 11023 11639 11811. →
all~.
Zugluft 11311.
zugreifen. greif zu 7761. greife zu 10239.
greifen zu 4127. greift zu 1764.
zugrunde (7). zugrund 9721. zugrunde
1340 1358 1702 1867 3365 7919.
zugute 7144. zugut 5913 7498 10859.
zuhanden 6161 7855 11087.
zuhauf (7) 5852 6648 7602 8779 10273
10785 10809.
zuhorchen horchte zu 7837.
zuhören. hört' zu 3627. zuhörend 8973.
zukehren. kehre zu 708. kehrt zu 6562.
Zukunft 8088 8901 11465.
zulangen → unzulänglich.
zulaufen zugelaufen 2143.
zulegen zugelegt 990.
zuletzt (22) 573 998 4803 6238 6364
6565 6814 6966 7288 7351 7563 7870
8100 8156 8309 8577 8762 8844 9105
9927 10277 10777.
zulieb 7534. zuliebe 9738.
zulispeln lispelt zu 7252.
zum (188) 62 119 155 277 387 425 447
636 641 792 818 894 933 949 1138
1313 1429 1502 1699 1974 1992 2031
2072 2111 2123 2183 2250 2278 2304
2383 2536 2618 2864 2928 2935 2964
3030 3092 3220 3391 3593 3700 3701
3778 3905 4009 4032 4092 4093 4102

4127 4177 4209 4353 4394 4476 4592
4685 4802 4806 4883 4908 4966 5050
5069 5124 5305 5451 5459 5475 5476
5482 5716 5923 5964 5995 6015 6062
6091 6118 6142 6282 6305 6322 6332
6376 6434 6434 6473 6474 6505 6552
6696 6754 6755 6893 6938 6983 7001
7005 7108 7130 7177 7233 7240 7282
7338 7372 7452 7501 7614 7618 7628
7781 7949 7967 8068 8082 8210 8318
8326 8398 8515 8579 8709 8797 8815
8836 8837 8847 8922 8922 8969 8969
9073 9168 9370 9535 9599 9807 9853
9876 9915 9966 9988 9997 9997 10016
10121 10163 10367 10407 10413 10570
10637 10689 10712 10778 10811 10867
10899 10910 10965 10972 10984 10989
11006 11009 11013 11027 11108 11218
11240 11266 11288 11289 11388 11520
11570 11581 11869 11877 11901 11927
11978 12039 12096 12101.
zumal 5801 7679. → all~.
zumeist 9158.
zumute 7145.
zunächst (7) 1419 5713 7955 8252 10934
10950 11042.
zünden 5589. → +ent~.
Zunft 10265. → Hexen~.
Zunge 3069 3580. Zung' 5164. Zungen
1131 5381. → Feuer~ Kröten~ Stran-
des~.
züngeln. züngelte 10442. züngelnd 11324.
züngelnden 8714. → empor~ hinauf~.
Zünglein sg 7023.
zunicht 11388. zunichte 519.
zupfen 9946.
zur (98) 63 148 242 339 1314 1431 1503
1778 1850 1969 1996 2081 2123 2317
2329 2625 2658 2880 3232 3425 3425
3485 3629 3741 3788 3970 4278 4351
4730 4791 4882 4884 5005 5017 5073
5254 5393 5403 5481 5696 5921 6010
6208 6236 6236 6310 6381 6388 6393
6403 6679 6774 6878 6878 6889 7109
7396 7429 7462 7466 7547 7613 7672
7824 7879 7961 8248 8287 8534 8546
8572 8678 8989 9074 9203 9572 9590
9621 9690 9796 9796 9948 10121 10161
10218 10290 10461 10812 10868 10881
10894 10895 10928 10980 10987 11139
11150 11275 11318 11334 11461 11486
11515 11801 11925.
zurechtelegt 1602.
zurennen renne zu 1826.
zurichten. richte zu 9341. zugericht't 2651.

zurieseln rieseln zu 5882.
zuringen zugerungen 4705.
zürnen. Zürnen 8646. zürnend 8684 8826.
zürnender 8715.
zurück (10). 547 5708 5750 5750 5754
5754 5755 5755 6296 9273.
zurückblinken blinkt zurück 9117.
zurückdrängen. drängt zurück 9458. zu-
rückgedrängt 5757.
zurückehalten hielte zurücke 8726. →
zurückhalten.
zurückelassen [läßt] zurücke 3687. →
zurücklassen.
zurückeschlingt 141. zurückschlingen.
zurückestoßen. zurückestieß 12056 stießest
zurücke 628. → zurückstoßen.
zurückfliegen fliegt zurück 5935.
zurückgeben (7). gebe zurück 10698.
gebt zurück 4633. gib zurück 197 9331
10991. gib [zurück] 194. zurückge-
geben 9985.
zurückgehen gehe zurück 820.
zurückgewöhne 6494.
zurückhalten hält zurück 781. → zurückehalten.
zurückkehren. kehren zurück 8445 11414.
kehrt zurück 8830. zurückkehrendem
8616.
zurückkommen. komme zurück 1424.
kommen zurück 2205. kommt zurück
12075.
zurückklassen ließ zurück 793. zurück/
gelassen 8550/51. → zurückelassen.
zurücklenken lenket zurück 10463.
zurückprallen prallt zurück 9280.
zurückrollen rollte zurück 10207.
zurückrufen ruft zurück 770.
zurückschauen [schaut] zurück 9381.
zurückschlingen zurückgeschlungen 8665.
→zurückeschlingt.
zurücksehen 917.
zurückstoßen stießest zurück 4534. → zu-
zurückestoßen.
zurücktragen trug zurück 8631.
zurücktreten tritt zurück 8798.
zurückweichen weichst zurück 11778.
zurückwenden wend' zurück 10867.
zurückwünschen wünschet zurück 9840.
zurückziehen. zieht zurück 10217 10955.
zog zurück 907. zurückgezogen 10347.
zusagen sagt zu 6480.
zusammen 4308 5808 8755. → all~ beisammen.
zusammenbrechen bricht zusammen 11330.
zusammendrängen drängt zusammen

11723.
zusammenfließen fließe zusammen 1285.
zusammenflackern flackerten zusammen
5994.
zusammenfügen fügt zusammen 10058.
zusammengehn 10249.
zusammengoß 1041.
zusammenhalten. zusammenhält 383 6645.
hält zusammen 2091.
zusammenleimen leimt zusammen 538.
zusammenpassen 6894.
zusammenrafft 10318 10605.
zusammenschichten schichtet zusammen
7641.
zusammenschmeißen 3644.
zusammenstellt 6140.
zusammenstürzen 3364. stürzt' zusammen
4733
zuschanden 10115.
zuschlagen 10553. schlag' zu 2483.
zuschließen schließt zu 4641.
zuschnüren schnürt zu 3493.
zuschwören schwör' zu 2040 3001.
zusehen 4838. sehn zu 10292.
zuspitzen zugespitztes 5823.
zusprechen sprech' zu 10940.
Zustand 10274.
zustand 6834 7945. zustande 5210.
zustoßen. stoß zu 3711. stoßt zu 2312.
zugestoßen 3707.
zutage 4895.
zuteil 7502 10247.
zuteilen zugeteilt 1770 5334.
zutrauen trau' zu 10366.
zutreten treten zu 10298.
Zutritt 6683.
zutun zugetan 10856.
zuverlässigem 10926.
zuviel 5732 7734. → all~.
zuvor 359 8109.
zuvörderst 10757.
zuweilen 2523 2591.
zuwenden. zugewandt 8869. zugewendet
3219 9238.
zuwider 5263.
zuwogen wogt zu 4657.
zwacken zwackt 4989. → ab~.
Zwang → Geistes~ Puppen~.
zwängt 52.
zwanzig 9004 11174. → vierund~.
zwar (38) 45 366 601 671 878 1922
2376 2737 3055 4062 4261 4265 4891
4928 5353 5606 6717 7031 7086 7101
7682 7688 7729 7986 8083 8104 8616
8945 9334 9986 10049 10342 10750

--------◆◆--------

ANHANG A

Fremdsprachliche Ausdrücke

--------◆◆--------

ANHANG B

    Auf den folgenden Seiten steht die Szene „Trüber Tag" nach der
Weimarer Ausgabe zeilengetreu abgedruckt und numeriert, jedoch mit
moderner Rechtschreibung und Zeichensetzung. Im Index sind die Zeilennummern, die sich auf diese Szene beziehen, mit dem Präfix „TT" versehen.

Trüber Tag

Feld

FAUST — MEPHISTOPHELES

FAUST

5 Im Elend! Verzweifelnd! Erbärmlich auf der Erde
lange verirrt und nun gefangen! Als Missetäterin im
Kerker zu entsetzlichen Qualen eingesperrt, das holde unselige Geschöpf! Bis dahin! dahin! — Verräterischer
nichtswürdiger Geist, und das hast du mir verheimlicht!
10 — Steh nur, steh! Wälze die teuflischen Augen ingrimmend im Kopf herum! Steh und trutze mir durch deine
unerträgliche Gegenwart! Gefangen! Im unwiederbringlichen Elend! Bösen Geistern übergeben und der richtenden gefühllosen Menschheit! Und mich wiegst du indes
15 in abgeschmackten Zerstreuungen, verbirgst mir ihren
wachsenden Jammer und lässest sie hülflos verderben!

MEPHISTOPHELES
Sie ist die Erste nicht.

FAUST

20 Hund! abscheuliches Untier! — Wandle ihn, du un-
endlicher Geist! wandle den Wurm wieder in seine Hundsgestalt, wie er sich oft nächtlicher Weile gefiel, vor mir
herzutrotten, dem harmlosen Wandrer vor die Füße zu
kollern und sich dem niederstürzenden auf die Schultern
25 zu hängen. Wandl' ihn wieder in seine Lieblingsbildung,
daß er vor mir im Sand auf dem Bauch krieche, ich
ihn mit Füßen trete, den Verworfnen!—Die Erste nicht!—
Jammer! Jammer! von keiner Menschenseele zu fassen,
daß mehr als ein Geschöpf in die Tiefe dieses Elendes
30 versank, daß nicht das erste genug tat für die Schuld
aller übrigen in seiner windenden Todesnot vor den
Augen des ewig Verzeihenden! Mir wühlt es Mark und
Leben durch, das Elend dieser Einzigen; du grinsest gelassen über das Schicksal von Tausenden hin!

MEPHISTOPHELES
35 Nun sind wird schon wieder an der Grenze unsres
Witzes, da wo euch Menschen der Sinn überschnappt.
Warum machst du Gemeinschaft mit uns, wenn du sie
nicht durchführen kannst? Willst fliegen und bist vorm
40 Schwindel nicht sicher? Drangen wir uns dir auf, oder
du dich uns?

Fletsche deine gefräßigen Zähne mir nicht so entgegen!
Mir ekelt's! — Großer herrlicher Geist, der du mir zu
erscheinen würdigtest, der du mein Herz kennest und meine 45
Seele, warum an den Schandgesellen mich schmieden,
der sich am Schaden weidet und am Verderben sich letzt?

MEPHISTOPHELES

Endigst du?

FAUST   50

Rette sie! oder weh dir! Den gräßlichsten Fluch über
dich auf Jahrtausende!

MEPHISTOPHELES

Ich kann die Bande des Rächers nicht lösen, seine
Riegel nicht öffnen. — Rette sie! — Wer war's, der sie 55
ins Verderben stürzte? Ich oder du?

FAUST *blickt wild umher*

MEPHISTOPHELES

Greifst du nach dem Donner? Wohl, daß er euch
elenden Sterblichen nicht gegeben ward! Den unschuldig 60
Entgegnenden zu zerschmettern, das ist so Tyrannenart,
sich in Verlegenheiten Luft zu machen.

FAUST

Bringe mich hin! Sie soll frei sein!

MEPHISTOPHELES   65

Und die Gefahr, der du dich aussetzest? Wisse, noch
liegt auf der Stadt Blutschuld von deiner Hand. Über
des Erschlagenen Stätte schweben rächende Geister und
lauern auf den wiederkehrenden Mörder.

FAUST   70

Noch das von dir? Mord und Tod einer Welt
über dich Ungeheuer! Führe mich hin, sag' ich, und
befrei sie!

MEPHISTOPHELES

Ich führe dich, und was ich tun kann, höre! Habe 75
ich alle Macht im Himmel und auf Erden? Des Türners
Sinne will ich umnebeln, bemächtige dich der Schlüssel
und führe sie heraus mit Menschenhand. Ich wache!
die Zauberpferde sind bereit, ich entführe euch. Das
vermag ich.   80

FAUST

Auf und davon!

PRINTED
IN
U.S.A.

LITTEL PRINTING COMPANY
MADISON, WIS.